VOLVER AL SEXO

Jill Blakeway

con Colleen Kapklein

Volver al sexo

Recupera tu libido: sabiduría ancestral para parejas modernas

URANO

Argentina - Chile - Colombia - España
Estados Unidos - México - Perú - Uruguay - Venezuela

Para mi esposo, Noah

Título original: *Sex Again*
Editor original: Workman Publishing, New York
Traducción: Alicia Sánchez Millet

1.ª edición Junio 2013

Antes de emprender cualquier modificación de su dieta habitual o cualquier régimen de ejercicios consulte con su médico. Si sufre de algún trastorno de salud acuda a un profesional competente del ramo. Los autores y el editor no se responsabilizan de ningún percance, pérdida o riesgo personal o de cualquier otra índole derivado, directa o indirectamente, de la aplicación de cualquiera de los contenidos de la presente obra.

Copyright © 2012 by Jill Blakeway y Colleen Kapklein
All Rights Reserved
Ilustraciones en págs. 98-99 y 151-152 © Sandra Bruce
Ilustraciones en págs. 241-244 © Carlos Aponte
© 2013 de la traducción *by* Alicia Sánchez Millet
© 2013 *by* Ediciones Urano, S.A.
Aribau, 142, pral. – 08036 Barcelona
www.edicionesurano.com

ISBN: 978-84-7953-797-5
E-ISBN: 978-84-9944-606-6
Depósito legal: B-12.668-2013

Fotocomposición: Montserrat Gómez Lao
Imprime: Reinbook Imprès, S.L. – Avinguda Barcelona, 260
Polígon Industrial El Pla – 08750 Molins de Rei

Impreso en España – *Printed in Spain*

Índice

PRIMERA PARTE
¿Por qué no lo hacemos?

SEGUNDA PARTE
Renueva tu yo sexual

TERCERA PARTE
Equilibrio y conexión

CUARTA PARTE
Problemas

Agradecimientos

Gracias a todas las personas que han colaborado con su esfuerzo en la creación de este libro, así como a mi familia, compañeros y amigos que han estado a mi lado en todo el proceso.

Gracias a Colleen Kapklein, que ha trabajado incansablemente en este proyecto y cuyo talento se plasma en cada página. Gracias a Suzie Bolotin y a Mary Ellen O'Neill, de Workman Publishing, por sus sabios consejos y esmerada edición, y a todo el equipo de Workman, que ha aportado su gran experiencia y esfuerzo en esta obra. Para todo aquél que quiera escuchar, quiero que sepa el gran agente literario que tengo: gracias una vez más, Daniel Greenberg, por tener fe en mí cuando me flaqueaban las fuerzas.

Mi esposo, Noah, es mi pilar. Su fortaleza me ha ayudado a salir a flote en los momentos difíciles y su sentido del humor ha hecho que los buenos tiempos fueran aún mejores. Como sucede en muchos matrimonios, el nuestro ha sido un largo y complicado viaje que me ha enseñado mucho. Noah, verdaderamente eres mi mejor amigo. Doy gracias a Dios por cada día que puedo gozar de tu calidez y ternura. Emma, nuestra hija, se ha convertido en una encantadora, extravagante, divertida e inteligente joven que siempre me hace estar a la expectativa de lo que hará a continuación. Emma, ya sé que no es fácil que tu madre escriba sobre sexo, pero gracias por tu paciencia y apoyo.

La inspiración para escribir este libro surgió a raíz de mi trabajo como fundadora del YinOva Center de Nueva York. Jamás hubiera podido imaginar que podríamos reunir al equipo que actualmente trabaja en el Centro YinOva. Cuando el centro creció y ya no podía dirigirlo yo sola, la aparición en mi vida de algunas de las personas más capacitadas y sensibles que conozco fue casi una experiencia mística. Nuestros acupuntores no son sólo experimentados, tienen talento y son arduos trabajadores, sino que también son seres humanos de una calidad superior. Aportáis calor humano, humor y gran compasión a nuestro centro, que lo convierten en un lugar maravilloso para trabajar y en un lugar terapéutico para los pacientes. Nuestro personal administrativo es esencial para nuestro equipo de terapeutas y trabaja sin descanso para garantizar el buen funcionamiento del centro. Somos mejores terapeutas gracias a todos y cada uno de vosotros, y os doy las gracias de todo corazón. Nicole Kruck es nuestra maravillosa masajista y recurrí a su experiencia cuando escribí la sección de masaje de este libro. Gracias por tu generosidad al compartir tu conocimiento, Nicole.

Neale Donald Walsch ha sido una fuente de sabios consejos durante todo el tiempo que he estado trabajando en este libro. De hecho, el título ha sido idea suya, y le doy las gracias por compartir su tiempo y talento tan generosamente. Si no has leído *Conversaciones con Dios*, no tengo palabras para recomendártelo.

Por último, quiero dar las gracias a mis pacientes. Miles de personas han puesto su salud en mis manos, que es un honor que me tomo muy en serio. Gracias por compartir vuestras historias conmigo y por permitirme que os ayudara. Este libro es para vosotros.

PRIMERA PARTE

¿POR QUÉ NO LO HACEMOS?

1

Curación sexual

Para las mujeres que quieren hacerlo

Los estadounidenses tienen relaciones sexuales una media de ochenta y cinco veces al año, o, lo que es lo mismo, una vez cada 4,3 días. Esto según una encuesta a gran escala realizada por el fabricante de preservativos Durex, a lo que añadió que es una frecuencia muy inferior a la del resto del mundo. Cuando leí estos resultados, lo que pensé fue: «¿Dónde diablos encuentran personas que tengan tantas relaciones sexuales?» Era evidente que Durex no había preguntado a las mujeres que trato ni hablado de estos temas con ellas; es decir, mujeres principalmente de treinta y cuarenta años, así como las que se acercan a la menopausia, con relaciones primarias estables. Si hablas con esas mujeres —o si *eres* una de esas mujeres— tienes una imagen muy distinta de la vida sexual de los estadounidenses de la que tiene un vendedor de profilácticos. Pero ¡es cierto que muchas de esas mujeres sienten que tienen menos relaciones sexuales que las mujeres de otras partes del mundo!

Soy acupuntora y herbolaria diplomada, y lo que escucho en mi consulta, así como lo que me dicen mis amigas, es que muchas parejas se contentan con soñar con tener relaciones al menos una vez a la semana, algo más de la mitad que los encuestados del informe de Durex. Muchas ni siquiera tienen energía para soñar con eso. Del mismo modo que me sorprendieron las cifras de Durex, no me sorprendió descubrir que, según la Asociación Médica Americana (AMA), cuarenta millones de adultos estadounidenses no practican sexo con sus parejas. Tampoco me sorprendió un estudio publicado en el *Journal of the American Medical Association* que revelaba que casi una de cada tres mujeres estadounidenses dicen no estar interesadas en el sexo. En cualquier encuesta sobre problemas sexuales, la libido baja encabeza la lista, y con mucha diferencia.

Parece casi inevitable que cualquier chispa sexual sea silenciada en el trepidante mundo en que vivimos, donde reina la competitividad, la multitarea, el yo primero y el estrés. Tus amigas probablemente estén de acuerdo en que parece como si *nadie* lo hiciera, y eso es justamente lo que sucede.

> *Puede que te hayas desconectado de tu propio deseo, pero eso no significa que no exista.*

Pues bien, no tiene por qué ser así. Puede que te hayas desconectado de tu propio deseo, pero eso no significa que no exista. La clave está en volver a conectar con él.

Aunque seas una de esas mujeres a las que no les apetece demasiado, estoy segura de que no te gusta esta situación. Apuesto a que eres una de esas mujeres que veo en mi consulta que no tienen muchas relaciones sexuales pero que les *gustaría* tenerlas. No son mujeres que buscan a alguien con quien tener sexo —me alegra poder decir que eso está fuera de mi ámbito como profesional de la salud—, sino que tienen parejas estables desde hace muchos años; es decir, mujeres con muchas oportunidades pero poco deseo. Mujeres que están demasiado estresadas y cansadas para el sexo; que no se sienten lo bastante sexis. (También escucho estas quejas de mujeres solteras, tanto si están buscando pareja como si no, y de mujeres que acaban de iniciar una relación o mantienen una relación menos formalizada; ésas que las que llevamos muchos años casadas solemos pensar que están en la etapa de luna de miel).

Este libro es para esas mujeres; para las que no tienen sexo con mucha frecuencia, ni les apetece demasiado, pero que desean que les apetezca; para las que ya han perdido un poco la práctica pero están dispuestas a ponerse al día.

Simplemente hazlo

Si quieres sexo pero no tienes ganas, mi mejor consejo es que lo practiques de todos modos. Imagínate que estás haciendo un anuncio de zapatillas deportivas: «Simplemente hazlo».

No estoy diciendo ninguna tontería. En realidad, esto forma parte de la antigua filosofía china sobre la cual se basa este programa. Ésta es la razón por la que parece diferir un poco de la forma que tenemos de ver las cosas en el ámbito terapéutico en Occidente, especialmente en lo que respecta a los temas *psicológicos*. La medicina china tiene como objetivo que vuelvas a conectar con tu cuerpo; nosotros estamos más acostumbrados a vivir en nuestra cabeza; a resolver primero los asuntos en nuestra cabeza, y, en lo que se refiere a consejos sexuales, eso se traduce en estrategias para arreglar la relación, mejorar la comunicación, desenterrar temas emocionales, etc., que, normalmente, se resumen en *hablar, hablar y hablar* sobre el tema. La medicina china no diferencia entre los asuntos corporales y los mentales, y lo que en Occidente se considera psicológico se incluye en lo físico. En la medicina china también puedes mejorar el sexo mejorando tu relación con tu pareja, pero también puedes mejorar la relación mejorando el sexo. Y la clave para mejorar el sexo es practicar sexo. Por supuesto, no me estoy refiriendo a los casos en que puede ser realmente perjudicial, pero sí es recomendable en casi todos los demás casos.

Sin embargo, soy consciente de que el «simplemente hazlo» puede ser más fácil de decir que de hacer, así que el resto de este libro trata sobre *cómo* te puedes sentir al volver a tener relaciones sexuales, incluyendo cómo, por qué y cuándo deberías (y a veces no), simplemente hacerlo. Una parte importante del viaje es hacerlo para ti. También puede ser bueno para tu pareja y para tu relación. Pero, principalmente, se trata de *ti*.

Otro factor importante es mejorar tus relaciones sexuales. No puedes seguir esperando, albergar la esperanza de que de algún modo se produzca una relación sexual maravillosa. No puedes esperar a que sea perfecta para tenerla. *Nunca* será perfecta. Para mejorar el sexo, para desear el sexo, has de tener sexo. Has de empezar desde donde estás ahora. Y, si en estos momentos eso significa sexo rutinario, no pasa nada. Si sigues el plan de Sexo en Seis Semanas no seguirá así mucho tiempo. Al cabo de seis semanas, volverás a desear el sexo, y probablemente tendrás sexo, más y mejor sexo. De hecho, la cantidad no es lo más importante: la calidad se impone a la cantidad.

Sea como fuere, eso no cambia el hecho de que para volver a tener sexo necesites... tener sexo. Puede que en estos momentos te encuentres estancada en una espiral negativa de falta de deseo que se traduce en falta de sexo, y, aunque quizá no te des cuenta, la falta de sexo se traduce en la falta de deseo, pero pronto experimentarás el lado positivo de ese ciclo: cuanto más practiques el sexo, más desearás hacerlo. Cuanto más disfrutes del sexo, más satisfactorio será y más desearás hacerlo.

Quiero aclarar que *no* creo que *simplemente debas hacerlo* si *es* doloroso o te perjudica de alguna otra forma. No creo que «simplemente, debas hacerlo» porque sientas que *has de* hacerlo por tu pareja. No creo que *simplemente debas hacerlo* si sientes resentimiento haciéndolo y hace que aumente el resentimiento en tu relación. Pero quiero que recuerdes que gran parte de tu actitud respecto al sexo depende de ti. No necesariamente has de estar entusiasmada (al principio) para lanzarte al ruedo y darle una oportunidad. Si tienes pensamientos negativos activos respecto al sexo «¡Uf, realmente no me apetece hacer esto! o ¡vamos a acabar ya con este asunto!», no vas a conseguir lo que conseguirías si mantuvieras una actitud más abierta. Al comprar este libro, ya has hecho un cambio en tu actitud respecto al sexo, y muchas de las estrategias que encontrarás aquí te servirán para consolidar y ampliar tu nueva forma de ver las cosas.

Este programa se basa en prácticas que se encuentran en textos chinos de más de dos mil años de antigüedad que fueron escritos por los sabios taoístas y está respaldado por mi experiencia clínica de tratar a miles de pacientes utilizando una sabiduría milenaria de un modo muy actual. Los *sexoejercicios* van desde unas sencillas respiraciones profundas, pensar en el sexo durante cinco minutos, hasta practicar técnicas de penetración y estrategias para intensificar el orgasmo. Están en la cima de la pirámide de los consejos en cuya base se encuentran los referentes a la alimentación, a hacer ejercicio y a otras formas de mejorar la salud sexual, todas ellas personalizadas para tu situación en particular. Cuando lo considero necesario, recomiendo fórmulas de plantas medicinales; todas ellas se pueden comprar sin receta y no son peligrosas para que las tomes por tu cuenta. (Véase apéndice 1 para los consejos para comprar plantas medicinales de alta calidad). Para las personas que estén interesadas y tengan posibilidades, la acupuntura también es muy útil (aunque no es necesaria). Cuando hayas ordenado tu casa, también encontrarás una guía para revisar la salud de tu relación.

No obstante, los sexoejercicios son el pilar del plan de Sexo en Seis Semanas. Son aptos para todos los públicos; te prometo que no es necesario hacer aerobic, acrobacias o pornografía. No todos implican practicar el coito o incluso mantener contacto sexual alguno. Algunos se realizan con la ropa *puesta*. Otros están diseñados para que los hagas sola sin tu pareja y otros puede que te inspiren a atreverte y a desnudarte antes de leer la parte más importante. ¡No me dirás que no te lo advertí!

El sexo es bueno para ti

Permíteme que pida a toda mujer que en estos momentos piense que no se está tan mal sin sexo que se lo vuelva a pensar. *Deberías* desear el sexo. Tu sexualidad es una parte integral de lo que hace que tú seas *tú*. Y el sexo es una parte integral de lo que hace que una pareja sea una pareja.

El sexo es un gran invento: es gratis, es divertido, es fabuloso y es bueno para ti; realmente bueno. El sexo hace a las personas —y sus relaciones— más sanas y felices. El *buen* sexo lo consigue. ¡Y hay investigaciones que lo demuestran! El sexo reduce el ritmo cardiaco, baja la presión sanguínea,

> *El sexo hace a las personas —y sus relaciones— más sanas y felices. Literalmente, tener sexo hace el amor.*

fortalece el sistema inmunitario y ofrece una amplia gama de beneficios para la salud. El sexo reduce la percepción del dolor, nos ayuda a quemar calorías y aumenta los niveles de energía; es uno de los mejores antídotos contra el estrés que conozco. El sexo mejora tu estado de ánimo, aclara la mente y mejora tu actitud ante las cosas; es relajante y tranquilizante; es una gran vía de escape para la tensión física y emocional. El sexo favorece un estado psicológico positivo y la seguridad emocional.

Además, el sexo ayuda a crear y a mantener una relación sólida. De hecho, el sexo es la *clave* de una relación. Sin sexo, no sois más que compañeros de piso; iba a decir «compañeros de piso glorificados». Pero, en realidad, sin sexo, ¿dónde está la gloria? El sexo ayuda a crear el vínculo más fuerte que se puede crear con una persona, sobre todo a largo plazo. El sexo —independientemente de su uso para la procreación— ayuda a crear estabilidad en una relación. Literalmente, tener sexo hace el amor.

Cualquier tipo de caricia positiva, incluidas las que no tienen connotación sexual, es buena para ti, tu cuerpo, tu estado de ánimo, tu relación y tu sensación general de bienestar. Pero el sexo, suponiendo que se trate de una experiencia de intimidad corporal completa y desnuda, y quizá también un ejercicio aeróbico, es el que proporciona la mayor recompensa. Lo mejor de lo mejor es tener sexo con una pareja a la que amas y en quien confías, dentro de una relación estable. (No obstante, el sexo contigo mismo te aportará la mayor parte de estos beneficios, así que ¡no te eches atrás por no disponer en estos momentos de una pareja!). No es necesario llegar al orgasmo para gozar de todo lo bueno del sexo, pero cuando *llegas* le añades una amplia gama de beneficios.

Los efectos positivos del sexo no se notan sólo justo después de haberlo practicado, sino que, si lo haces regularmente, también los notarás a largo plazo. La *sensación de bienestar* después del sexo dura mucho más de lo que piensa la gente; puede durar horas, incluso días.

Una cosa más: *tener sexo aumenta la libido*. Tener relaciones sexuales es lo mejor que puedes hacer para combatir la falta de deseo. Si quieres tener una libido fuerte, has de sacarla a pasear con frecuencia. Si la dejas aparcada en el garaje, se oxidará y te costará ponerla en marcha. *Puedes* volver a

¿He de tratarme con acupuntura?

Casi todas las pacientes que encontrarás en estas páginas han recibido tratamiento de acupuntura; al fin y al cabo, soy acupuntora, y para eso vienen a verme la mayoría de mis pacientes. La acupuntura puede ser muy útil para tratar una gran variedad de problemas sexuales, así como las causas físicas y emocionales que los han provocado o agravado.

Sin embargo, la acupuntura no es el tipo de tratamiento que puedes seguir por tu cuenta; y este libro es un proyecto HTM (hazlo tú misma). Esa es la razón por la que no suelo mencionarla cuando describo los casos.

Pero te aseguro que puedes obtener resultados sin acupuntura. Los ejercicios de este libro actúan casi bajo los mismos principios que la acupuntura en lo que respecta a mover y equilibrar la energía de tu cuerpo, así que puedes utilizarlos en sustitución de la misma. Añádele las plantas medicinales y realiza los cambios de estilo de vida pertinentes para tu situación —como recomiendo a mis pacientes—, y estarás en el buen camino. (Es cierto que hago recetas personalizadas de hierbas medicinales para la mayoría de mis pacientes, y un profesional también puede hacerlo, adaptándose a ti y a tus circunstancias, para obtener los resultados más óptimos; pero la gran calidad de las fórmulas que se venden sin receta que recomiendo aquí pueden ser igualmente eficaces en la mayoría de los casos).

Si optas por recurrir a un profesional de la acupuntura, seguramente los resultados llegarán con más rapidez, facilidad y claridad. Pero no es necesario que nadie *tenga que* ser tratado con acupuntura para volver a tener sexo.

ponerla en marcha, no importa cuánto tiempo haga, qué edad tengas o cuál sea tu actitud en estos momentos. Realmente, podrás volver a desear tener sexo otra vez, y será sexo de calidad, si de veras crees que serás capaz de realizar un sincero esfuerzo en el programa que presento en este libro.

Energía y equilibrio

Tu pérdida de interés en el sexo puede deberse a muchos factores distintos. Puede que esté sucediendo algo en tu cuerpo, o en tu estado de ánimo, o en tu relación o una combinación de las tres cosas. La medicina china aborda todas estas áreas a la vez, sin distinguir entre el cuerpo y la mente. Detecta los síntomas y las causas subyacentes que los provocan como parte del proceso de restaurar la libido. Pero algo que me encanta de la medicina china es que también trabaja a la inversa: restaurar la libido puede ser una forma de aliviar los síntomas y de tratar los problemas subyacentes.

Puede que no tengas sexo porque estés cansada, estresada, enferma, disgustada o peleándote. Pero también puede que estés cansada, estresada, enferma, disgustada y peleándote *porque* no tienes sexo. Cuando lo contemplas de este modo, al estilo de la medicina china, ya no estás limitada a trabajar sobre tu cuerpo o sobre tu mente o tu relación para mejorar tu vida sexual. Es igualmente válido trabajar sobre el sexo como medio para mejorar la salud de tu cuerpo, de tu mente o de tu relación. En muchos casos, no sólo es más rápido, sino también mucho más placentero; y, quizás, hasta más eficaz.

La medicina china concede una gran importancia a la energía y al equilibrio. Si tienes síntomas negativos, indican una deficiencia o un desequilibrio de la energía. Arreglar el problema puede restaurar la energía y/o el equilibrio, o puedes arreglar el problema restaurando la energía y mejorando el equilibrio. Esto también sucede en otras áreas de la vida, pero en nada se observa con mayor claridad que en el sexo. El programa Sexo en Seis Semanas te ayuda a restaurar tus niveles de energía, reequilibrarte tú y reequilibrar tu relación, y a recargar tu deseo sexual. ¡No importa el orden!

No tengo muchas pacientes que consideren la libido la primera de sus prioridades. (¡Aunque muchas de mis pacientes que están experimentando la menopausia sí!). Sea como fuere, la mayoría de las veces, cuando pregunto por su vida sexual como parte de mi entrevista inicial, las mujeres responden que no sienten el interés que sentían antes y que no tienen sexo muy a menudo. En general, sienten bastante nostalgia.

Lo que siempre *sucede* es que las mujeres que habían venido por toda una serie de razones descubren que, cuando se resuelven los problemas para los que habían venido a mi consulta, también mejora su libido; aunque ni siquiera fueran muy conscientes de que también tenían un problema en esa área. Incluso aunque fueran conscientes del mismo, no sabían que la solución era relativamente simple, como suele suceder con las mujeres que tienen la menopausia. Esto es porque la medicina china siempre actúa siguiendo los mismos parámetros: tonificar, movilizar y equilibrar la energía. Los efectos no se limitan sólo a la patología que se estaba tratando. Todo tu cuerpo —de hecho, toda tu vida— puede experimentar cambios. Una energía equilibrada no tiene límites.

♂ **PARA LOS HOMBRES: este libro también es para vosotros (aunque quizá no *todo*).**

Me llamo Noah Rubinstein, soy director clínico y acupuntor del YinOva Center, y también soy el esposo de Jill. Básicamente, nuestra cultura presenta una idea sobre las parejas que no tienen mucho sexo: los hombres que quieren más y las mujeres que quieren menos. Esto puede ser la historia típica de muchas parejas, pero aquí, en el centro, vemos casi a tantos hombres que tienen problemas de libido baja como mujeres. Confía en mí cuando te digo que tu virilidad *no* se mide por tu capacidad de tener una erección o para estar metiéndola toda la noche como si fueras una estrella del porno o por tu deseo de hacer tales cosas. Si realmente quieres *ser un hombre*, lo que has de hacer es encargarte de tu *propio* asunto, sea cual fuere, y dar los pasos necesarios para resolverlo.

Aunque este libro vaya dirigido principalmente a las mujeres individualmente y como parte de la pareja, gran parte de la información y de los consejos también son aplicables a los hombres. Los temas de interés para los hombres los he agrupado en las secciones «Para los hombres», como ésta, que hay a lo largo del libro. Así que, si lo hojeas buscando estas secciones —o las lees cuando tu pareja te deje el libro—, obtendrás la mayor parte de la información que necesitas para canalizar tu propio deseo sexual.

No obstante, creo que, cuanto más leas con tu pareja, más provecho sacaréis ambos. Cuando se trata de relaciones, ninguno va por libre, y tu vida sexual no sólo te concierne a ti; es un asunto de dos. Más importante que leer es hacer. Ésta es mi promesa, de hombre a hombre: sigue este programa con tu pareja y te sentirás mejor física y emocionalmente, reforzarás tu relación y querrás —y tendrás— más (¡y mejor!) sexo.

Nuestra experiencia en el centro nos ha enseñado que la buena comunicación —verbal o de cualquier tipo— es la clave para que se vuelva a encender la chispa en la alcoba. Esto implica entendernos tanto a nosotros mismos como a nuestras parejas. Todo esto puede requerir algo de trabajo por tu parte y que salgas de tu rutina; incluso hasta de tu zona de confort. ¡Pero la recompensa (¿he mencionado ya más y mejor sexo?) valdrá la pena!

Equilíbrate y conecta

El sexo no tiene por qué ser perfecto para que sea bueno o puedas beneficiarte del mismo. No lo será, porque nunca lo es. No tiene por qué provocar fuegos artificiales, o arreglar todos los pequeños fallos de tu relación, o recuperar tu juventud o ser una experiencia espiritual. Ni siquiera tiene por qué ser en pareja.

Con el tiempo, puede hacer o ser alguna o todas esas cosas. *Pero no, si no lo practicas*. Todo empieza por el deseo. No importa cuánto tiempo hace que no lo sientes, o lo profundo que lo hayas enterrado, puedes volver a descubrirlo y recargarlo *si* te comprometes con el proceso. Piensa en ello como si se tratara de una dieta o de seguir cualquier otro plan destinado a cambiar tu vida. Has de hacer un esfuerzo para recibir la recompensa. Sólo que, a diferencia de una dieta, aquí se trata de *eliminar* la privación en lugar de instaurarla. En *Volver al sexo*, lo que te gusta y lo que es bueno para ti es lo mismo. Si se tratara de una dieta, te diría que comieras más chocolate.

El viaje empieza aquí. Ya has dado el primer paso: reconocer que hay algo que no funciona y has decidido actuar para remediarlo. Ahora, aprenderás a identificar y equilibrar los patrones de energía en tu cuerpo y en tu relación; y a conectar ambos con tu yo sexual y con tu pareja. A esto añadirás la plétora de sexoejercicios a tu repertorio, desde la meditación hasta la masturbación. Sacarás a la luz cualquier problema específico que esté creando obstáculos, a la vez que descubrirás las estrategias para eliminarlos y superarlos. Y, en aproximadamente seis semanas, te habrás recargado por completo y volverás a estar lista para el sexo.

Buen sexo

Muchas veces no sabemos lo que es realmente el *buen* sexo. Las imágenes sexuales que invaden nuestra sociedad hacen que muchos de nosotros adoptemos modelos muy poco realistas; modelos que, por otra parte, nada tienen que ver con un sexo realmente bueno. Tendemos a aspirar a ese tipo de sexo *alucinante* entre esas personas físicamente perfectas que promocionan Hollywood y Madison Avenue, por no hablar de la industria de la pornografía. Entonces, o bien consideramos que nuestras experiencias en la vida real

Las imágenes sexuales que invaden nuestra sociedad son muy poco realistas y nada tienen que ver con un sexo realmente bueno.

se quedan cortas, o malgastamos un montón de energía intentando imitar ese modelo imposible o bien tiramos la toalla. Sea como fuere, nos perdemos los placeres más profundos del sexo verdaderamente bueno.

No existe ninguna técnica que garantice el buen sexo, ni un manual de instrucciones que nos garantice el resultado. Eso es porque el buen sexo no consiste en qué-va-dónde o quién-lame-qué. El buen sexo no es una gimnasia, ni romanticismo con pétalos de rosa ni está inspirado en la revista *Cosmo[politan]* (o en el cosmos). (¡Al menos, no necesariamente!). El buen sexo no tiene nada que ver con nuestra edad ni con nuestro peso. El buen sexo tampoco depende de con qué frecuencia lo hagas, el rato que tardas o con qué fuerza llegas al orgasmo.

El buen sexo *es* sobre la conexión entre dos personas; sobre el flujo mutuo de energía entre la pareja, sobre dos personas que dan y reciben. El buen sexo procede de un estado de equilibrio energético y/o te conduce al mismo. Puedes pasártelo todo lo bien que quieras, pero, sin intercambio de energía entre las dos personas, el sexo nunca será totalmente satisfactorio. La conexión energética es vital no sólo para la experiencia sexual, sino, en última instancia, también para la propia relación.

Todas las demás características del buen sexo están incluidas aquí. El mismo e idéntico acto puede suponer buen o mal sexo, dependiendo de si se crea o no esa conexión. Puedes tener buen sexo sin llegar al orgasmo. (¡Aunque los beneficios aumentan cuando tienes un orgasmo!). También puedes llegar al orgasmo sin tener buen sexo. Puedes establecer una buena conexión sin el coito. Todo se basa en ese sentido de unión, de dos que se convierten en uno, que se produce en varios niveles; anatómicamente, por supuesto, pero también psicológica, emocional y espiritualmente.

Cuando tu deseo por el sexo ha desaparecido en combate, suele ser porque falta esta conexión. Afortunadamente, el intercambio mutuo de energía es algo fácil de garantizar. El principal requisito es dedicarle un poco de tiempo y atención. Todos podemos sentir el tipo de energía del que estoy hablando; no se trata de nada esotérico, misterioso o reservado sólo a los sabios. Todos podemos aprender a conectar con esa energía. Repara o reconstruye esa conexión esencial y volverás a descubrir el deseo y a reactivar tu vida sexual.

Por último, pero no menos importante, el sexo con conexión es una vía hacia el crecimiento espiritual. Ésta era la esencia del plan de los antiguos taoístas, el punto álgido de todas sus técnicas: canalizar y transformar la energía sexual en energía espiritual. Puede que algunas estéis pensando que eso no es para vosotras. Muy bien, no estoy intentando inculcar ningún tipo de experiencia metafísica de alcoba, aunque esto es lo que en realidad buscan —y encuentran— algunos adeptos a estas prácticas. Hay una forma más sencilla de considerarlo: la conexión que proporciona el buen sexo trasciende lo físico. Podéis sentirla entre ambos. Y, para muchas personas, ese sentimiento se extiende todavía más, les ayuda a conectar con un sentimiento —perdón por la cursilería, pero realmente no hay otra forma de expresarlo— de unidad con el universo. Ese poco de conexión entre las dos personas proporciona a muchas una experiencia relativamente concreta sobre la idea de que *todos* estamos conectados. El sexo se vuelve espiritual cuando el sentimiento de unión, de comunión, se expande incluyendo no sólo a dos personas sino a todo el mundo que les rodea, y sienten la unidad con todo en la *vida*. Tal como lo entendían los taoístas, la energía que equilibras e intercambias con tu pareja no sólo os conecta a los dos, sino que os conecta con la energía universal. El sexo es cosas muy diversas para muy diversas personas; para los taoístas es, entre otras, un portal para experimentar la energía del universo.

Buen sexo otra vez

El buen sexo —sexualidad con conexión— es una receta con muchos ingredientes. Elimina uno y tendrás un plato totalmente distinto. Pero también es una receta para el perdón, que todo el mundo puede seguir con un poco de práctica. Basta con que te asegures de que en la despensa hay todo lo que necesitas (véase más abajo). Y hay unas cuantas técnicas que realmente necesitarás para cocinar (convenientemente distribuidas en este libro).

El buen sexo conlleva **amor**. Por esta razón, el mejor sexo suelen experimentarlo las parejas estables. Puede que al principio de una relación también tengas buen sexo, porque, cuando lo haces bien, tener sexo es en realidad *hacer* el amor. El buen sexo inspira y crea amor, expresa amor, y, cuando lo estás experimentando, también es *amar*.

El buen sexo es **un intercambio**; es mutuo, cooperativo; es dar y recibir por ambas partes; es compartir energía; fluir en las dos direcciones. El buen sexo es altruista; no es cosa *tuya*, es cosa de *ambos*.

El buen sexo es **energizante**, equilibra tu energía y suma a tu reserva; nunca resta.

El buen sexo es **compromiso**. En una relación estable larga es donde puedes obtener los beneficios más potentes y profundos. El sexo ocasional no tiene por qué ser malo, no cabe duda de que puede ser divertido; de lo contrario no habría tantas personas que lo echan de menos. Pero suele agotar la energía: das energía sin llegar a recuperarla, porque en el sexo ocasional no suele haber conexión; la energía no tiene un camino para regresar a ti.

El buen sexo implica que las dos personas estén **presentes**; presentes el uno con el otro, presentes en el momento. Para que el sexo sea bueno, tienes que tener la mente en lo que estás haciendo. Has de estar por la labor y por la persona con la que lo estás haciendo. Los dos tenéis que estar presentes o no obtendréis todo lo que podrías conseguir de la experiencia.

El buen sexo es **placentero**.

El buen sexo es **satisfactorio**, física y emocionalmente, para ambos. El orgasmo es una parte muy importante del mismo, pero no lo es todo ni tampoco es el final de la satisfacción. Lo que resulta satisfactorio dependerá de cada persona y pareja; incluso puede variar de vez en cuando.

El buen sexo es una **experiencia corporal total**. En lo que respecta al sexo, es indudable que los genitales tienen mucho que decir, pero son sólo parte de un menú mucho más completo. Hay algunas variaciones sobre este tema: en el buen sexo se utilizan los **cinco sentidos**; y el buen sexo implica **al corazón, la mente y el cuerpo.**

El buen sexo es una forma de **comunicación**; en parte verbal, pero, como sucede con la música, la danza o el arte, la cuestión es que la expresión muchas veces trasciende las palabras.

El buen sexo es **significativo**.

El buen sexo también es generoso, amable, placentero, alegre, tierno, sincero, solidario, te sirve de apoyo, responsable, abierto, compasivo, empático, energético, genuino y pasional. Unas veces todo a la vez. ¡Otras, no!

El buen sexo es **mayor que la suma de sus partes**.

Mal sexo

Otra de las grandes ventajas del buen sexo es que, al practicarlo, ¡evitas los baches de tener *mal* sexo, así como los de no tener sexo! El mal sexo (o la ausencia del mismo) puede generar emociones negativas y distanciar a las parejas. Puede hacerte sentir que la relación es incompleta. Malgasta o hace mal uso de tu energía sexual y de la de tu pareja, y os deja a los dos agotados en lugar de revitalizados. Así que ¡no lo hagáis!

Nunca saldrá nada bueno de una sexualidad explotadora, abusiva, forzada o violenta. Pero no es necesario llegar a estos extremos para que el sexo sea malo. El mal sexo es todo aquél que, tras haberlo hecho, te provoca tristeza, depresión o vacío; o en el que no te sientes conectada o carece de emociones; es frustrante, monótono o agotador. El mal sexo es el que se realiza con una pareja inapropiada o bajo circunstancias inapropiadas: cuando implica una lucha de poder, se realiza con una finalidad o es puramente mecánico; cuando *sólo* es para aliviar el estrés o para tener un orgasmo; cuando te deja física o emocionalmente insatisfecha; cuando es demasiado rápido; cuando sólo se está pensando en quedar bien; cuando no implica un intercambio de energía.

Nada de eso te hará ningún bien; y, si te produce algún tipo de dolor físico o emocional, hasta te puede *crear* problemas físicos o mentales, o en tu relación. El mal sexo agota tu energía en lugar de generarla y pone en peligro tu deseo sexual. Y —seguro que lo has adivinado— el agotamiento de la energía es el camino hacia (más) mal sexo.

Fantasía contra un sexo fantástico

La fantasía forma parte de la vida sexual de muchas personas y no tiene nada de malo. La fantasía puede ayudar a despertar la conciencia sexual, puede ser útil para que te pongas a punto o incluso puede llevarte al clímax; pero si es la *única* forma en que puedes hacerlo, deberías interpretarlo como una señal de aviso. Hay mejores formas de excitarte, estimularte o de llegar al orgasmo. Si tu aliciente siempre es la fantasía, te lo vas a perder.

La fantasía supone estar siempre en tu cabeza y el mejor sexo se consigue estando en tu cuerpo. La fantasía está en cualquier parte menos en el ahora; el mejor sexo se consigue en el ahora. Cuando estás con tus fantasías, no puedes concederle toda tu atención y energía a tu pareja o a tu propio cuerpo porque estás desviando atención y energía hacia tus fantasías. Si has de aprender una nueva actitud de este libro, espero que sea la de estar *presente* con tu pareja, en tu cuerpo y durante el sexo. Esto es lo que realmente mejorará tu experiencia sexual. La fantasía te distrae de la misma, sabotea la conexión energética entre la pareja y, además, drena tu energía. Con el tiempo, confiar en la fantasía puede distanciar a las parejas y mermar su amor.

NO tengas sexo

No tengas sexo es algo que no me oirás decir muy a menudo. Pero tienes que prepararte para el éxito (buen sexo) no teniendo relaciones sexuales cuando las condiciones estén en tu contra:

- *No tengas sexo* si te sientes francamente mal o no tienes nada de energía.
- *No tengas sexo* si estás bastante agotada; por ejemplo, cuando te estás recuperando de una gripe o cuando has corrido una media maratón. (Cuando tu cansancio no se debe a una causa específica y limitada como éstas, tener sexo de vez en cuando no te perjudicará e incluso puede *darte* energía; hasta puede ser el remedio para aliviar tu fatiga leve).
- *No tengas sexo* si el acto sexual te cansa o te agota. (TÓMALO como un aviso de que debéis cambiar algo en vuestra forma de tener relaciones sexuales).
- *No tengas sexo* cuando te embargue alguna emoción muy negativa (ira, tristeza, miedo...) o estés en una etapa de emociones fuertes.
- *No tengas sexo* para huir de la ira, el aburrimiento, los problemas con tu pareja o cualquier otra cosa a la que tendrías que enfrentarte. El sexo puede ayudarte a experimentar y a expresar emociones, y puede suavizar las emociones negativas, pero si lo utilizas para evitar tus problemas estarás abusando de su poder.

Un poco más de conversación

Para tener buen sexo, vas a tener que hablar de ello. Una comunicación abierta y sincera es la clave para conectar sexualmente y de cualquier otra forma. La buena comunicación es importante para tu relación, lo cual es importante para tu vida sexual. También es importante una buena comunicación *durante* el acto sexual; de hecho, el sexo es un gran acto de comunicación, pero por ahora quiero que te concentres específicamente en *hablar de* sexo. Para muchas de mis pacientes, éste es el ingrediente que les falta en su vida sexual; y escucho una y otra vez (generalmente con tono de sorpresa) que hablar un poco les ha bastado para ir por el buen camino. Las parejas que llevan juntas muchos años suelen estar estancadas, y ninguno de los dos dice nunca: «¡Eh! ¿Qué te parece si probamos...?» o «Sabes qué me gustaría más que...?».

Si quieres *ser* una buena pareja sexual, tendrás que averiguar qué es lo que necesita y desea tu pareja, qué es lo que le gusta y lo que no le gusta. Y si quieres que tu pareja sepa lo que *tú* necesitas y deseas, lo que te gusta y lo que no te gusta, vas a tener que decírselo. También te recomiendo que se lo muestres. De hecho, ¡siempre animo a las personas a que aprendan al máximo mediante el ensayo y el error! Pero no obtendrás toda la información a menos que hables de estas cosas.

Empieza hablando de todas las cosas que funcionan en vuestra relación sexual actual. Sé específica, sincera y entusiasta. Prodigarse con unos cuantos halagos no puede perjudicar la vida sexual de nadie.

Por más que tu pareja te ame, no puedes confiar en que adivine lo que pasa por tu cabeza. Cuando lo consigue, házselo saber de una forma clara (se puede hablar, aunque no es imprescindible). Pero puede que la misma cosa no te sirva cada vez, o no te sirva todo el tiempo cada vez, y, como tú eres la única que está dentro de tu cuerpo, vas a ser la primera en darte cuenta de qué es lo que realmente te va bien ahora.

Para muchas parejas, este tipo de conversación supone todo un reto. A la mayoría de las personas nos cuesta más hablar de estas cosas que *hacerlas*. No obstante, suele ser más fácil de lo que imaginamos. La mayoría de las parejas quieren complacerse mutuamente, así que, cuando ya ha salido el tema de conversación, no tienen problemas para abordarlo. En la mayoría de los casos, las pacientes me dicen que mantener esta charla, aunque les preocupe hacerlo, da resultados muy positivos que compensan con creces cualquier nerviosismo previo y esfuerzo necesario para superarlo. Te voy a dar el mismo consejo para hablar de sexo que doy para tener sexo: ¡simplemente *hazlo*!

Empieza por encontrar un momento para hablar en que *no* estés teniendo sexo o a punto de tenerlo. La mejor forma de tener esta conversación es cuando los dos estáis totalmente vestidos. Aparte de esto, las mejores circunstancias para este tipo de conversación pueden ser diferentes para cada pareja. Algunas pacientes me dicen que esperan un momento tranquilo en que puedan mirar a su pareja a los ojos. Otras prefieren hablar en el coche; el escenario clásico para evitar las conversaciones mirándose a los ojos. Utilizar un tono romántico y amable durante la cena, o con un vaso de vino o en el jacuzzi son ideas excelentes y pueden facilitar el inicio de la conversación, pero no es necesario un tono romántico. Lo que *es* esencial es asumir el riesgo inicial, hablarlo en voz alta con amor y con sinceridad.

Es una buena idea empezar hablando de todas las cosas que funcionan en vuestra relación sexual actual. Sé específica, sincera y entusiasta. Prodigarse con unos cuantos halagos no puede perjudicar la vida sexual de nadie.

Luego, pregúntale a tu pareja qué es lo que le gusta, qué es lo que le gustaría más y qué es lo que le gustaría probar. Puedes preguntarle por sus fantasías o por si hay algo que le gustaría decirte. Pero el truco no está sólo en hacer la pregunta correcta o en ensayar la mejor forma de iniciar la conversación o en preparar el escenario perfecto o en transformar la charla en una seducción. Lo que importa es crear un espacio seguro para que pueda ser una conversación franca y abierta para ambos. Así que sé sincera, ten paciencia, está presente, en el sentido de implicarte realmente en el momento y en la conversación, pero no hurgues en el pasado. Si tu pareja nota que estás hablando en serio y con cariño —por no decir que tu meta es la de darle placer—, le será más fácil decirte lo que quieres saber.

Y, cuando lo haga, escúchale con atención. Ésta es una forma de demostrarle que realmente quieres saberlo y animarle a que te diga más cosas. Igualmente importante es que esta valiosa información sirva para que hagas algo al respecto. Comunícale también las cosas que te parecen bien. Procura no rechazar nada sin más. Tampoco consientas en hacer nada que realmente detestes, pero, en general, te irá mejor con una actitud de no descartarlo sin probarlo antes. Si lo pruebas y luego te das cuenta de que te ha dejado indiferente, entonces no es necesario que sigas intentándolo. Pero también puede que descubras algo agradable que nunca hubieras podido imaginar.

Después de esto, te toca a ti compartir con tu pareja las cosas que más *te gustarían* y lo que *te gustaría* probar. (Si él es especialmente reticente, siempre puedes empezar tú). Muchas veces es una buena idea empezar despacio, quizá con una petición simple que no le cueste a tu pareja: «Cariño, me encanta cuando_____. ¿Puedes hacerlo más a menudo?». Si eres *tú* quien es especialmente reticente, puedes probar escribiendo las cosas, o, si retrocedemos uno o dos pasos, puedes preparar el escenario con una nota o un email que mencione algunas pautas para empezar. Ya sea a través de una nota amorosa o un mensaje de viva voz, nada es demasiado importante o insignificante para mencionarlo. Si tienes un secreto que te gustaría confesar, ahora es el momento. Si quieres recordar los tiempos en que os besabais bastante rato antes de pasar a la acción, dilo. Si has estado practicando alguna de las meditaciones de este libro y te gustaría hacerla con tu pareja, comunícaselo. Si hay una zona de tu cuerpo a la que te gustaría que le prestara más atención, indícaselo.

Cuando animo a mis pacientes a que inicien una conversación de esta índole, muchas se quejan de que ni siquiera saben qué pedir. Nada tiene de extraño que las mujeres que tienen la libido baja hayan perdido el contacto con su propia sexualidad. Pero no hay que preocuparse: el programa que está al final del capítulo «Hazlo tú misma» (capítulo 9) está pensado para ayudarte a sintonizar de nuevo con el mismo y te prepara para que puedas darle buenas razones a tu pareja.

Cuando estés preparada para tu alegato, si quieres que tu pareja escuche realmente lo que estás diciendo, elige con esmero tus frases. *No* critiques lo que él ha estado haciendo, pero *dile* lo que te gustaría. No intentes inculcarle ninguna idea que es evidente que no le atrae. Pero tampoco te censures a ti misma, dale la oportunidad a tu pareja de dar su aprobación o rechazo a algo.

Advertencia: a veces estas conversaciones pueden... ¿desviarse un poco del tema? ¿Quizás había algo que era más fácil demostrar que explicar? Si de pronto te encuentras practicando lo que has estado predicando..., bueno, entonces es que la comunicación ha sido un éxito. Sólo tienes que procurar retomar en algún momento la conversación y terminarla, para estar segura de que los dos habéis podido expresaros.

Por otra parte, puede que encuentres resistencia cuando abordes este tema. A lo mejor, tu pareja se pone a la defensiva, se siente incómoda o se pone nerviosa. Quizás haga broma reflejando todo lo que acabo de mencionar. Bromear para aliviar el malestar no es una mala forma de afrontar la situación. A decir verdad, muchas personas y muchas relaciones podrían ser un poco menos serias respecto al tema del sexo. Así que si ésta es la respuesta que obtienes, una opción es seguirle el rollo. En lo que a sexo se refiere, es bueno ser divertido. Pero, si las conversaciones siempre giran en torno al sexo, puede que estés evitando hablar de algo que no sea una tontería y es posible que te convenga afrontarlo. O, aunque sólo sea para cambiar de onda, procura no ser tan insistente a ver si puedes cambiar tu experiencia. Otra cosa importante más: no se trata de una conversación que se tiene una vez en la vida. Haced un seguimiento de vez en cuando a medida que pase el tiempo.

LISTA PARA HACER(LO): cómo conseguir buen sexo

Ya vendrán las técnicas para tener buen sexo, pero si aplicas unas cuantas estrategias habrás recorrido parte del trayecto:

→ **Sé una amante generosa**. Cuanto más des, más recibirás.

→ **Concéntrate en lo que tienes entre manos**. Está presente, involúcrate, está con tu pareja.

→ **Conserva la intención** de compartir plenamente en la experiencia y el intercambio de energía.

→ **Honra a tu cuerpo y a tu sexualidad** y la de tu pareja.

→ **Busca la variedad**, la creatividad y la sorpresa. Utiliza todo tu cuerpo.

→ **Cuida de tu bienestar** —físico y emocional—, así como del bienestar de tu pareja y de tu relación.

→ **Haz alguna práctica espiritual o de meditación**. Actividades como chi kung, tai chi, meditación, yoga o incluso devoción por una vida virtuosa también enaltecerán tus prácticas sexuales, principalmente porque te ayudarán a conectar a un nivel más profundo.

→ **Conócete a ti misma**. Sólo podrás conectar genuinamente con otra persona en la medida en que seas capaz de conectar *contigo*, con tu cuerpo y con tu yo.

→ **Ten presente que no vais a ser una pareja perfecta toda y cada una de las veces**; lo que cuenta es el efecto total a lo largo del tiempo.

→ **Recuerda que el sexo puede ser trascendente**, pero no esperes a tenerlo hasta estar segura de que eso es lo que vas a conseguir. No va a ser siempre así; el secreto reside en estar abierta a la experiencia cuando ocurra y si ocurre.

→ **Concéntrate en el sexo, no en el orgasmo**. En el sexo has de evitar marcarte metas. La intensidad orgásmica cumbre no se va a producir en cada relación sexual; para algunas personas, tampoco existe un orgasmo medio diario. Ir únicamente en busca del mismo provoca desequilibrio; además, te pierdes todas las demás cosas buenas.

→ **Da más importancia al sexo regular que al sexo esporádico pero explosivo**. La intensidad puede variar de tanto en tanto. No tiene sentido esperar a que se den las circunstancias perfectas. A veces, una pareja simplemente necesita sexo, aunque sea sexo normal. Luego pueden matizar lo bien que desean hacerlo. Cuando tengas una sexualidad buena de veras, puede que estés satisfecha con menos relaciones pero más profundas, y la calidad es mucho más importante que la cantidad. Pero, a medida que el sexo va mejorando, puede que te apetezca tener más. Según el refrán de que la práctica hace al maestro, cuanto más practiques el sexo, más buena serás.

→ **Experimenta la emoción** del encuentro sexual, en vez de concentrarte únicamente en los aspectos físicos del mismo; pero tampoco prestes toda tu atención a los aspectos emocionales o espirituales a costa de sacrificar placer físico. Igual que sucede con todo lo demás, se trata de encontrar el equilibrio.

→ **Vive apasionadamente** en general, y parte de esa pasión se trasladará a tu vida sexual. Encuentra tiempo para las cosas que te gustan —actividades o personas— y haz una pausa para recapacitar sobre todas las cosas por las que puedes estar agradecida. Un sexo apasionado también transmitirá pasión al resto de tu vida. La pasión se ha de crear y alimentar dedicando atención, energía y destreza al asunto, tanto si se trata de tu vida sexual como simplemente de tu *vida*.

→ **Valora la conexión**. No confíes en el sexo para crear una especie de conexión mágica entre tu pareja y tú, pero honra el vínculo que habéis creado y renuévalo con el sexo.

2

Estoy demasiado estresada para el sexo

Cómo se relaciona la libido con la circulación del chi

Estáis los dos a solas, por fin solos. Los móviles apagados, sin ordenadores ni televisor. ¡Ni ropa! La cama os está invitando, pero ninguno de los dos tiene sueño. Notas que tu cuerpo empieza a responder en cuanto has bajado la intensidad de las luces y acomodado los cojines, y ahora cada caricia acelera el proceso. No tardas en desear más, pero no tienes prisa. La unión de vuestros cuerpos te resulta familiar, pero la urgencia de la sensación sigue siendo fuerte. Te estás concentrando en tus sensaciones y te estás dejando llevar, y pronto llegas al clímax. Os quedáis un rato abrazados después de haber llegado, sintiendo el latido de vuestros corazones...

Eso —o algo parecido— es lo que sucede cuando tú, tu pareja y tu relación son saludables y felices, serenas y fuertes. Según lo expone la medicina china, cuando tu chi es fuerte y circula. Y, aunque probablemente en estos momentos no sea así, puede llegar a serlo; y en tan sólo seis semanas, cuando te dediques a poner en práctica el programa Sexo en Seis Semanas.

Las experiencias de alcoba mediocres pueden tener su origen en varias fuentes distintas, pero para muchas personas, y para un buen número de mis pacientes, la principal causa de la falta de sexo y de deseo se puede resumir en una palabra: estrés. La medicina china elegiría otro término: estancamiento de chi. El chi es la fuerza vital, o energía, que circula por nuestro cuerpo. Los problemas aparecen cuando no hay suficiente chi o cuando no circula libremente; problema que, sin duda, incluye la pérdida de la libido. «Estrés» o «estancamiento de chi» son lo mismo: el estrés estanca el chi y el estancamiento de chi provoca estrés.

Si el chi no se mueve, la escena que se represente en tu dormitorio puede parecerse a esto:

Estáis los dos a solas, por fin solos. La cama os está invitando, y sólo piensas en dormir. Si es que puedes dormir, es decir, con todo lo que tienes en tu mente. De hecho, estás estresada por lo poco que dormiste la noche pasada. Si tu pareja no te está mirando de la manera adecuada, mucho menos de esa manera, esta noche no va a ser.

Sí, nadie va a conseguir nada esta noche.

Quizá se parece más a esto:

Has encontrado tiempo para tener sexo con tu pareja e incluso la energía. A medida que vas entrando en faena, te das cuenta de que te vas excitando. Os lo estáis pasando bastante bien, durante un rato.

Un rato bastante largo.

Y ahora ya lleváis bastante rato, notas que tu pareja ya tiene bastante, tu mente se ha dispersado un poco... Y, sin embargo, parece que no llegas a nada. Al final, dices que ya es suficiente o finges llegar. Lo que sea para acabar con esto, porque el orgasmo no está dentro de tus planes. O quizá redoblas tus esfuerzos, echas mano de cualquier truco que se te ocurra, dispuesta a llegar a toda costa, tardes lo que tardes o aunque a alguien le dé un calambre en el intento.

No me extraña que no te apetezca mucho hacerlo muy a menudo.

Otra de las historias comunes es la siguiente:

Aceptas tener sexo con tu pareja, pero el orgasmo es lo que menos te importa, porque simplemente no puedes seguir adelante. Te parecía que tenías ganas, te parecía una buena idea, pero por lo visto tu cuerpo no se ha enterado. Quizás, al final acabas mojándote, o te mojas lo suficiente; o quizá sigues sin esperar a que eso suceda, puesto que ¿cuánto vas a tardar en con-

HAZLO AHORA: Respira

La forma más básica de combatir el estrés es respirar profundamente. Respirar también es la forma más sencilla de hacer que la energía sexual se empiece a mover. Respirar hace circular el chi. Una respiración profunda envía el chi hacia abajo, y lleva la energía hacia la zona pélvica. Respirar conscientemente te ayuda a estar en tu cuerpo y a salir de tu cabeza; te sintoniza con la sensación puramente física, que aumentará tu respuesta sexual.

No es necesario que hagas ninguna práctica sofisticada para obtener los máximos beneficios de respirar. Es tan sencillo como estar sentada, de pie o tumbada en silencio, y hacer unas cuantas respiraciones lentas y profundas. Normalmente, nuestra respiración es superficial, de modo que aunque sólo dediquemos un minuto a utilizar más, pero con suavidad, nuestra capacidad pulmonar, eso puede provocar grandes cambios.

Variante: da un gran suspiro al exhalar. Eso supondrá que hagas un poco de ruido, pero no seas tímida. Haz unas cuantas respiraciones, lentas y profundas más, y vuelve a suspirar. Repítelo todas las veces que te apetezca. Al cabo de unas respiraciones, deberías experimentar una notable diferencia en tu cuerpo.

seguirlo? Pero el coito es molesto, incluso doloroso, porque no estás bien lubricada.

Tal como he dicho: no me extraña que no te entusiasme repetirlo pronto.

Si cualquiera de estas situaciones te resulta más familiar que la inicial, tu chi —tu fuerza vital o energía— no está circulando correctamente por tu cuerpo. En la medicina china decimos que está estancado. Cuando sucede esto, tu libido se resiente, y es muy probable que el estrés tenga la culpa. Casi todas mis pacientes que me comentan su falta de deseo sexual padecen estancamiento de chi y están sometidas a un gran estrés. Eso no implica que no les suceda alguna otra cosa, porque suele ser así, pero en casi todos los casos tratar el estrés y conseguir que se mueva el chi es el punto de partida para reactivar la vida sexual de una persona. Afortunadamente, no es muy difícil.

La energía sexual es uno de los tipos de chi. Un chi que circula libremente garantiza una energía sexual saludable y activa. Un chi que circula bien se considera crucial para la salud y el bienestar; por no decir lo que aporta a tu vida sexual.

Nada detiene la circulación del chi con mayor rapidez que el estrés. La tensión muscular, la intranquilidad mental, el dolor de estómago y la respiración superficial atrapan el chi e impiden que circule con normalidad a través de ti. Si no se le da una salida, el estrés se acumula dentro de las personas que tienen estancamiento de chi hasta que se agota su capacidad de almacenamiento y es inevitable que estalle de alguna manera. El estrés y el estancamiento de chi pueden ocasionar toda una serie de problemas físicos, emocionales y en las relaciones. Empezando por que no tendrás ganas de sexo. Si el chi no circula, no habrá suficiente aporte de energía y sangre en tus genitales y su circulación por los mismos será deficiente. Eso no sólo es malo para la excitación, sino también para el orgasmo.

Es un típico callejón sin salida. Tener sexo es una buena forma de activar el chi o de lograr que vuelva a circular (¡casi la más placentera!). El sexo genera chi y reactiva su circulación. Ésta es una de las razones por las que te sientes tan bien. Otra es que supone un gran remedio contra el estrés. Además, la falta de sexo puede *provocar* estancamiento de chi, falta de energía sexual, y crearte un estrés grave.

El sexo en la vida real: Delphine

Delphine se quejaba de que no tenía muchas ganas de tener relaciones sexuales: le costaba excitarse y llegar al orgasmo. Éstos son signos típicos de estancamiento de chi, pero también lo eran los otros muchos síntomas que padecía. El principal era que su estrés era tan grave que su cuerpo enviaba todo tipo de señales de aviso: tenía dolores de cabeza con frecuencia, nervios en el estómago, hipertensión, mala circulación, tensión y dolor muscular, especialmente en la espalda, el cuello y los hombros. Delphine mostraba también otro conocido síntoma de estancamiento de chi: irritabilidad, que a menudo dirigía hacia su esposo, lo cual no favorecía en nada su vida sexual.

Delphine también padecía trastornos hormonales; los síntomas solían aparecer en los momentos de transición hormonal, como antes de la menstruación. Tanto la excitación como el orgasmo dependen justamente de un baile de hormonas que ha de contar con una coreografía perfecta, y desde luego las de Delphine no seguían el ritmo. Se llevaba el estrés del trabajo a casa, y concretamente al dormitorio. Le costaba mucho *desconectar* al final del día. Las pocas veces que ella y su marido tenían relaciones sexuales, ella estaba distraída y no estaba del todo presente. Tenía muchas cosas en su mente y estaba agotada, lo que dificultaba que se concentrara en lo que hacía, que a su vez provocaba que llegar al orgasmo fuera más difícil.

Al igual que muchas personas con estancamiento de chi, Delphine era una conseguidora del tipo A. Normalmente era alegre, interesante, proactiva e innovadora..., pero también muy inflexible, tensa, irascible y muy crítica consigo misma y con los demás. Muchas veces se sentía agotada.

Delphine, como caso típico de estancamiento de chi, andaba pasada de vueltas. Se encontraba en la cumbre de su carrera, ganaba más dinero de lo que jamás hubiera podido soñar, trabajaba muchas horas, lo que le obligaba a estar despierta hasta la madrugada, pero también estaba criando a dos hijos adolescentes con su esposo (quien a su vez también tenía una profesión que le exigía mucho). ¡Ah! ¿He mencionado que cada vez tenía que involucrarse más en la vida de sus ancianos padres? Al igual que muchas personas que padecen estancamiento de chi, Delphine realmente se *sentía* estancada, como si estuviera atrapada por las circunstancias de su vida.

> *Tanto la excitación como el orgasmo dependen justamente de un baile de hormonas que ha de contar con una coreografía perfecta, y desde luego las de Delphine no seguían el ritmo.*

Ante una paciente como ella, la medicina occidental ve problemas hormonales, o quizás estrés, o una mezcla de ambas cosas —patrones hormonales alterados por el estrés—, pero probablemente no tendrá mucho que aportar en lo que a tratamiento se refiere. En términos generales, la medicina occidental destaca en sus tratamientos para casos extremos donde se necesitan intervenciones más radicales. Pero una situación como la de Delphine es más sutil. Por suerte, corregir hormonas que están sutilmente alteradas es una de las cosas para las que la medicina china es especialmente apta. En estos casos, es crucial una visión holística.

Aunque el estancamiento de chi es el patrón más habitual que observo en mis pacientes con problemas de libido, también es lo más fácil de tratar. Salvo si existen factores complicados adicionales, sé que puedo solucionar el problema en cuestión de semanas con técnicas para controlar el estrés,

¿Estás evitando algo?

En mi práctica he visto en infinidad de ocasiones mujeres que están estancadas porque las han educado con la creencia de que el sexo es inmoral, sucio o que está mal, o bien que en el pasado han tenido experiencias sexuales dolorosas o degradantes. Esas experiencias y actitudes negativas o sencillamente desagradables —cualquier cosa que incluya desde el abuso sexual hasta una *primera vez* de veras mala— puede hacer que un cuerpo se cierre. Estar estancado es una forma de evitar aquello a lo que no queremos enfrentarnos, tanto si se trata de una relación como de un recuerdo traumático. Si se estancan las cosas en tu vida, en tu relación o en tu *cabeza*, también se estancarán en tu cuerpo, y viceversa.

No siempre es fácil, pero encontrar la forma de manejar esas experiencias que pueden estar reteniéndote es una forma de restaurar la circulación de chi y con ella tu libido. A veces, basta con identificar y comprender la relación para acabar con la misma. Si no te sucede esto de forma espontánea, o hablando con alguna amiga de confianza, o con tu pareja, la terapia puede ser una buena solución.

unos cuantos consejos de estilo de vida, una fórmula de hierbas medicinales y algunos sexoejercicios como los que incluyo en este libro; empezando por Respira (página 39). No quiero decir que no requiera un esfuerzo superar el estancamiento, pero, cuando las pacientes lo realizan, no tardan en recuperar su vitalidad sexual, y, cuando vuelven a tener relaciones sexuales, pronto se dan cuenta de que el sexo atrae sexo.

Lista para revisar tu chi

Si te identificas con algo de lo que has leído, puedes reconocer si padeces estancamiento de chi. Si quieres estar más segura, la lista que viene a continuación puede ayudarte. Si lo prefieres, puedes completarla en línea en sexagainprogram.com.

Aquí también es muy fácil hacerla. Basta con que marques cada una de las afirmaciones que creas que describen lo que te sucede con frecuencia. Eso no significa que te suceda siempre o cada vez, pero experimentar algo una vez tampoco lo convierte en una característica *tuya*. Elige lo que sientas que podría ser una descripción de ti. Cuenta las que has marcado para conocer tu puntuación. (Consulta las puntuaciones al final del test).

MI SEXUALIDAD

☐ Pierdo interés durante el sexo y me pongo a pensar en otras cosas.

☐ Me cuesta llegar al orgasmo.

☐ Tengo dispareunia o dolor durante el coito.

MI RELACIÓN

☐ Hay cosas que no digo o que no le comunico a mi pareja.

☐ A veces no me siento conectada con mi pareja.

☐ Puedo ser controladora con mi pareja.

☐ A veces soy agresiva con mi pareja.

MIS EMOCIONES

☐ Estoy viviendo un torbellino emocional.

☐ Cuando estoy estresada, me vuelvo irritable o me deprimo.

☐ Muchas veces estoy irritable.

☐ Me siento tensa, abrumada, bloqueada o estancada en general.

☐ Estoy estresada.

☐ No quiero hablar de ello.

☐ Cuando estoy estresada, me encierro en mí misma.

☐ Me llevo a casa el estrés y me cuesta desconectar.

☐ Tengo tendencia a explotar o a tener reacciones desproporcionadas.

☐ Puedo ser bastante volátil.

☐ Cambio mucho de opinión.

MI CUERPO

☐ Mi estrés se manifiesta con síntomas físicos (dolores de cabeza, problemas digestivos, etc.) o dolores y malestares vagos.

☐ Me duelen las costillas o los flancos.

☐ Me encuentro mejor o tengo más energía cuando hago ejercicio.

☐ Me gusta beber alcohol para relajarme cuando estoy estresada.

☐ Mis heces son finas y largas como una cinta.

☐ Mis heces son como piedrecitas.

☐ Alterno periodos de estreñimiento y diarrea.

☐ Suspiro mucho.

☐ Por la noche aprieto mucho los dientes.

☐ Duermo mal.

☐ Tengo tensión muscular.

☐ Tengo mala circulación.

☐ Tengo nervios en el estómago o tengo diarrea cuando me siento estresada.

☐ Tengo las manos y los pies fríos.

☐ Tengo mamas fibroquísticas, fibromas o endometriosis.

MI CICLO MENSTRUAL

☐ Tengo la menopausia y me hincho, estoy irritable y aletargada. (Si tienes la menopausia, sáltate los otros puntos de esta sección).

☐ Tengo síndrome premenstrual, me duele el pecho antes de la menstruación y a veces a mitad del ciclo. Padezco cambios de humor y/o irritabilidad, trastornos digestivos, sobre todo justo antes del periodo.

☐ Tengo malestar, punzadas y dolor durante la menstruación.

☐ Mi ciclo menstrual es irregular.

☐ Mi menstruación se interrumpe y vuelve a empezar.

☐ Tengo coágulos y/o sangre de color rojo oscuro o marrón, en vez de que sea de color rojo claro.

☐ Sangro mucho durante la menstruación.

Una puntuación de dieciocho o más indica estancamiento para las mujeres que todavía no están en la menopausia.

Una puntuación de quince o más indica estancamiento para las mujeres con la menopausia.

Cuanto más alta sea tu puntuación, más estancamiento padeces.

PARA LOS HOMBRES: lista para revisar tu chi

Los hombres pueden usar la lista para revisar el chi tanto si padecen estancamiento de chi como si no. Basta con que se salten las preguntas sobre el ciclo menstrual y añadan estos temas:

☐ Tengo disfunción eréctil (DE).

☐ Tengo eyaculación precoz.

☐ Tardo mucho en eyacular.

Una puntuación igual o superior a dieciséis o más indica estancamiento de chi.

Cuanto más alta sea tu puntuación, más estancamiento padeces.

El sexo y el estrés

La relación entre el sexo y el estrés es muy profunda. El sexo suele convertirse en una obligación más de la lista de cosas pendientes, en una tarea más, un motivo más para tener que actuar bajo presión. Fisiológicamente, el estrés provoca una reacción hormonal en cadena que acaba sofocando la libido. El estrés también provoca una extensa gama de trastornos físicos, y todo lo que afecte a tu salud es probable que también apague tu vida sexual. Además, el sexo es una gran forma de liberar la presión, y cuando no lo utilizamos nos estamos privando de una de las mejores formas de tratar el estrés y estamos creando un nuevo factor estresante que tendremos que eliminar.

Todos podemos tener estrés, pero suele manifestarse de distintas formas en las mujeres y en los hombres. La conocida respuesta al estrés de *luchar o huir,* es en realidad más bien un paradigma masculino. Las mujeres estresadas es más probable que adopten la actitud de *cuidar y hacer amigas* cuando se sienten coaccionadas. Las mujeres, en lugar de huir o afrontar violentamente una amenaza, solemos reaccionar protegiendo a nuestros retoños (*cuidando*) y uniéndonos para formar grupos de defensa mutua (*haciendo amistades*). Antaño, esto podía suponer que cuando apareciera un tigre de dientes de sable, las mujeres se agruparan en torno a los hijos y se unieran para mantenerse a salvo. En nuestro mundo actual, la respuesta femenina es más probable que sea recurrir a una amiga para consolarse y concentrarse en cuidar a los demás. Por supuesto, las generalizaciones no sirven para todos los casos, pero sí para muchos.

A estas alturas, debes de estar preguntándote si el estrés no será *bueno* para tu vida sexual, puesto que respondes al mismo recurriendo a otras personas y comunicándote con ellas, etc. Pero esto es una trampa hormonal. Cuidar y hacer amistades responde a un aumento de la oxitocina, que es activada por el estrés. El estrógeno aumenta los efectos de la oxitocina, que es la razón por la que las mujeres actúan más de este modo que los hombres. No obstante, cuando sube la oxitocina, también lo hace una proteína denominada globulina, vinculada a las hormonas del sexo (GVHS). La GVHS se une a la testosterona en las células reforzando una reacción menos agresiva al estrés y dejando menos testosterona disponible para que el cuerpo la utilice para otros fines, como la libido.

En pocas palabras, así es como la medicina occidental interpreta la respuesta al estrés de las mujeres en cuanto a lo que afecta a la libido. La medicina china tiene una visión por completo distinta basada en observaciones similares. La idea básica es que el estrés altera el equilibrio energético del cuerpo y/o bloquea la circulación de chi. También sucede a la inversa: un desequilibrio de la energía y un chi estancado provoca estrés. Sea como fuere, de ello derivan una variedad de síntomas, siendo el principal la pérdida de la libido. El estrés y la mala circulación del chi hacen que tu capacidad para disfrutar del sexo disminuya. Esto empujará al sexo todavía más abajo en tu lista de prioridades, provocando tensiones en tu relación, sentido de culpa e incluso más estrés. Y menos sexo.

> *El estrés y la mala circulación del chi hacen que tu capacidad para disfrutar del sexo disminuya. Esto empujará al sexo todavía más abajo en tu lista de prioridades, provocando tensiones en tu relación, sentido de culpa e incluso más estrés. Y menos sexo.*

PARA LOS HOMBRES: estrés masculino

Cuando los hombres están sometidos a estrés, suelen caer en el patrón típico de *huir o luchar*, están dispuestos a salir corriendo o a una confrontación violenta ante una amenaza (o algo que se percibe como tal). Antaño, esto podía haber supuesto que, cuando apareciera un tigre de dientes de sable, la mayoría hubiéramos tomado las armas o huido. Y creo que, probablemente, ambas son opciones excelentes cuando debes enfrentarte a un depredador más grande que tú. Pero no es tan eficaz para, por ejemplo, cumplir con una fecha tope en tu trabajo, una caótica hora de cenar con los niños o unas vacaciones con tus suegros.

La respuesta al estrés de *luchar o huir* dispara la adrenalina, la noradrenalina y el cortisol en el cuerpo, poniéndolo en un estado exacerbado de excitación, del tipo que te permitiría correr más que el tigre de dientes de sable. Por otra parte, el tipo de excitación que te hace albergar la esperanza de que esta noche los niños se duerman pronto se sitúa entre las últimas de tus prioridades, mientras se centra tan sólo en lo que necesitas para seguir vivo ahora. La digestión y otras funciones no vitales, como la circulación de la sangre en algunas partes del cuerpo, se ralentiza o se interrumpe. La testosterona tampoco está en la lista de cosas que necesitas para tu supervivencia inmediata; por lo tanto, disminuye cuando hay estrés y también reduce la libido. Todo eso está bien cuando te estás enfrentando a una situación de vida o muerte, pero no tanto cuando no es así.

Quizá pienses que dominas las tendencias naturales como éstas; al fin y al cabo, casi nunca te encuentras en situaciones de tener que combatir o salir corriendo. No obstante, voy a mencionar la alternativa que es más familiar en nuestro mundo actual: la respuesta de *luchar o huir* suele adoptar la forma de la evitación, como alejarse de los demás o automedicarse.

El estancamiento de chi, las hormonas y el estrés

Existe una compleja relación entre el estancamiento, el desequilibrio hormonal y el estrés, cada uno de los cuales puede ser la causa o el resultado de los otros dos. Por ejemplo, el estancamiento puede provocar trastornos en las transiciones hormonales —como la ovulación, menstruación, perimenopausia, menopausia—. Y si no estabas estresada, los síntomas de las hormonas alteradas pueden conseguir que acabes estándolo. O los engañosos cambios hormonales pueden estancarte (y probablemente estresarte). Para muchas mujeres, los síntomas del estrés, del estancamiento y del desequilibrio hormonal son muy similares.

El estancamiento interfiere en las transiciones hormonales haciendo que sientas que estás al borde del abismo en vez de rodar suavemente hacia la siguiente fase. Esto sucede en general de dos formas características. A veces, el estancamiento de chi hace que suba la progesterona. Pero lo más habitual es que las mujeres que padezcan estancamiento de chi tengan ni-

 HAZLO AHORA: Piensa en ello

Tu chi va donde va tu mente. Esto es un principio básico de la medicina china y la esencia de este sencillo pero potente ejercicio de meditación. Este ejercicio es tan fácil como suena: lo único que has de hacer es dedicar unos minutos a pensar en el sexo. Si tienes pareja, piensa concretamente en el sexo con tu pareja. La única regla es que sólo pienses cosas buenas. Recuerda algún encuentro sexual memorable. Planifica uno para el futuro. Imagina (por último) que le dices a tu pareja exactamente lo que deseas y ¡que lo consigues!

Puedes hacerlo al estilo de la meditación clásica, es decir, sentada en silencio con los ojos cerrados. Pero también puedes hacerlo mientras estés haciendo ejercicio en la cinta de andar o cuando te encuentres en un atasco de tráfico o caminando por la calle. Mientras dediques unos minutos a tener pensamientos positivos sobre tu vida sexual, lo estarás haciendo bien.

veles altos de estrógenos o bajos de progesterona; o niveles de estrógenos que son altos en comparación con los de progesterona, condición conocida como «dominancia de estrógeno». Esto suele producirse gracias a la hormona del estrés: el cortisol. Cuando el cuerpo se estresa aumentan los niveles de cortisol, lo cual hace que descienda la progesterona, lo que a su vez hace que aumenten los valores de estrógeno. (Véase el capítulo 4 para más información sobre la dominancia del estrógeno y la deficiencia de yang).

El síndrome premenstrual suele ser una dominancia de estrógenos y un estancamiento de chi. Puede manifestarse de tres formas distintas:

1. Pasas el mes razonablemente bien, enfrentándote al menú diario de factores estresantes que todas tenemos, hasta que, cuando eres más vulnerable, cuando tus hormonas cambian radicalmente, todo se va al traste. Tienes los síntomas del síndrome premenstrual (y de estancamiento) durante unos días.

2. Tu vida está fuera de control: tus niveles de estrés se disparan y terminas en un estado que es como tener el síndrome premenstrual todo el mes. Padeces estancamiento de chi a tiempo completo.

3. Reconoces tu tendencia al estancamiento de chi y has dado los pasos necesarios para tenerlo controlado; has aprendido a canalizar el estrés para que no llegue a agotarte (y a evitar todo el estrés por todos los medios); has adoptado hábitos en tu estilo de vida que favorecen una salud óptima. Puedes afrontar hasta la transición hormonal más aguda sin padecer los síntomas, lo que significa que el chi circula sin problemas.

Te recomiendo la opción tres, por lo que me gustaría recordarte que, aunque la opción uno o dos te resulten más familiares, *puedes* conseguir estar en un estado en el que puedas realizar la transición sin dificultad. La clave es aprender a mover tu chi, como se indica en la «Lista para hacer(lo)» al final de este capítulo.

El estancamiento de chi en las mujeres se puede asociar también a valores altos de testosterona. Otros signos de demasiada testosterona son el acné, la irritabilidad y el crecimiento excesivo de bello corporal en zonas no deseadas. Demasiada testosterona puede provocar problemas graves, así que te recomiendo que acudas a tu médico para hacerte una revisión si tienes este conjunto de síntomas.

PARA LOS HOMBRES: los hombres, el estancamiento y las hormonas

El estancamiento y el estrés también desequilibran las hormonas masculinas; a veces, se manifiesta con valores altos de testosterona. (Los valores *bajos* de testosterona suelen ser más habituales en hombres con estrés que padecen estancamiento de chi; en el capítulo 4, hablaremos más sobre el tema, sobre la deficiencia de yang). Un exceso de testosterona puede exacerbar el deseo sexual y crear una conducta anormalmente agresiva. ¡No es una buena combinación! Demasiada testosterona también puede provocar o intensificar el acné, la calvicie, la infertilidad o el agrandamiento de la próstata; también aumenta el riesgo de cáncer de próstata. Es decir, si tienes valores muy altos de testosterona, es importante que consultes a tu médico y te pongas en tratamiento.

La medicina china también puede ayudar mucho a los hombres en lo que respecta a equilibrar sus hormonas. A diferencia de con las mujeres, las hierbas medicinales chinas para hombres con valores altos o bajos de testosterona no aportan hormonas directamente. Por tanto, puedes tomarlas aunque también estés tomando hormonas, pero debes hacerlo bajo la supervisión de un fitoterapeuta y de tu médico. A veces, la medicina china puede bastar y no será necesario que tomes hormonas.

También puedes intentar equilibrar tus hormonas en casa. Procura no comer demasiada carne ni grasas saturadas (intenta no comer carne más de tres veces a la semana, preferiblemente menos) y toma más fuentes de proteínas vegetal, como legumbres, tempeh y tofu.

Más sexo en la vida real: Amy

Amy vino a mi consulta para que la ayudara con su síndrome premenstrual —irritabilidad y mamas con nódulos—, pero durante nuestra entrevista no tardó en comentarme cuánto le costaba llegar al orgasmo. Me dijo que, cuando ella y su pareja lo intentaban una y otra vez, llegaba al clímax, pero que generalmente los dos llegaban a aburrirse mucho antes de que eso sucediera y tiraban la toalla convencidos de que no estaban haciéndolo bien. «Tengo la sensación de que no sé qué hacer para llegar al orgasmo», me dijo. La mayoría de las veces prefería tener sexo sin orgasmo. De esa forma, podía disfrutar de la intimidad y la conexión, y no esforzarse hasta el punto de que el sexo fuera como una tarea más. «Pero, aun así, siento que me falta algo», me confesó.

Típico estancamiento de chi.

Le sugerí que hiciera más ejercicio aeróbico para mover su chi, y le receté una fórmula de hierbas medicinales para reequilibrar sus hormonas y mover su chi; una versión de la fórmula que se vende sin receta Xiao Yao Wan (Trotamundos relajado).

Además, le sugerí que se hiciera masaje. Si Amy podía conseguir tiempo y costearse el gasto de un masajista profesional, estupendo, pero, en realidad, un masaje con su pareja (como el que describo en la página 155, capítulo 7) era lo más apropiado. Le dije a Amy que utilizara cualquier tipo de masaje como práctica para concentrarse en su cuerpo y en sus sensaciones, como medio para estar *presente*; justo lo que necesitaba cuando tenía sexo con su pareja para llegar al orgasmo.

Los antiguos textos taoístas sobre sexología explican que la finalidad de los juegos preliminares es aliviar el estancamiento y fomentar la suficiente circulación de energía para incrementar el placer sexual. De modo que le sugerí que ella y su pareja observaran cómo utilizaban (o no utilizaban) los preliminares. La meta era que Amy llegara mucho más lejos en su camino hacia el orgasmo antes de que empezaran a intentar conseguirlo.

Al escuchar a Amy, sospeché que podía albergar un cúmulo de resentimientos y miedos, y que el estancamiento de esas emociones, junto con el de su chi, podía estar provocando que todo su cuerpo estuviera en tensión. Eso bloquearía el deseo sexual y dificultaría el orgasmo. También hablamos sobre cómo podía explorar esas áreas dentro de sí misma. Si podía averiguar cuándo y dónde se cerraba, quizá podría identificar un patrón que podría desactivar.

Amy no tardó en ver los resultados. En dos semanas, se sentía más relajada cuando tenía relaciones sexuales —de hecho, estaba más relajada en general— y sentía que se acercaba al orgasmo casi sin pensar en ello. Y sus síntomas de síndrome premenstrual también remitieron. En otras dos semanas, empezó a tener orgasmos sin tener que hacer ningún esfuerzo extraordinario; y tuvieron más relaciones sexuales en ese último mes que en los últimos seis meses juntos. Amy estuvo encantada de poder decirme que había sido *ella* la que tomaba la iniciativa, al menos algunas de las veces, por primera vez en cuatro años.

Sexual-té para el chi

Las hierbas medicinales de este té sin cafeína para movilizar el chi actúan principalmente sobre los órganos reproductivos. Esta receta te permite mezclar una buena dosis para tenerla a mano cada vez que te apetezca una taza; basta con que mezcles los ingredientes en un frasco que puedas cerrar herméticamente. Todos estos ingredientes puedes encontrarlos en tu tienda de productos naturales o herboristería. Busca en la sección de hierbas medicinales, especias y suplementos.

> 1 taza de hojas de menta seca
>
> 1/4 de taza de hojas de avena verde
>
> 1/2 taza de hojas de frambueso rojo
>
> 2 cucharaditas de piel de naranja seca

Para una taza, basta con utilizar 2 cucharaditas de la mezcla. Llenar la taza con agua hirviendo, cubrir y dejar reposar 10 minutos. Colar y servir.

¿Qué provoca el estancamiento de chi?

Los factores más comunes que hacen que se estanque tu chi son:

- Estrés
- Falta de ejercicio
- Alimentos demasiado grasos o pesados
- Experiencias sexuales negativas
- Lesiones que provocan dolor crónico

- Deseos insatisfechos
- Emociones reprimidas
- Frustración e ira contenidas
- No hacer caso de las señales de cambio o evolución

PARA LOS HOMBRES: Steve estaba estancado

Los hombres también pueden padecer estancamiento de chi, por supuesto, y suele tener relación con algún tipo de trastorno emocional o con el estrés. Las hormonas de la reproducción no suelen afectarnos, pero la frustración sexual, la ansiedad o la exaltación pueden conseguirlo, aunque de un modo distinto al que afecta a las mujeres.

En los hombres, las manifestaciones más comunes de estancamiento de chi son el extraño trío: disfunción eréctil (DE), eyaculación precoz (EP) y tardar mucho tiempo en eyacular. Cuando el chi no circula, puede conducir a que la sangre tampoco circule adecuadamente hacia y en los genitales, y eso puede conducir a la DE. Cuando el chi está estancado, también cuesta que se active la energía sexual, o mantenerla en circulación, y la eyaculación precoz es una de las cosas que pueden suceder. Si aumenta el estancamiento, genera presión y calor, que sube y explota: de nuevo, EP. El chi estancado también puede provocar falta de sensibilidad, lo que puede producir un retraso excesivo de la eyaculación. Los hombres con estancamiento de chi pueden tener un deseo sexual exacerbado o inestable. Algunos tienen dolor en los testículos o en el pene durante el acto.

Este desagradable trío de DE, EP y eyaculación retardada es también expresión del *miedo escénico sexual.* Para muchos hombres, esta combinación perfecta (no solo para ponerse nerviosos, sino también para sentirse vulnerables físicamente —que casi siempre se manifiesta en la cama—) acaba con ellos.

Tanto si piensas que la causa es un *estancamiento* general, como el estrés o el miedo escénico sexual, ninguna de estas tres condiciones es el estado en el que un hombre desearía admitir que se encuentra. Ésta es la razón por la que Steve no me mencionó hasta después de unas cuantas visitas lo avergonzado que se sentía por lo rápido que eyaculaba y su temor a que su esposa no estuviera satisfecha sexualmente.

Steve y su esposa tenían problemas para concebir, y era comprensible que él se sintiera frustrado, decepcionado y triste por la situación. Se encontraban en un momento en que estaban dispuestos a hacer lo que fuera para que ella se quedara embarazada; pero su esposa también se quejaba de que Steve era demasiado exigente en el sexo, que quería sexo demasiado a menudo, y que cuando ella se negaba, él se encerraba en sí mismo y se enfurruñaba. A ella también le preocupaba que Steve se hubiera vuelto muy voluble, que estuviera manifestando un carácter explosivo que nunca antes había advertido en él.

Por su parte, Steve admitía que a menudo abandonaba su conducta tranquila de formas que más tarde lamentaba, pero sentía que de pronto estaba fuera de control. Dicho esto, no pensaba que tuviera ningún problema sexual; aparte de tener una esposa que no estaba tan interesada en el tema como él. Muchas veces, los hombres que tienen estancamiento de chi consideran que las causas de su estrés son externas, en lugar de generarse dentro de ellos. Steve no relacionaba el hecho de que estuvieran intentando que ella se quedara embarazada con su nivel de estrés disparado por encima de su capacidad para disolverlo, lo que tenía como consecuencia los estallidos que describía su esposa y la eyaculación precoz.

Mi primer paso con Steve fue explicarle que teníamos que concentrarnos en el estrés, no en el tiempo que tardaba en eyacular. Para Steve, al igual que para muchos hombres en su misma situación, la presión de tener sexo dentro de unos días estipulados para concebir estaba generando un estrés excesivo en su vida. A mí me parecía que, en cierto modo, era una forma de intentar cortar con ese estrés. Lo que realmente necesitaba era justo lo contrario: aceptar el proceso, involucrarse más, renovar su unión con su esposa, desarrollar una mayor comprensión acerca de lo que ambos estaban viviendo en esos momentos y tomar la decisión de trabajar en equipo. Todo ello facilitaría su forma de vivir los temas de la fertilidad y les conduciría a una sexualidad más satisfactoria.

Mi otro consejo para Steve fue que hiciera más ejercicio, para mejorar su circulación del chi y de la sangre, y liberara tensión en todo su cuerpo. Además, le hablé de algunas técnicas para retrasar el orgasmo (como las que verás en las páginas 258-260) que parecía muy dispuesto a probar. También le receté una fórmula para movilizar su chi, que se puede comprar sin receta bajo el nombre de Si Ni San (Polvos para las extremidades frígidas).

En un par de semanas, Steve notaba que tenía más control y menos tendencia a sus estallidos de malhumor. Al cabo de un mes, me dijo que no tenía tanto *apetito* sexual y que también podía aguantar más, lo cual atribuía a las hierbas y a las técnicas específicas para retrasar la eyaculación. Gracias a eso, sentía una mayor conexión con su esposa. Su esfuerzo también se vio recompensado de otro modo notable: a los pocos meses, me llamó para decirme que su esposa estaba embarazada. Los dos estaban felices.

He visto estrategias similares para hacer circular el chi en hombres con DE o *eyaculación retrasada*, en particular cuando se utilizan con los consejos más específicos que se dan en las páginas 146 y 286. De cualquier modo, lo fundamental es admitir que te sucede algo en tu sexualidad y reconocer que puedes hacer algo al respecto. Nueve de cada diez veces, no tiene nada que ver con el órgano en cuestión. Aunque, por supuesto, si hay algo que verdaderamente te preocupa porque crees que puedes tener un problema físico, no dudes en acudir al médico. No es necesario que estés intentando concebir para ir a un urólogo y hacerte una revisión.

Chi para dos

Cuando hablamos de chi y de sexo, debemos tener en cuenta el chi en ambas partes: en la persona y la pareja. Cuando dos personas tienen relaciones sexuales, no sólo comparten sus cuerpos sino también su chi. El constante intercambio de energía es el distintivo del buen sexo, es lo que crea el sentimiento de *uni-cidad* entre dos personas. Saber conectar con el sentimiento es la clave para mantener tu deseo y tu vida sexual durante mucho tiempo.

Si no hay suficiente chi, puede que no consigas encender tu libido y mucho menos recargar, sexualmente o de cualquier otro modo, la relación con tu pareja.

Para los antiguos taoístas, la conexión y el intercambio energético eran prácticamente la única finalidad del sexo y la razón por la que consideraban que era terapéutico, prolongaba la vida y era espiritual. No voy a prometerte que aprender a intercambiar chi con tu pareja te hará más longevo. Pero sí creo que favorecerá la longevidad de tu relación y de tu vida sexual. (Véase el capítulo 10, sobre el equilibrio de energía en las relaciones).

LISTA PARA HACER(LO): desestresar y restaurar la circulación del chi

El estancamiento de chi es la condición más fácil de corregir, pero has de actuar para que suceda. Una de las formas más sencillas y rápidas de tonificar el chi y conseguir que circule es con el sexo. El sexo también es un gran antídoto contra el estrés. Mientras te preparas para el «simplemente hazlo», los consejos que vienen a continuación te indican las otras formas de disolver el estancamiento de chi y conseguir que siga circulando:

→ **Hacer ejercicio**. El ejercicio aeróbico es el más indicado, seguido del yoga y el tai chi. Sea como sea, haz que se bombee tu sangre.

→ **Come adecuadamente para tu vida sexual**. El chi se mueve mejor cuando haces una dieta principalmente vegetariana, con muchas verduras de hoja verde, algo de proteína magra y una pequeña cantidad de cereales integrales. Los hidratos de carbono refinados (demasiada pasta o pan) te generarán más estancamiento. Lo mismo que utilizar la comida (o el alcohol o el café) para intentar aliviar tu estrés.

→ **Elige alimentos que movilicen el chi**, como el brócoli, colirrábano, nabo, coliflor, menta piperita, rábano, perejil, tomate, apio, espárragos, naranjas, limones, ciruelas, fresas, cebada, trigo sarraceno, centeno, arroz integral, semillas de sésamo, pollo, judías de lima, pescado, habas, semillas de chía, pistachos y yogur.

→ **Evitar la cafeína**. Ese hábito matinal estanca el chi, y de ahí que tenga la mala fama de agudizar los síntomas del síndrome premenstrual y las mamas fibroquísticas.

→ **Evitar las toxinas**, como los alimentos precocinados o la leche tratada con hormonas y antibióticos.

→ **Relájate**. Experimenta para descubrir qué es lo que mejor te va: una cinta de relajación, un baño de agua caliente, un masaje, meditar. Pero tu mejor apuesta, al menos para empezar, quizá sea la relajación progresiva básica (página 129).

➜ **Controla el estrés**. La meditación, reírse, ejercicio aeróbico y el sexo (sí, aunque al principio no te apetezca) son todas ellas fórmulas excelentes. La combinación de movimiento y meditación es especialmente eficaz, como el tai chi o el yoga, o limitarse a caminar con consciencia plena.

➜ **Toma un suplemento de calcio**. Nuestro cuerpo consume el calcio en dosis muy elevadas cuando tiene que hacer frente al estrés, así que puedes mejorar tu capacidad de manejar el estrés incrementando las reservas. Un suplemento de 1.000 miligramos al día debería bastar.

➜ **Toma un complejo vitamínico B** para compensar los efectos del estrés en tu cuerpo y que te ayude a estar más tranquilo; zinc para tranquilizar el sistema nervioso; aceite de sésamo negro para las transiciones hormonales, y magnesio para relajar los músculos.

➜ **Concéntrate en tu respiración**. Hasta la serie más sencilla de respiraciones profundas te ayudará a invertir los efectos del estancamiento y hará que el chi vuelva a circular.

➜ **Haz que te den un masaje**. Es una forma excelente de aliviar el estancamiento, liberando de ese modo energía para el sexo.

➜ **Elige los sexoejercicios para hacer circular el chi**. En los capítulos siguientes, sabrás más sobre ellos, y en el apéndice 2 tienes una referencia rápida de qué ejercicios de este libro son mejores para favorecer la circulación del chi.

➜ **Plantéate seguir un tratamiento de acupuntura**. Va muy bien para mover el chi y es fabulosa en cualquier etapa de la vida: cuando estás planeando quedarte embarazada, después del parto y en la nueva etapa de ser padres, en la perimenopausia y en la menopausia.

➜ **Toma Xiao Yao Wan (Trotamundos relajado)**, la fórmula de plantas medicinales (que se compra sin receta) para hacer circular el chi, reequilibrar las hormonas y aliviar el estrés. Está especialmente indicada para estados de irritabilidad.

➜ **O toma Suan Zao Ren Tang (decocción de jujube ácido)**, que va bien si padeces ansiedad.

➜ **Añade Yu Jin (curcumina) y/o Dan shen (salvia)** a cualquiera de las fórmulas mencionadas si tienes dolor y estancamiento de chi. También van bien para el corazón y reducen la inflamación. Pero *no* tomes estas hierbas si estás tomando algún anticoagulante.

3

No soy lo suficientemente sexi para tener sexo

Cómo (y por qué) nutrir el yin

Hubo una época en que Yvette no pensaba demasiado en el sexo... porque lo tenía con bastante regularidad. Y siempre sucedía —siempre funcionaba— sin tener que pensar mucho. Cuando les entraban ganas, a ella o a su pareja, les bastaba con una *mirada*. Unos cuantos besos, unas caricias, y ya estaban en marcha. Siempre lo había disfrutado, y no tardaba en volver a tener ganas.

Esos días ya pasaron.

Ahora, Yvette no piensa mucho en el sexo y punto. Lo que no sabe es si realmente se debe a que apenas tiene deseo o si se desconecta de esos impulsos porque los asocia con relaciones desagradables. Ahora, cuando se mira en el espejo, sólo se ve «vieja», que para ella viene a ser lo contrario de sexi. Se siente tan vieja que tiene la sensación de que se está secando. De hecho, todo su cuerpo parece estar falto de «savia» en estos momentos: tiene la piel seca, el pelo seco, las uñas secas, los ojos secos, su vagina no se humedece y tiene poca secreción vaginal. Ella supone que todo esto es normal en la menopausia, pero los signos de deficiencia de yin son muy similares a cualquier edad.

Para colmo, le cuesta excitarse, y cuando tiene relaciones sexuales resultan dolorosas por falta de lubricación. Así que procura evitar el sexo. Últimamente se ha dado cuenta de que está rechazando incluso las caricias no sexuales y de afecto.

Yvette encaja en otro gran patrón de la medicina china: la falta de yin (otra forma de la energía corporal). Si no hay suficiente yin, el cuerpo se seca, incluida la reveladora falta de humedad (lubricación) que indica la excitación sexual. Otra señal típica es la falta de atención a su persona, que suele manifestarse como algún tipo de imagen negativa de sí misma. Tonificar el yin mejora la autoaceptación, incluyendo una imagen positiva de tu cuerpo, que es muy importante para tu deseo sexual.

Tener suficiente yin es esencial para un rendimiento óptimo en todas las áreas de la vida, y es justamente lo que tenía Yvette en los tiempos que ahora considera como su cúspide sexual. Cuando Yvette aprenda a tonificar y a equilibrar mejor su yin, podrá reivindicar esa parte sexual que teme haber perdido.

Veamos el yin y el yang

Si sabes algo sobre medicina o filosofía china, quizás hayas oído hablar del concepto del yin y el yang. La teoría del yin y el yang tiene unos cinco mil años de antigüedad, aunque no se puso por escrito hasta aproximadamente el 700 a. C. La teoría del yin y el yang es una forma de considerar la naturaleza de la vida y del universo en la que todos los objetos, seres y fenómenos encierran fuerzas energéticas en su interior. Estas fuerzas se mueven en un continuo, donde se encuentra el yin en un extremo y el yang en el otro. En algún lugar, existe un punto de equilibrio perfecto, aunque siempre está variando de posición. Todo lo que existe contiene la energía yin y yang, en distintas (siempre variables) proporciones. El yin y el yang *no* son dos tipos de energía, como suele malinterpretarse, sino diferentes aspectos de una misma fuerza energética: el chi. El yin y el yang son como polos opuestos, igual que la energía de un átomo puede ser negativa o positiva.

En el idioma pictográmico chino, el yin representa la ladera oscura de la montaña, mientras que el yang es la ladera soleada. A medida que el Sol sigue su curso a lo largo del día, también acaba iluminando esa ladera ensombrecida, y lo que antes estaba iluminado quedará en la sombra. Es esta idea de que el yin y el yang van intercambiando gradual pero continuamente sus lugares —cuando el Sol vuelve a dar la vuelta, la luz y la sombra volverán a cambiar— la que en nuestros días se ha transformado en un concepto más metafórico de «el yin y el yang».

Mucho antes de que se convirtiera en un tatuaje, en póster de dormitorio o amuleto para el cuello, el conocido diagrama taoísta *taijitu* no era una imagen tan habitual, sino más bien una representación esotérica de un principio filosófico clave; por no decir que también era un gran consejo sexual.

El conocido diagrama taoísta taijitu no era una imagen tan habitual, sino más bien una representación esotérica de un principio filosófico clave; por no decir que también era un gran consejo sexual.

Examinemos el símbolo bajo una nueva perspectiva. En el nivel más básico, son dos partes iguales —blanco y negro, que representan el yin y el yang— unidas dentro de una totalidad. La imagen es medio blanca y medio negra, pero no existe una línea divisoria en el medio, yin aquí y yang allí. El blanco penetra en el negro y el negro penetra en el blanco. Justo cuando uno alcanza su cúspide, empieza a transformarse en el otro. Luego, el yin y el yang se generan mutua-

mente. Hay un pequeño círculo blanco dentro del negro y un pequeño círculo negro dentro del blanco; es decir, el yang siempre contiene algo de yin, y el yin siempre contiene algo de yang. El yin y el yang son opuestos, pero no oponentes. Se complementan, están interconectados y son interdependientes. Se necesitan mutuamente para existir: sin uno de los dos, el blanco o el negro, no hay círculo. El yin y el yang se interrelacionan, no se pueden separar ni puedes definirlos con exactitud; siempre están cambiando con relación al otro en busca de su equilibrio. De modo que el *yin yang* chino se traduce como «equilibrio dinámico».

¿Qué aspecto tienen el yin y el yang?

La filosofía taoísta suele clasificar casi *todas las cosas* como predominantemente yin o yang. No obstante, para nuestros fines sólo tendremos en cuenta lo que es importante para el sexo y para las relaciones. En el recuadro de la página 65 verás las cualidades yin y yang que menciono. Advertirás que están en pares; eso es normal. Cada palabra dentro de un par representa un extremo de un continuo de manifestaciones de esa cualidad: un extremo es yin, el otro es yang.

Todos tenemos una combinación de rasgos yin y rasgos yang. Y, en cualquier par de rasgos, no siempre te encontrarás en un extremo y nunca en el otro o estarás siempre en el mismo. Más bien tendemos hacia uno u otro en cada situación. Por ejemplo, *no aceptas* al cien por cien ni *inicias* nada (o viceversa), sino que probablemente te encuentres más hacia un extremo de un campo o del otro, en lugar de mantener permanentemente un asiento en la línea divisoria intermedia. ¿Cuál te caracteriza con más frecuencia, con más intensidad o en mayor cantidad de situaciones? Ése es tu rasgo dominante y los otros serán rasgos no dominantes, y probablemente también donde estarán tus deficiencias. Veámoslo también de otro modo; si tienes deficiencia de yin o de yang, es probable que tengas abundancia —o exceso— del otro, y ése será tu rasgo dominante. Por ejemplo, si tienes deficiencia de yin, en ti dominará el yang.

Identificar los síntomas de deficiencia suele ser la forma más directa de determinar los patrones de yin o de yang. Sin embargo, es mucho más im-

Cualidades del yin y el yang

Yin	Yang
Receptivo	Dador
Protector	Creador
Lento	Rápido
Introvertido	Expresivo
Tolerante	Toma la iniciativa
Sustancia	Energía
Descendente	Ascendente
Abajo	Encima
Fresco	Caliente
Húmedo	Seco
Pasivo	Activo
Inclusivo	Excluyente
Introspectivo	Sociable
Calmante	Estimulante
Escucha	Hablador
Hogar	Lejos
Reactivo	Activo
Silencioso	Ruidoso
Suave	Duro
Oscuro	Luminoso
Pesado	Ligero
Sedante	Energizante
Negativo	Positivo
Femenino	Masculino

Toma nota: estos rasgos del yin y del yang no son exclusivamente sexuales. Aunque, cuando empieces a considerarlos desde esa perspectiva, ¡te costará no pensar en «mojado», «caliente», «complaciente», «duro», «lento» o «apasionado» de otro modo! Me recuerda al juego en el que todos leen el envoltorio de su galleta de la suerte añadiendo al final la frase «en la cama». En la versión yin yang, es algo parecido a: «¡Eres "creativo" y "ruidoso"... en la cama!».

portante buscar el equilibrio entre el yin y el yang que identificar una deficiencia. Y, para ello, tendrás que aprender a reconocer cómo se manifiestan el yin y el yang en tu vida emocional, en tu estado de ánimo, en tu relación y en tu cuerpo para determinar qué grado de desequilibrio padeces, cuál es tu energía dominante y, posiblemente, cuál es la que estás quemando.

También querrás descubrir cuáles son tus puntos *fuertes* y dónde necesitas una ayudita.

> **Has de encontrar el anhelado punto medio entre ambas, aunque a veces quizá tengas que apartarte de lo que para ti sería natural a fin de conseguir lo que más te conviene.**

Las cualidades de las dos columnas son positivas o en algunos casos neutras. No existe el lugar *correcto* donde deberías estar en esta escala. Pero, llevadas a un extremo, cualquiera de estas cualidades son problemáticas. Si eres demasiado yin, corres el riesgo de ser *demasiado* pasiva y *demasiado* silenciosa; si eres demasiado yang, tal vez termines siendo *demasiado* activa y *demasiado* ruidosa. Has de encontrar el anhelado punto medio entre ambas, aunque a veces quizá tengas que forzarte un poco, apartarte de lo que para ti sería natural a fin de conseguir lo que más te conviene. No todo funciona igualmente bien todas las veces o en todas las circunstancias. Tu yin y tu yang pueden —y deben— variar en relación con el otro, dependiendo de lo que estés haciendo, tu situación y la relación que tengas. Revísalos cuando cambien tus circunstancias —ya que éstas siempre cambian— y descubrirás que tu calificación respecto a estas cualidades es muy probable que haya variado, como el movimiento del Sol por la ladera de la montaña.

Mi yin y mi yang: la escala

Las escalas de valoración de las páginas siguientes están diseñadas para ayudarte a descubrir si tu yin o tu yang no están en equilibrio. No obstante, para la mayoría de las personas, la respuesta es sí —al menos parte de las veces—, así que las escalas te ayudarán a identificar hacia qué lado se ha decantado tu balanza (¿tienes menos yin o menos yang?), y, por tanto, a saber lo que tienes que reforzar para recuperar tu equilibrio.

Traza la línea entre cada par de las afirmaciones que vienen a continuación, indicando cuál es la que has experimentado con más frecuencia en los últimos tres meses. (Responde de acuerdo con tu situación actual, sin pensar en lo que «solía ser» para ti. Esto es especialmente importante en la menopausia). Si ninguna de las dos afirmaciones tiene relación contigo (por ejemplo, una pregunta sobre tu menstruación, y ya no tienes la menstruación), déjala en blanco. Si quieres perfilar más los resultados, puedes poner la marca más cerca del centro o del final de la línea según la frecuencia o la intensidad de tus síntomas. Pero lo que en realidad necesitas saber es qué lado es el que más se ajusta a ti. Si tus marcas se agrupan más en la columna izquierda respecto al centro, tu yin está bajo, y la «Lista para hacer(lo)» de la página 58, sobre la deficiencia de yin, será la que más te interesará. Si tus marcas se agrupan en la derecha, tienes deficiencia de yang, y el capítulo 4, que trata sobre la deficiencia de yang, será tu terreno.

Todos tenemos marcas en los dos lados de estas escalas, pero siempre predomina uno.

Hay treinta y seis temas, así que, si cuentas diecinueve o más en una columna, eso significa que tu desequilibrio se decanta hacia la misma.

Cuantas más marcas tengas en un lado, más desequilibrada estarás en estos momentos.

Puedes completar esta escala en línea en sexagainprogram.com.

Deficiencia de yin	MI SEXUALIDAD	Deficiencia de yang
Estoy inquieta cuando realizo el acto sexual	——————+——————	Estoy desconectada durante el acto sexual
Me cuesta estar conectada durante el acto sexual	——————+——————	Me cuesta empezar o me siento cansada durante el acto sexual
Me cuesta excitarme o lubricarme en el sexo	——————+——————	No me interesa demasiado el sexo

Voy deprisa en el sexo ——————+—————— Me cuesta bastante activarme sexualmente

Deficiencia de yin	**MI RELACIÓN**	*Deficiencia de yang*

Me cuesta comprometerme en mi relación ——————+—————— Me cuesta hacer cambios en mi relación

Tengo tendencia a sentir que no cuento con el apoyo que necesito ——————+—————— Me cuesta apoyar a mi pareja

Me siento necesitada en mi relación ——————+—————— Me cuesta expresar mis emociones a mi pareja

Siento que mi pareja no me cuida ——————+—————— Descuido mis propias necesidades

Puedo ser testaruda e inflexible en mi relación ——————+—————— Doy demasiado

Deficiencia de yin	**MIS EMOCIONES**	*Deficiencia de yang*

Tengo tendencia a la ansiedad ——————+—————— Me agoto fácilmente

A veces salto por nada y me pongo nerviosa ——————+—————— Suelo preocuparme o pensar demasiado

Cuando estoy estresada, puedo hacer muchas cosas ——————+—————— Cuando estoy estresada, me canso y me encierro en mí misma

Cuando me cuesta concentrarme, es porque mi mente se ha disparado ——————+—————— Cuando me cuesta concentrarme, es porque mi mente está confusa

Suelo descuidar mis propias necesidades ——————+—————— Suelo olvidarme de las necesidades de los demás

Estoy dispersa ——————+—————— Puede faltarme motivación

Quiero que alguien cuide de mí ——————+—————— Me cuesta defenderme a mí misma

Cuando estoy irritable, soy brusca con la gente ——————+—————— Cuando estoy irritable, suelo amargarme

Me frustro fácilmente	———————+———————	Tengo tendencia a la desesperación y al pesimismo
Tengo sueños vívidos	———————+———————	No suelo recordar los sueños
Las caricias de mi pareja me resultan irritantes o me agobian	———————+———————	Siento que necesito mucho el contacto físico con mi pareja

Deficiencia de yin	**MI CUERPO**	*Deficiencia de yang*
Normalmente, tengo calor	———————+———————	Suelo tener frío
Cuando estoy cansada, estoy tensa	———————+———————	Cuando estoy cansada, estoy apática
Suelo tener sed	———————+———————	No bebo mucho o rara vez tengo sed
Me sonrojo con frecuencia	———————+———————	Estoy pálida
Me apetecen los alimentos salados	———————+———————	Me apetecen los carbohidratos y los dulces
Suelo tener estreñimiento	———————+———————	Mis heces suelen ser sueltas
Duermo inquieta y me despierto durante la noche	———————+———————	Duermo mucho o necesito dormir mucho
Tengo la piel y/o las uñas secas	———————+———————	Me salen cardenales con facilidad
Se me calientan o me sudan los pies y las manos	———————+———————	Suelo tener los pies y las manos fríos
Estoy delgada y tiendo a estar baja de peso o a adelgazar fácilmente	———————+———————	Tengo el metabolismo perezoso y engordo fácilmente
No orino con frecuencia o mi orina es escasa	———————+———————	Orino mucho y grandes cantidades
Sudo más cuando duermo	———————+———————	Sudo durante el día aunque no haga ejercicio

Deficiencia de yin	MI CICLO MENSTRUAL	Deficiencia de yang
Noto la vagina seca o poco lubricada	—————+—————	Tengo mucho flujo vaginal
Tengo el ciclo menstrual corto	—————+—————	Mis ciclos menstruales son largos
Mi menstruación es liviana	—————+—————	Mi menstruación es copiosa
Tengo estreñimiento durante o antes de la menstruación	—————+—————	Mis heces son sueltas durante o antes de mi menstruación

PARA LOS HOMBRES: escala del yin y el yang para los hombres

Los hombres pueden usar la escala anterior para evaluar sus niveles de yin o yang. Basta con que se salten las preguntas sobre sexualidad y el ciclo menstrual y añadan los temas que vienen a continuación.

Hay treinta y seis temas; si tienes diecinueve o más marcas en una columna, es hacia allí donde se decanta tu desequilibrio.

Deficiencia de yin	PARA LOS HOMBRES	Deficiencia de yang
Tengo mucho deseo sexual	————+————	No tengo mucho deseo sexual
Me excito enseguida pero pierdo la erección	————+————	Me cuesta tener una erección
Prefiero el sexo rápido, con pocos juegos preliminares o ninguno	————+————	Me cuesta mucho excitarme
Me cuesta estar conectado durante el sexo	————+————	Me cuesta ponerme en marcha en el sexo o me canso cuando lo hago
A veces, tengo eyaculación precoz	————+————	A veces, me cuesta mucho eyacular

Me han diagnosticado conteo bajo de esperma	————+————	Me han diagnosticado poca movilidad de los espermas
Mi eyaculación es escasa y/o concentrada	————+————	Mi eyaculación es muy fina y acuosa
A veces, tengo pitidos en los oídos después de eyacular	————+————	Me quedo agotado después de eyacular

El yin y el equilibrio

El yin (y, por tanto, la deficiencia del mismo) se manifiesta en tu cuerpo y en tu vida de muchas maneras, incluidos los síntomas físicos y psicológicos/emocionales. Así es como se relaciona con tu vida sexual: tu estado de salud, tanto físico como emocional, depende del equilibrio del yin y del yang en tu interior; la salud de tu relación depende del equilibrio del yin y del yang entre tu pareja y tú. Y tu vida sexual depende de ambas cosas, de tu estado de salud y del estado de tu relación.

Si en algún lugar existe un desequilibrio, se manifestará en tu salud, tu bienestar psicológico, tu relación y tu deseo sexual. De hecho, la falta de libido es uno de los síntomas principales de que algo no anda bien.

La medicina y la filosofía chinas atribuyen una larga lista de características al yin y el yang. Estas características suelen ir en pares, y son en apariencia opuestas. Veamos un ejemplo especialmente característico: el yin se considera húmedo, mientras que el yang se considera seco. La deficiencia de yin produce falta de humedad, o la falta de humedad revela la deficiencia de yin.

También se podría decir que la falta de humedad revela demasiado yang; demasiada sequedad. Eso es lo que significa el cambio constante en la relación entre el yin y el yang. Si está menos húmedo, está más seco. Si es menos yin, es más yang. Son los dos extremos de un continuo, no son campos separados por completo. En general, la mayoría de los tratamientos de la medicina china para la libido pretenden reforzar aquello que tienes debilitado para restaurar el equilibrio; por tanto, he optado por identificar el patrón por su deficiencia en vez de hacerlo por su exceso.

PRUEBA ESTO ESTA NOCHE: Abre tus sentidos

Este ejercicio es uno de los favoritos de la terapeuta masajista Nicole Kruck. A veces, lo llamo la Meditación del mordisco de chocolate, aunque se puede hacer con un trozo de fruta fresca. Es una práctica clásica de la meditación de la conciencia plena. Se trata de sintonizar todos tus sentidos con la meta de intensificar el placer, ¡una habilidad excelente en las relaciones sexuales!

Toma un trocito de chocolate y siéntate en silencio durante unos minutos. Observa bien el chocolate, descríbetelo. ¿Es negro o con leche? ¿Suave o áspero? ¿Es liso o desigual? Ahora cierra los ojos. Sostén el chocolate, tócalo y siéntelo: siente su textura y su forma. Acércatelo a la nariz y nota su olor. Hasta puedes escuchar el chocolate cuando lo rompes o le das un bocado.

Llévate el chocolate a los labios y dale un bocadito lentamente. Hazlo durar tiempo en tu lengua; deja que inunde tu boca de sabor antes de tragártelo o de darle otro bocado. Observa no sólo el sabor y el olor, sino también la sensación en tu boca a medida que cambia su textura. Deja que tus sentidos hablen por ti.

Revisa periódicamente a través de esta meditación si sientes alguna sensación en partes de tu cuerpo que no están directamente implicadas con el chocolate. Toma consciencia en particular de tu pelvis. ¿Notas allí alguna sensación? El chocolate contiene componentes químicos que lo convierten en un buen afrodisíaco. Aunque, para lo que nos ocupa, el efecto más potente del chocolate en este ejercicio es la forma en que despierta tus sentidos, abriéndote a una experiencia sensual general.

Más sexo en la vida real: Yvette

Yvette, a la que conociste al principio de este capítulo, no sólo estaba seca sino caliente, y *no* en el sentido sexual. Normalmente, tenía un calor excesivo, y con frecuencia tenía calor cuando nadie más lo tenía. Esto también se debe a la falta de yin; el yin se considera refrescante, mientras que el yang calienta. Con una deficiencia de yin, Yvette se decantaba demasiado hacia la escala del yang. Tenía calor en particular por la noche y empezó con la sudoración nocturna, así que volvía loca a su pareja cuando le destapaba y abría las ventanas aunque hiciera frío. (Digamos que *eso* tampoco beneficiaba mucho su vida sexual).

> *Yvette no sólo estaba seca sino caliente, y no en el sentido sexual.*

Yvette era bastante delgada, por más que comiera y tanto si hacía ejercicio como si no. No comía demasiado (sobre todo le apetecía lo salado), comía deprisa y hacía ejercicio a rachas, no muy a menudo.

Yvette era muy generosa y afectuosa y ponía mucha energía en su relación —en todas sus relaciones— cuando estaba equilibrada. Cuando se alteró su equilibrio, como le sucedía entonces, tenía unas reacciones desproporcionadas. Sus relaciones, y concretamente la que tenía con su marido, se veían afectadas. Tenía poca tolerancia al estrés. Tenía ansiedad y parecía agitada o inquieta. Cuanto más se cansaba, más cuerda tenía para hacer cosas. Le costaba dormir, pero parecía que podía aguantar durmiendo las mínimas horas posibles, entre trabajar muchas horas y atender una agenda repleta de compromisos sociales. (Quemarse es una característica típica de la consunción del yin, y también puede ser la consecuencia del mismo).

Cuando estaba a solas con su marido, no era tan sociable. Para las mujeres, la excitación física es muy yin: se basa en la lubricación y en la receptividad. Gran parte de esa excitación se genera en la mente: has de pensar en cosas excitantes y considerarte sexi. Para sentirte sexi, también has de conectar con tu feminidad; otro factor yin. Al no tener suficiente yin, Yvette tenía todo tipo de conflictos.

El sexo nunca envejece; ser sexi tampoco

Nunca se es demasiado mayor para el deseo sexual; y, desde luego, no a los treinta o los cuarenta años. (La menopausia tiende a complicar las cosas, pero *no* acaba con el deseo sexual). No obstante, casi todas las mujeres que tienen la libido baja han de enfrentarse a cómo pensar sobre el sexo y su cuerpo a medida que envejecen.

Dejémoslo en casi todas las mujeres y punto, porque, según la medicina china, todas las mujeres pierden yin a medida que se hacen mayores. Cuando esto sucede, también cambia, de todas las maneras imaginables, la receptividad al sexo. Sin embargo, eso no significa que desaparezca el deseo, sino que puede que tengas que realizar algunos cambios para conservar una vida sexual saludable. Algunos de esos cambios tienen que ver con adaptarse a las realidades físicas de cualquier cuerpo que envejece, pero los mayores cambios los hemos de realizar en nuestras actitudes.

Cuando envejecemos, nuestro cuerpo no tiene el aspecto (o funciona) como solía. Son realidades que cuanto antes aprendamos a no combatir, tanto mejor. Los antiguos chinos ofrecen una actitud alternativa que todavía podemos observar en la cultura contemporánea china, y adoptarla puede beneficiarnos. La filosofía de la medicina china dice que cuando, al hacerse mayores, las mujeres dejan de menstruar, la sangre va hacia el corazón y les da más sabiduría y compasión. Debemos reconocer y honrar esa sabiduría y compasión en nosotras —ésa que adquieres con la experiencia de los años, aunque todavía no hayas llegado a la menopausia—, en lugar de fijarnos en las arrugas o la agilidad pérdida. En otras palabras: observa lo que ganas con el tiempo, en vez de lamentarte por lo que pierdes.

Eso es fácil decirlo, pero, en una sociedad que venera los cuerpos tonificados de los jóvenes, solemos preocuparnos por lo que cuelga por aquí y lo que cuelga por allí, y nos preocupamos porque no tenemos la misma resistencia que a los veinte años.

No obstante, a esos cuerpos jóvenes todavía les faltan décadas para alcanzar todo su potencial sexual. La verdadera intimidad sexual y conexión profunda requieren experiencia y madurez. Éste es el potencial que adquirimos con la edad. El precio puede ser un poco menos de energía y la piel algo más arrugada, pero aun así vale la pena. Muchas personas dicen que están teniendo el mejor sexo de su vida a los cincuenta y a los sesenta.

Cuando somos jóvenes, la mera atracción física pone en marcha nuestros motores. Podemos elegir con quién nos acostamos basándonos en si nos gusta lo que vemos. Podemos decidir excitarnos basándonos en lo que pensamos sobre *nuestro* aspecto. Pero si has de depender de este impulso tan básico para tener sexo, entonces tu sexualidad irá disminuyendo a medida que cumplas años. (y, a veces, también se llevará relaciones por delante). No puedes basarte sólo en lo que te gusta, en lo que más te excita. Cuando envejecemos, tanto hombres como mujeres necesitamos más estimulación genital para excitarnos y llegar al orgasmo.

Si queremos tener relaciones sexuales con la misma persona durante mucho tiempo, la atracción física y el estímulo físico *han de* dejar de ser nuestras principales motivaciones para el sexo. No quiero decir que esos aspectos hayan desaparecido o que ya no importen, pero inevitablemente son más débiles, y eso también es bueno, porque algo más gratificante va a ocupar su lugar.

En una relación estable hemos de centrarnos más en los vínculos importantes que tenemos con nuestra pareja —nuestros pensamientos y emociones— para mantener la llama encendida. Es más fácil cerrarnos sexualmente cuando empezamos a notar que no respondemos como solíamos. Pero las parejas que tienen más éxito sexualmente (que suelen ser las que tienen más éxito en general), dejan a un lado las expectativas respecto a esos deseos basados en la biología y en su lugar prefieren una conexión emocional y energética profunda. Conectan con su madurez y experiencia y se atreven a abrirse y a ser vulnerables entre ellos. Eso refuerza más su vínculo que ninguna otra cosa. Normalmente, las parejas que atraviesan juntas esta transi-

> *La atracción física y el estímulo físico inevitablemente son más débiles, y eso también es bueno, porque algo más gratificante va a ocupar su lugar.*

ción son las que disfrutan del mejor sexo de su vida —y los orgasmos más intensos—, incluso mucho después de que les hayan salido canas. Ahora *eso es* sexi.

La imagen corporal

Y, sin embargo, muchas mujeres no nos sentimos bien desnudas. Mis pacientes, de todas las edades, me enumeran sus largas listas de *defectos* corporales. Entre las múltiples variaciones del «no me gusta mi aspecto»: demasiado arrugada; demasiado gorda; demasiado delgada; los pechos demasiado grandes; demasiado pequeños; poca musculación; celulitis; barriga flácida. «Esa carne que cuelga debajo de mi brazo». La lista sigue, incluyendo toda una subcategoría de temas respecto al aspecto, olor y tacto de nuestros genitales.

Éste es uno de los principales temas que mencionan mis pacientes cuando se lamentan de su vida sexual y refleja una deficiencia de yin, tanto si el yin está disminuyendo con la edad como si no. Cuando te pongas en marcha para tonificar tu yin, mejorarás tu percepción de ti misma y de tu cuerpo, que te ayudará mucho a volver a conectar con tu deseo.

Lo más importante es que no puedes estar totalmente presente si estás preocupada por tu cuerpo mientras tienes relaciones sexuales, y no puedes crear una conexión sexual intensa sin estar plenamente presente.

Peso

De todas las formas posibles que las mujeres juzgan negativamente sus cuerpos la más popular es la de su peso. El mejor consejo sexual sigue siendo la autoaceptación. Aunque el aumento de peso se asocia con las personas con deficiencia de yang (véase capítulo 4), no aceptar tu cuerpo tal como es es un indicio de deficiencia de yin. Por tanto, si quieres adelgazar, pon en práctica las sugerencias de la «Lista para hacer(lo)» del capítulo siguiente. Para sentirte sexi, independientemente de lo que marque la báscula, tonificar el yin es una buena fórmula.

No obstante, quiero señalar que el sobrepeso (y *no* me estoy refiriendo a tres o cuatro kilos de más) puede causarte problemas en tu vida sexual, más allá de la timidez y la vergüenza. El exceso de peso, creo que no es necesario que te lo recuerde, es un riesgo para la salud, y la mala salud afecta negativamente a tu deseo sexual. Las investigaciones demuestran que las personas con sobrepeso dicen estar menos satisfechas sexualmente que el resto de la población —las mujeres incluso más que los hombres— y que el alcance de los problemas sexuales aumenta con el peso.

Por tanto, te recomiendo que vigiles tu peso, siempre y cuando puedas encontrar formas razonables de hacerlo. Cosecharás los beneficios en tu alcoba, pero, por favor, no aplaces tu vida sexual para un día en el futuro en que de algún modo alcanzarás tu peso ideal.

Hay otra forma en que el sexo y el peso están relacionados: para muchas personas, la comida se convierte en un sustituto del sexo. Las personas frustradas sexualmente (tanto por falta de sexo como por falta de deseo sexual) pueden recurrir a la comida para obtener otro tipo de gratificación física. Las personas comen por todo tipo de razones emocionales, y eso suele conllevar elecciones poco saludables respecto a qué comer y cuánto comer. De modo que los problemas de peso suelen estar mezclados con otros temas, la sexualidad incluida. Pregúntate qué es lo que te apetece. La verdadera respuesta podría ser un poco de tiempo a solas con tu pareja (o cualquier otro tipo de satisfacción sexual).

Recomiendo cierto grado de consciencia corporal; por ejemplo, una buena higiene básica es *mucho* más sexi de lo que imaginas. Cada mujer sabe lo que eso significa para ella: tu depilación rutinaria, lavado, desodorante o cepillado. (Aunque creo que todas estamos de acuerdo en que unos dientes limpios y un aliento fresco son la mejor condición para besar). No obstante, creo que como sociedad solemos excedernos con nuestro aspecto, lo cual refleja un grave problema de imagen corporal. ¿Realmente olemos tan mal que necesitamos toda un ala de un centro comercial para perfumes, desodorantes, jabones y jabones desodorantes perfumados? Estamos de acuerdo en que hemos de ser razonablemente pulcras, pero sin obsesionarnos, ¿no os parece?

♂ PARA LOS HOMBRES: ¿mi mala imagen corporal hace que parezca gordo?

Los hombres también nos preocupamos por nuestro peso e imagen corporal. Pero como grupo somos un poco bipolares al respecto. Algunos nos vemos absorbidos por el torbellino de mensajes e imágenes culturales que nos demuestran que nunca estaremos lo bastante delgados, lo bastante en forma o seremos lo bastante atractivos en general, donde aprendemos a sentirnos mal con nosotros mismos y con nuestros cuerpos. A algunos de nosotros parece que no nos importa lo más mínimo el aspecto que tenemos cuando nos presentamos en público. Por supuesto, para muchos es un sentimiento contradictorio: quizá tiramos la toalla en lo que respecta a nuestro aspecto porque estamos convencidos de que nunca estaremos a la altura.

Mi principal preocupación en estos momentos es cómo afecta esto a tu vida sexual y a tu libido. Así que permíteme que te ayude a trazar esa delgada línea entre deprimirte por tu peso y por tu cuerpo y obsesionarte por eso. Te recomiendo que mantengas un peso saludable por una larga lista de buenas razones, incluidas, como verás detalladamente en el último capítulo, unas cuantas que afectan a tu libido. Pero *has de* ser comedido, o de lo contrario fracasarás y te sentirás peor durante el proceso; lo que a su vez, probablemente, también afectará de forma negativa en tu peso.

Asimismo, has de aprender a amar tu cuerpo tal como es si deseas descubrir tu Sex Machine interna. Puedes verlo de este modo: quiérelo lo suficiente como para cuidarlo, pero no te estreses por cuidarlo. Hazlo del mismo modo que recomendamos a las mujeres: una imagen corporal positiva es una imagen corporal positiva, tanto si ese cuerpo es de un hombre como de una mujer. También va por ti el consejo de higiene básica: es mucho más sexi que lo contrario, así que procura ir razonablemente limpio y arreglado. No me estoy refiriendo a que te depiles la espalda con cera, te hagas la manicura o nada específico. Decide tú mismo cuál debe ser tu rutina personal de cuidados, pero sigue una. Aunque tanto tu pareja como yo te insistimos en que te cepilles regularmente los dientes.

Autoestima

Sentirnos bien con nosotras mismas y creer que los demás nos ven con una actitud positiva puede mejorar nuestra experiencia sexual y despertar nuestra libido. Pero las personas muy inseguras de sí mismas y preocupadas por cómo las verán los demás (físicamente o en cualquier otro aspecto), estarán cohibidas y serán amantes mediocres. Eso ya mata la pasión por sí solo. Sigue por ese camino y es muy probable que no seas capaz de llegar al orgasmo, a lo que seguirá un descenso en picado de tu deseo sexual.

La baja autoestima, en cualquiera de sus formas, indica que no estamos lo bastante centradas; cuando es así, no podemos tener una conexión energética sincera con una pareja. El buen sexo no sólo implica vulnerabilidad, sino la voluntad de aceptarnos tal como somos desde lo más hondo, lo cual no es posible si no nos valoramos por lo que somos.

Una autoestima saludable cambia radicalmente las cosas. Cuando tenemos una visión positiva de nosotras mismas, el sexo se convierte en algo que disfrutamos personalmente y que también estamos dispuestas a compartir con nuestra pareja para su goce. No necesitamos fingir ser de otra manera para lograr la aceptación de los demás. El sexo ya no es una negociación, algo que se hace con la esperanza de obtener de la otra persona algo a cambio. Una buena autoestima también te permite valorar tu propio cuerpo y tu propia sexualidad, lo que, por ejemplo, puede animarte a elegir parejas compatibles y a practicar el sexo seguro; y a hacerlo por ti y por el beneficio de la relación. Cuando tenemos un sentido positivo de nuestra identidad, el sexo aporta intimidad a la relación, pero no es la única fuente de proximidad.

El yin es importante para reforzar una buena autoestima. El yin favorece el amor y los cuidados hacia una misma. El yin también es necesario para recibir amor, para abrirnos a otra persona. Tratar la deficiencia de yin puede mejorar nuestra autoestima.

❗ HAZLO AHORA: el Circuito

El Circuito es una gran forma de tonificar tu yin y de equilibrar el yin y el yang. También te ayuda a conectar con tu energía sexual o a cultivarla.

Siéntate cómodamente con los ojos cerrados. Imagínate que tienes un pequeño bol dentro de tu pelvis, lleno de aceite caliente. Ahora imagina un tubito o una pajita que recorre tu columna vertebral. Al inspirar, imagina el aceite caliente recorriendo el tubito, como si fuera dirigido por tu respiración, moviéndose desde tu zona pélvica hasta la parte superior de tu cabeza. Retén la respiración y cuenta tres segundos (o cinco, si tienes más experiencia). Luego, espira imaginando que el aceite caliente desciende justo por el centro de la cara anterior de tu cuerpo, desde la cabeza hacia tu boca, tu pecho, tu abdomen y regresa al bol de tu pelvis. Retén la respiración hasta que el bol se acabe de llenar; al cabo de tres o de cinco segundos, vuelve a inspirar. Se trata de que crees un circuito continuo y que lo realices seis veces.

Observa qué sientes cuando la energía/aceite llegue a tu cabeza. Tal vez notes un pequeño zumbido, un cosquilleo o calor. Imagina que circula la energía dentro de tu cabeza cuando estás reteniendo la respiración.

Todo esto te ha de resultar cómodo. Si notas que fuerzas tu respiración, que se descoordina o que te dispersas mentalmente, haz una pausa y vuelve a empezar.

El aceite es una imagen para que te ayude a concentrarte, pero el agua también te puede servir. A algunas personas les basta con mover su atención siguiendo este patrón y no necesitan imaginarse nada. Tal como lo considera la medicina china, estás moviendo el chi, y, si eso te suena, puedes pasar de la visualización y concentrarte en el movimiento de la energía a través de la parte posterior y anterior de tu cuerpo.

El yin, el yang y las hormonas

Para la medicina china, la relación sexual es la interacción de la energía yin y la energía yang. Es la energía yang de cualquiera de los dos la que inicia el acto. Luego, es la energía yin de la otra persona la que recibe esa invitación y corresponde, transformando un acto en solitario en algo mutuo. Una erección es energía yang; la receptividad sexual o lubricación vaginal, por ejemplo, es yin. Visto de esta manera, el coito es un acto de dar y recibir, creación y transformación, iniciación y reciprocidad. Si la energía está un poco apagada por una u otra parte, todo el sistema puede tener problemas, pero cuando existe un equilibrio relativo, todo fluye correctamente.

La medicina occidental considera la respuesta sexual como parte de un equilibrio igualmente engañoso, más como hormonas que como energía. El sentimiento de deseo sexual comienza con un subidón hormonal y como una cascada de hormonas que contribuyen a la excitación, a la función sexual y al orgasmo, entre otras cosas. Las hormonas pueden volverse locas de diversas formas, que muchas veces interfieren en el deseo sexual o en el rendimiento en la cama. En realidad, el desequilibrio hormonal es la causa física más común de los problemas sexuales en las mujeres. La cantidad que tenemos de una hormona u otra suele ser la causa, pero, en general, lo más importante es la cantidad de una hormona que tenemos en relación con las otras.

Volviendo a la medicina china: según lo veían antiguamente, el equilibrio hormonal depende de lograr el equilibrio del yin y del yang y de la buena circulación del chi y de la sangre. Un desequilibrio hormonal desequilibrará el yin y el yang o impedirá la circulación del chi, y un chi bloqueado o un desequilibrio del yin y del yang puede desequilibrar las hormonas y afectar a la función sexual. Con los años es más difícil mantener este equilibrio, puesto que el yin suele disminuir en las mujeres; los síntomas de la perimenopausia y de la menopausia son signos de deficiencia de yin. El estancamiento de chi genera mala circulación, que genera malas transiciones hormonales, que a su vez genera desequilibrios hormonales.

Deficiencia de yin y desequilibrio hormonal

Muchos de los síntomas más habituales de deficiencia de yin proceden del modo en que la deficiencia de yin desequilibra las hormonas. El resultado suele ser una disminución del estrógeno y, a veces, valores altos o inestables de progesterona. Puedes guiarte por los síntomas que indico a continuación para descubrir si tienes un desequilibrio hormonal y/o determinar si tienes deficiencia de yin.

El estrógeno desempeña un papel específico y crucial en la vida sexual de las mujeres: es el responsable de la lubricación vaginal; de la de cada día en general, pero también la de la actividad sexual. Unos valores equilibrados de estrógeno aportan una sensación general de salud y vitalidad; el mejor pilar para una buena libido.

Ya sabes que el estrógeno disminuye con la edad. La medicina china dice que el yin también disminuye con el tiempo. Por tanto, es más probable que las mujeres tengan signos de deficiencia de estrógeno —y deficiencia de yin— cuando se van haciendo mayores, o pueden observar que esos síntomas se intensifican. En la menopausia, todas las mujeres tienen deficiencia de estrógeno, y la mayoría también tienen deficiencia de yin.

La deficiencia de estrógeno puede provocar síntomas que desemboquen en molestias o dolor durante el acto sexual, especialmente debidos a la reducción del grosor de los tejidos vaginales y a la sequedad y a la falta de lubricación de los mismos. Los síntomas de la menopausia son síntomas de deficiencia de estrógeno. La deficiencia de estrógeno puede provocar sofocos y/o sudoración nocturna, lo que conduce a un diagnóstico de perimenopausia. Los síntomas de la perimenopausia son similares a los de la menopausia, pero son más leves y aparecen y desaparecen. No obstante, si tienes cuarenta y cinco años o menos, no es probable que tengas la menopausia, aunque podrías tener estos síntomas por deficiencia de yin. Después de dar a luz, muchas mujeres también experimentan los efectos de la deficiencia de estrógeno, que pueden durar hasta seis meses. Además de la deficiencia de yin, los síntomas de la deficiencia de estrógeno incluyen:

- Falta de libido
- Dolor o malestar durante el coito
- Sequedad vaginal
- Cansancio
- Mala memoria
- Insomnio
- Sudores nocturnos (en particular, antes de la menstruación)
- Sofocos (especialmente, antes de la menstruación)

- Palpitaciones
- Sequedad ocular
- Piel seca
- Ciclo menstrual corto, menstruaciones con poco o con mucho sangrado, con sangre roja y clara y sangrado intermenstrual
- Perimenopausia
- Menopausia

La progesterona tiene una extensa gama de funciones en el cuerpo de la mujer, incluida su función en el sistema nervioso; en parte, ayuda a relajar los músculos y la mente. Como probablemente ya sabrás por experiencia propia, el sexo funciona mejor cuando estás relajada. Además, el cuerpo femenino utiliza la progesterona para fabricar la testosterona que necesita (véase página 101).

El exceso de progesterona se puede manifestar con una serie de síntomas que sabotearán tu vida sexual. Además de la deficiencia de yin, entre los signos de exceso de progesterona se incluyen:

- Cambios de humor
- Irritabilidad
- Sensibilidad mamaria
- Dolor de cabeza
- Somnolencia

- Aumento de peso
- Hinchazón
- Depresión
- Sofocos
- Acné

En la mayoría de los casos, aunque el valor de progesterona no sea excesivamente alto, es muy probable que sí lo sea en relación con el estrógeno y que este último esté bajo. Este fenómeno suele presentarse en mujeres que padecen estancamiento de chi (véase página 49).

Si tienes varios de los síntomas que acabo de mencionar, sería conveniente que te hicieras un análisis de sangre para comprobar tus valores hormonales. En función de los resultados, es posible que tu especialista te recete pastillas, parches, supositorios, cremas o algún gel. Pero pocas mujeres siguen un tratamiento hormonal sólo por el tema de la libido. Suelen hacerlo cuando varios de los síntomas interfieren gravemente en su vida cotidiana, y el regreso de la libido se considera como un afortunado efecto secundario del tratamiento de esos otros trastornos.

La medicina china suele ser la mejor alternativa, y las mujeres a las que les preocupa el deseo sexual son las que más suelen responder al tratamiento de la medicina china. El equilibrio hormonal es una de las áreas donde su visión relativamente sutil y holística suele superar lo que la medicina occidental puede ofrecer.

Más sexo en la vida real: Michelle

Michelle, treinta y nueve años, vino a verme con la esperanza de recuperar su deseo sexual. Le preocupaba su dificultad para excitarse. Parecía que ya no había nada que la excitara. No había nada que le encendiera la sangre; la consecuencia era que el sexo le resultaba incómodo, lo cual no favorecía demasiado que tuviera ganas de sexo. Cuando tenía sexo con su esposo, le costaba sentirse realmente conectada.

Además, Michelle tenía la piel y el cabello secos, y como muchas personas con deficiencia de yin, siempre tenía sed. También tenía siempre mucho calor y sofocos. Su médico le había insinuado que podía estar premenopáusica, pero yo le aseguré que era demasiado joven para eso. El patrón que yo estaba viendo era una deficiencia de yin. Parecía inquieta y nerviosa, y, para completar el cuadro, tenía una constitución ligeramente enjuta. Y, por si me faltaran pruebas, Michelle estaba quemada con su relación conyugal y era desgraciada en la misma.

«Siento que mi familia me absorbe hasta dejarme seca —me dijo utilizando palabras especialmente apropiadas—. Tenemos dos hijos, hago todo lo posible para que la familia funcione, y nadie se da cuenta, y mucho menos me ayudan.» El resentimiento que guardaba en su interior hacía que estuviera emocionalmente cerrada hacia su marido, lo cual, como cabía esperar, también bloqueaba su conexión sexual. Michelle estaba atrapada en una trampa habitual en las personas que siguen este patrón: siempre estaba haciendo cosas por los demás, a costa de olvidarse de las suyas propias. Con su yin bajo, no estaba muy segura de merecerse el tipo de ayuda que estaba buscando; pero tampoco le gustaban los resultados de no solicitarla.

Le receté una fórmula china para tonificar el yin, una variación de una fórmula común que se vende en las tiendas y que se llama Liu Wei Di Huang Wan (Rehmannia Seis). Además, le enseñé una técnica de meditación (véase la Sonrisa interior, página 134), una práctica para tonificarse una misma (y el yin), y le recomendé el Circuito (página 80). Michelle tenía que reflexionar sobre su vida emocional, desarrollar la percepción de sus propias necesidades y aprender a comprender su deficiencia de yin.

> **Quería recuperar su deseo sexual, pero no había nada que la excitara, que le encendiera la sangre.**

En la filosofía china, una de las principales características relacionadas con el yin es la *receptividad*. Para una persona con deficiencia de yin, aceptar lo que otra le da puede ser muy difícil. Normalmente, están más acostumbradas a dar..., dar... y dar. Dar se considera yang, y hacerlo en exceso puede conducir a la persona a una deficiencia de yin. (Cuando el yang aumenta, provoca la disminución del yin). Las personas que tienen deficiencia de yin suelen tener problemas para decir «basta»; por tanto, es posible que estas personas asuman demasiada responsabilidad o sean vulnerables a ser explotadas. Algunas adoptan el papel de víctimas.

Es fácil entender los problemas sexuales que pueden surgir si no estás receptivo con la otra persona; en el caso de las mujeres, esto puede ser bastante literal. También es fácil imaginar las barreras emocionales. No obstante, para Michelle, la raíz del problema no se encontraba precisamente en su dormitorio, sino justo en los detalles de la vida cotidiana. Para corregir eso, Michelle decidió pedir ayuda directamente a su familia en las tareas de

Sexual-té para el yin

Esta infusión se puede tomar fría o caliente, es humectante y antiinflamatoria; si se utiliza a diario, puede favorecer la lubricación y aliviar las molestias durante el coito. Las cantidades que indico a continuación son para un mes, tomando una taza diaria. Todos estos ingredientes deberías poder encontrarlos en tu herboristería o tienda de productos naturales. Revisa las secciones de hierbas, especias, suplementos e infusiones.

- **1 taza de hojas de crisantemo**
- **2 cucharadas de raíz de malvavisco**
- **1/4 de taza de hojas de ortiga verde**
- **2 cucharaditas de anís**

Mezcla todos los ingredientes y guárdalos en un envase hermético. Para una taza de infusión, echa 2 cucharaditas de la mezcla por taza. Llena la taza con agua hirviendo, tápala y déjala reposar diez minutos. Cuélala y sírvela.

la casa. Al hacerlo, tuvo la grata sorpresa de descubrir su buena disposición para ello.

El gran avance para Michelle, como para muchas personas con deficiencia de yin, no fue sólo pedirlo, sino desarrollar la capacidad de aceptar la ayuda cuando por fin se decidió a solicitarla. Se dio cuenta de que sus hijos *podían* encargarse de hacerse sus coladas y de prepararse sus almuerzos. Su esposo también se las arreglaba bastante bien planificando la agenda y haciendo de chófer, cuando se le dio la oportunidad. Y si en alguna ocasión tenía que morderse la lengua por haber programado el dentista a una hora inconveniente o había tenido que volver a doblar a escondidas unas cuantas camisas para que estuvieran a su gusto..., bueno, pues estaba aprendiendo a hacerlo sin que de ello se derivara que volviera a asumir toda la carga.

A las pocas semanas de seguir su nuevo régimen, no se notaba tan seca y estaba más receptiva con su familia y cuando estaba a solas con su esposo; e interiormente también tenía más claro que *debía* contar con su aportación y su apoyo. A las ocho semanas, sus sofocos habían disminuido mucho en frecuencia y en intensidad. En aquellos tiempos, empezó a darse cuenta de que no albergaba tanto resentimiento y me dijo con mucha alegría que su confianza en sí misma había mejorado tanto que hasta se atrevía a decirle a su esposo lo que necesitaba sexualmente. Ya no le preocupaba la posibilidad de estar afrontando una menopausia prematura, porque no sólo se sentía más joven, sino también más sexi.

Deficiencia de yin + estancamiento de chi = ¿?

Si profundizas un poco en una persona que tiene deficiencia de yin, lo más normal es que descubras que también hay estancamiento de chi. El desequilibrio yin-yang también puede *provocar* el estancamiento de chi.

La combinación de estancamiento de chi y deficiencia de yin genera su propio patrón, que principalmente se compone de características de cada condición. Las personas que tienen esta combinación suelen padecer inflamación, signo que se puede manifestar como enrojecimiento ocular. Muchas veces las mujeres tienen síntomas que se confunden con los de la me-

---

¿Cómo perdemos yin?

Cualquier cosa que notes que te produzca ansiedad está agotando tu yin. Lo más habitual es:

- Trabajar en exceso o hacer turnos
- Trasnochar
- Ansiedad o preocupación
- Depresión
- Mala alimentación
- Consumo de estimulantes, incluida la cafeína y las drogas recreativas
- El alcohol
- Estar demasiado pendiente de cuidar a los demás y no cuidarte a ti misma
- Envejecer
- El estancamiento de chi
- El resentimiento

---

nopausia, como sofocos y sudoración nocturna, sobre todo en los momentos de transición hormonal, como justo antes de la menstruación. También pueden tener otros síntomas premenstruales, especialmente granos. Pueden notar sequedad vaginal, falta de lubricación durante la actividad sexual y coito doloroso —eso es deficiencia de yin— y también problemas para llegar al orgasmo, debido al estancamiento de chi.

Las personas con estancamiento de chi y deficiencia de yin suelen ser irritables cuando están en desequilibrio, pueden enfadarse rápidamente. El resentimiento también es bastante común. Pueden sentirse ahogadas o no realizadas en sus relaciones. Cuando tienen problemas en su vida sexual, esto suele manifestarse como falta de deseo y dificultad para llegar al orgasmo. Es posible que no tengan suficiente yin para estar receptivas a las insinuaciones de su pareja o que su circulación de chi sea insuficiente para que puedan gozar plenamente del sexo.

PARA LOS HOMBRES: Dean

Para los hombres la excitación es más bien yang, por lo que los hombres con muy poco yin —que tienen mucho yang— suelen excitarse fácilmente y con frecuencia. Su deseo sexual puede ser fuerte, en ocasiones incluso excesivo. Los problemas de deficiencia de yin más habituales en los hombres son la dificultad para *mantener* la erección y la eyaculación precoz. Los hombres con deficiencia de yin pueden tener mucha libido, pero ese deseo sexual se puede apagar con la misma rapidez que se encendió.

Algunos hombres con deficiencia de yin pueden tener poluciones nocturnas, aunque haga décadas de su adolescencia y tengan una vida sexual activa con una pareja. A veces, se les diagnostica disfunción eréctil, conteo bajo de esperma o un número elevado de esperma anormal.

A Dean le habían diagnosticado recientemente un conteo bajo de esperma cuando —con bastante reticencia— vino a mi consulta. Su esposa y él estaban intentando concebir y ella había leído que la acupuntura podía ayudar a mejorar el conteo de esperma; así que allí estaba, en mi consulta.

En respuesta a mis preguntas, me explicó que tenía un trabajo muy estresante, que trabajaba muchas horas, que siempre estaba cansado y que muchas veces tenía ansiedad. No tenía problemas con su libido —se excitaba regularmente y sin dificultad— pero estaba frustrado con su vida sexual. Me dijo que llegaba demasiado rápido al orgasmo, o que tenía problemas para mantener su erección, que atribuía al estrés que padecía. Cuando le pregunté si notaba pitidos en los oídos después de eyacular, pareció un poco sorprendió, pero asintió con la cabeza.

En la medicina china, esto último es un signo clásico de deficiencia de yin, y Dean reconoció otros muchos síntomas que también encajaban en el cuadro. A menudo tenía calor, sobre todo durante el día y cuando estaba estresado. Admitió que una de las formas que utilizaba para intentar controlar el estrés era tomar cocaína de vez en cuando.

Dean también me contó que su esposa se quejaba de que pasaba una gran parte de su tiempo libre pegado al ordenador. Esto encajaba en el patrón que he observado entre los hombres con deficiencia de yin: retirarse y volverse inalcanzables hasta para sus seres más allegados. La medicina china lo entiende como un efecto de haber perdido la receptividad que caracteriza al yin.

Le receté la fórmula de hierbas para tonificar el yin Zhi Bai Di Huang Wan (Anemmarrhena, Phellodendron y Rehmannia), que se puede comprar en las tiendas. Y como deberes le asigné que probara masturbarse, muy lentamente. Me miró como si yo estuviera loco cuando le sugerí el grado de lentitud (quince minutos) pero me dijo que lo probaría. Y, sin que yo dijera nada, sabía que era el momento de dejar la droga recreativa que estaba tomando. La cocaína es, entre otras cosas, un gran estimulante, y los estimulantes consumen el yin.

En su siguiente visita, dos semanas después, Dean me dijo que ya no tenía tanta ansiedad ni tanto calor, aunque las condiciones externas que le provocaban estrés no habían cambiado. No puso reparos a seguir tomando las hierbas. Le animé a que hiciera algunas cosas reflexivas (¡muy yin!) como leer o llevar un diario personal y eliminar algunos de los factores que estaban agotando su yin, como ir siempre con prisa.

A medida que fueron transcurriendo las semanas, su esposa me confirmó que pasaba más tiempo con ella, y, al cabo de seis semanas de tratamiento, ambos decían sentirse más conectados. Disfrutaban con el ejercicio de masaje que les recomendé (véase Explora, página 152, capítulo 7), que le dio a Dean la oportunidad de experimentar su receptividad, tonificando su yin. A los dos meses, Dean observó que sus erecciones duraban más y me dijo que ya no tenía eyaculación precoz. (A los seis meses de tratamiento, su conteo de esperma era normal, y, tres meses después, su esposa se quedó embarazada).

LISTA PARA HACER(LO): tonificar el yin

Tener relaciones sexuales es una gran forma de equilibrar el yin y el yang. El sexo regular también ayuda a mantener los valores de estrógeno, que es una de las razones por las que puedo decir «simplemente hazlo» y sé que el consejo funcionará. Puedes impulsar tu producción de hormonas sexuales con cualquier tipo de actividad sexual, por lo que ni siquiera necesitas una pareja para obtener los beneficios. Basta con pensar en el sexo y que te sientas excitada para conseguirlo. No obstante, puedes probar otras estrategias adicionales para nutrir el yin:

→ **Hacer ejercicio**. Prueba algo que te dé flexibilidad y libertad de movimiento o que calme tu mente mientras trabajas con tu cuerpo: yoga, tai chi, chi kung, nadar o simplemente ir a dar un paseo al aire libre por la naturaleza. Haz tus ejercicios aeróbicos, por supuesto, pero raciónalos a unos treinta minutos por sesión, tres veces a la semana.

→ **Come bien**. Tonifica tu yin con una dieta de alimentos biológicos con mucha verdura, fruta y cereales integrales, complementada con pequeñas raciones de proteínas y grasas saludables. Este tipo de dieta es muy nutritiva y con un alto contenido humectante. Para contrarrestar la sequedad en tu cuerpo, necesitas grasas y agua. Elimina los alimentos procesados.

→ **Come menos proteína animal** si tienes varios de los síntomas de deficiencia de estrógeno. Evita en particular la carne roja, porque frena la producción de estrógeno. Sustituye parte de la misma por soja, que contiene compuestos estrogénicos naturales.

→ **Toma alimentos que nutren el yin**: algas, remolacha, semillas de lino, espinacas, acelgas, pepinos, judías verdes, uvas, moras, frambuesas, arándanos negros, sandía, lechuga, calabaza de verano, berenjena, mijo, trigo integral, amaranto, arroz salvaje, huevos, productos lácteos, soja, judías mungo, frutos secos y semillas de girasol.

→ **Toma alimentos que estimulen la producción de estrógeno**, como manzanas, judías pallar (de Lima), papaya, dátiles, ciruelas, pomelo, remolacha, tomate, ñame, aceitunas, patatas, cebada, arroz, lúpulo, avena, semillas de lino, garbanzos, ajo, perejil, guisantes partidos, germinados y regaliz.

→ **Controla tu peso**. Concretamente, asegúrate de que pesas lo *suficiente*. Cuando la grasa corporal es demasiado escasa, el cuerpo cesa la producción de estrógeno. Por ejemplo, muchas corredoras de maratones dejan de tener la regla. No obstante, es bastante habitual experimentar un sutil pero problemático desequilibrio hormonal a raíz de estar demasiado delgada o un poco baja de peso. Las mujeres con deficiencia de yin tienen tendencia a esto.

→ **Toma mucho potasio**, porque si no tienes suficiente no puedes producir todas las hormonas sexuales que necesitas, incluido el estrógeno. Entre las buenas fuentes de potasio se encuentran los cereales integrales, las legumbres, las frutas frescas y las verduras.

→ **Hidrátate**. Bebe al menos ocho vasos de 230 ml de agua u otros líquidos saludables al día.

→ **Evita el alcohol**. Deshidrata y agota el yin. Un vaso al día está bien, pero, desde la perspectiva de la libido, menos es aún mejor.

→ **Evita la cafeína**. Véase más arriba. Además, la cafeína es diurética, lo que intensifica la pérdida de líquidos.

→ **Evita el tabaco y las drogas recreativas**. El tabaco y las drogas consumen el yin y es muy probable que te provoquen un desequilibrio grave. Deja de fumar y mejorará tu circulación y también tu libido.

→ **Revisa todas tus medicaciones** para ver si pueden tener algún efecto secundario que afecte a tu libido, especialmente la sequedad. Los sospechosos habituales son los antidepresivos, las medicaciones contra la alergia y los resfriados y los medicamentos antiestrogénicos. Habla con tu médico para ver qué opciones tienes de cambiar la medicación a fin de evitar los efectos secundarios sexuales.

→ **Evita los lugares sobrecalentados en la medida de lo posible**. Las saunas, los baños turcos, los baños de agua muy caliente, no son buenos para ti.

→ **Duerme bien**.

→ **Aprende a controlar tu estrés**.

→ **Toma suplementos de aceites grasos esenciales (AGE)**. Entre las buenas opciones, se encuentran el aceite de semilla de grosella negra, aceite de linaza o aceite de pescado. Obtendrás un sinfín de beneficios para tu salud, pero los más importantes para tu vida sexual y tu nivel de estrógeno es que los AGE combaten la sequedad vaginal.

→ **Toma algún suplemento de calcio o magnesio**. Además de los conocidos beneficios, recomiendo el calcio y el magnesio porque son buenos para tu deseo sexual: el calcio es relajante y el magnesio favorece la circulación.

→ **Enumera tus cualidades positivas**. Me estoy refiriendo a que hagas una lista. Añade cosas a menudo y léelas más a menudo aún.

→ **Prueba la vitamina E** en supositorios vaginales para la sequedad y/o usa un **lubricante natural personal** para suavizar la fricción y las molestias durante el coito. Elige uno sin parabenos, glicerina o propylene glycol, puesto que esto productos químicos afectan al equilibrio hormonal y se absorben fácilmente a través del tejido vaginal. A muchas de mis pacientes les gusta Sylk, que está hecho de un extracto de parra de kiwi. Astroglide también se comercializa en una versión sin glicerina y sin parabenos. **También puedes utilizar aceites naturales**, como el aceite de semillas de uva, de almendras dulces, de girasol o de semilla de albaricoque; ponte un poquito justo después de ducharte o bañarte para mantener la humedad por ahí abajo. No todos los aceites naturales son apropiados para utilizar preservativos, así que no los utilices como lubricantes en ese contexto.

→ **Utiliza el masaje y la masturbación** (véanse capítulos 7 y 8) para que te ayuden a crear una imagen positiva de ti misma y que sientas aprecio por tu cuerpo tal como es. Eso incluye sentirte cómoda con tus genitales, una parte importante, pero a menudo muy olvidada, de tu yo sexual.

→ **Haz ejercicios que tonifiquen tu yin**. Los dos que hay en este capítulo (el Circuito y Abre tus sentidos) son un buen comienzo; aprenderás más a lo largo del libro. En el apéndice 2 encontrarás una rápida referencia de los ejercicios que son buenos para el yin.

→ **Plantéate un tratamiento de acupuntura**. Casi todas mis pacientes lo siguen, es muy eficaz para equilibrar el yin y el yang. Puedes obtener resultados sin acupuntura, pero con ella avanzarás más rápidamente.

→ **Toma la fórmula de hierbas medicinales para tonificar el yin Liu Wei Di Huang Wan (Rehmannia Seis)**, es humectante. También puedes añadirle otras hierbas, según tus síntomas. La más común sería Wu Wei Zi (*Schisandra*) y Dang Gui o Tangkui (*Angelica sinensis*), o huang bai (*Phellodendron*) y zhi mu (*Anemarrhena*) para los sofocos.

4

Estoy demasiado cansada para el sexo

Cómo (y por qué) tonificar el yang

«Casi se me había olvidado: ¡me *gusta* hacer esto!», me dijo Darcy cuando habían transcurrido dos meses de tratamiento. Me contó frívolamente que se había atrevido a ser ella la que le insinuara a su marido que quería sexo. «Decidí probar —me dijo—. Me harté de esperar a que fuera el momento perfecto en que me muriera de ganas de hacerlo, y me alegro de haberlo hecho. Me costó empezar, pero al cabo de un rato realmente me animé.» Aparte de cierto brillo en sus ojos, advertí un ligero aumento en su nivel de energía.

Cuando vino por primera vez a mi consulta, su vida sexual no era el mayor de sus problemas. Sencillamente, no le interesaba el sexo, y, en cualquier caso, estaba demasiado cansada para hacerlo, parecía que le exigía más energía de la que tenía. Sea como fuere, tuvo que hacer un esfuerzo consciente para hacerlo y reconectar con la idea de que el sexo era una parte importante de su vida.

Si algo de esto te suena, entonces tú, igual que Darcy, presentáis un cuadro de deficiencia de yang. El yang es activo, rápido, estimulante y energizante; mientras que el yin es pasivo, lento, tranquilizante y sedante. Sin suficiente yang, te acercas demasiado al aspecto *sedante* de la escala. La deficiencia de yang implica *cansancio*.

No obstante, para una mujer con una deficiencia de yang típica, su mayor problema no son los aspectos *sedante* o *energizante*, sino la báscula de su cuarto de baño, que probablemente evitará todo lo posible. Debe estar convencida de que tiene el metabolismo más lento del mundo. Engorda con facilidad, sobre todo cuando tiene estrés. Con los años, esos kilitos de más se han ido acumulando.

> **Identificar tu patrón es un primer paso importante para saber cómo volver a encontrar tu camino hacia la armonía.**

Por si fuera poco, muchas de las mujeres con deficiencia de yang hacen dietas que distan mucho de ser perfectas (¡y quién no!). Tal vez se salten algunas comidas, quizás alegando que no tienen apetito, pero luego las sustituyen por comida basura. Normalmente, les encanta lo dulce, lo desean con todas sus fuerzas, no pueden resistir la tentación, y les gusta la energía inicial que les proporciona, pero luego siempre viene el *bajón de azúcar* que las deja más cansadas que antes.

También tienden a ser personas a las que les gusta estar tumbadas en el sofá. Se ahogan con facilidad o dicen que son débiles o apáticas. Suelen estar cansadas y bajas de energía, muchas veces hasta el extremo de que se sienten bastante agotadas. Es posible que necesiten dormir mucho, pero aunque duerman mucho no consiguen estar frescas y con energía cuando se despiertan por la mañana. Las ojeras negras son un signo revelador. La fatiga es la principal preocupación de las mujeres con deficiencia de yang.

Visto esto, ¿te extraña que no tengan ganas de sexo? Cuando falta yang, las mujeres no tienen suficiente energía física, mental o emocional para hacerlo. Pueden sentirse agotadas para cuidar a niños pequeños o a padres ancianos, o a ambos, quizá sean sus trabajos los que las agotan o quizá la fatiga sea un signo de una condición física concreta (el hipotiroidismo suele ser la más habitual). A veces, el trepidante ritmo de la vida del siglo xxi puede con ellas. Si a todo esto le añadimos el estado de *pesadez mental* (dificultad para concentrarse, falta de motivación y una sensación general de apatía), dolores de cabeza prolongados, mareos esporádicos y dolores y molestias varios, en particular en las rodillas y en la zona lumbar, tienes una buena receta para... bueno, no sé qué, pero ¡desde luego no para muchas noches de pasión!

Caliente no es precisamente la palabra que describe a una mujer con deficiencia de yang, tampoco en el sentido de la temperatura corporal. Es probable que tenga mala circulación, por lo que tendrá las manos y los pies fríos. Suele tener frío hasta en verano, o cuando todo el mundo tiene un calor razonable. Tiene una sensibilidad extrema a todo tipo de frío, bebidas frías, tiempo frío, corrientes de aire frío. La mala circulación también puede reducir la sensibilidad, que en la vida sexual puede ser un obstáculo importante.

Las mujeres con deficiencia de yang suelen tener desequilibrios hormonales, trastornos digestivos y el sistema inmunitario debilitado.

¿Qué consume el yang?

Algunas personas tienen poco yang por naturaleza. Sea cual sea tu constitución, los factores más habituales que agotan tu yang son:

- Aceptar demasiada responsabilidad y no descansar lo suficiente
- La inactividad
- Trabajar demasiado
- Comer demasiados alimentos fríos o crudos
- Desorden en la alimentación
- Falta de ejercicio
- Demasiada actividad sexual sin conexión (por ejemplo, la pornografía)
- El estrés y un exceso de adrenalina
- Las enfermedades crónicas
- Sentir que tienes que acabar todas las tareas
- Envejecer
- El estancamiento de chi

! PRUEBA ESTO ESTA NOCHE: el Vientre de Buda

Le he puesto este nombre a este ejercicio por la creencia oriental de que acariciar la barriga de una estatua de Buda da buena suerte. ¡Sólo que en este caso las bendiciones llegarán gracias a acariciar tu propia barriga! Este ejercicio, genera energía, especialmente yang, que se puede canalizar en energía sexual o excitación.

Para hacer este ejercicio puedes estar desnuda, llevar algo de ropa cómoda pero escasa o cubrirte con la sábana. Siéntate o túmbate cómodamente sobre tu espalda y cierra los ojos. Frótate las manos vigorosamente para calentarlas y despertar tu chi. Coloca una mano en la parte superior del abdomen y la otra en la parte inferior del mismo. Nota cómo se mueven tus manos cuando se eleva tu vientre al inspirar. Respira profunda y lentamente varias veces y relájate. Libera tensiones, preocupaciones o listas de cosas pendientes cada vez que espires.

Ahora coloca las manos en la parte inferior del abdomen, sigue concentrándote en tu respiración. Deja que tus manos reposen suavemente sobre el mismo, deja que su calor y tu respiración promuevan la circulación en esa zona. Cuando estés lista, mueve las manos en espiral en el sentido de las agujas del reloj, con un movimiento lento y constante, ejerciendo una presión ligera. Sigue respirando profundamente.

Cuando reina la armonía, las mujeres con deficiencia de yang son cariñosas, protectoras y sensatas. Cuando las cosas se descontrolan, pueden volverse pesimistas, cerradas o pasivas.

Cuando logran superar su cansancio y pasar a la acción, las personas

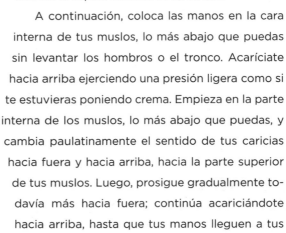

Procura que el círculo cubra todo tu vientre, sube hasta debajo de las costillas y baja hasta encima del pubis. Masajéate de este modo durante dos o tres minutos; luego invierte la espiral durante otros tantos.

A continuación, coloca las manos en la cara interna de tus muslos, lo más abajo que puedas sin levantar los hombros o el tronco. Acaríciate hacia arriba ejerciendo una presión ligera como si te estuvieras poniendo crema. Empieza en la parte interna de los muslos, lo más abajo que puedas, y cambia paulatinamente el sentido de tus caricias hacia fuera y hacia arriba, hacia la parte superior de tus muslos. Luego, prosigue gradualmente todavía más hacia fuera; continúa acariciándote hacia arriba, hasta que tus manos lleguen a tus caderas. Luego, sube lentamente un poco más y vuelve lentamente hacia tus muslos, de nuevo hacia dentro de las ingles. Repite este masaje tres veces. En total habrás pasado al menos un minuto en tus muslos, aunque mejor que sean tres.

Ahora termina el ejercicio uniendo las manos sobre tu pelvis. Siente el calor debajo de ellas, el movimiento del chi; concretamente, siente cualquier sensación que notes en tu pelvis, pero también en otras partes. Observa si has experimentado algún cambio físico o emocional durante este ejercicio. ¿Notas la zona más caliente? ¿Un cosquilleo? ¿Más suelta? O ¿te sientes más relajada?

con deficiencia de yang pueden sobreponerse por sí mismas y volver a la carrera con una combinación de factores que incluyen realizar ajustes en el estilo de vida, controlar el estrés y estrategias para equilibrar el yin y el yang, incluidos algunos sexoejercicios y posiblemente hierbas medicinales y/o acupuntura. Tonificar el yang restaura el equilibrio, y con ello mejora el estado general de la energía y se despierta la libido.

Si te reconoces en este cuadro, es muy probable que tengas deficiencia de yang, y la escala del capítulo anterior lo confirmará. Identificar tu patrón no es más que el principio de tu viaje, pero es un primer paso importante para saber cómo volver a encontrar tu camino hacia la armonía.

El yang y tus hormonas

Hay muchos síntomas de la deficiencia de yang que nos conducen de nuevo a los desequilibrios hormonales. Las hormonas reproductivas quizá no estén funcionado como debieran y de paso estén saboteando tu vida sexual; también pueden existir desequilibrios de las glándulas tiroides, adrenales y pituitaria, que pueden afectar a tu metabolismo y circulación (hipotiroidismo u otros trastornos metabólicos). El hipotiroidismo suele asociarse a la deficiencia de yang, que a menudo es la causa del aumento de peso y de la sensación de frío típica de esta deficiencia.

La medicina china puede reconocer —*y tratar*— desequilibrios más sutiles que a la medicina occidental pueden pasarle desapercibidos pero que pueden causar estragos en nuestra salud y en nuestra vida sexual. Según la medicina china, el yang calienta el cuerpo, por lo que una deficiencia de yang literalmente te deja fría. La progesterona también se supone que calienta; la deficiencia de yang y de progesterona suelen presentarse juntas. El yang también es el responsable de las transiciones —incluidas las hormonales, como la disminución de estrógeno durante la ovulación— o la perimenopausia y menopausia.

El yang se considera energizante, del mismo modo que lo son las hormonas

> *La medicina china puede reconocer —y tratar— desequilibrios sutiles de la energía y de las hormonas que pueden causar estragos en nuestra salud y en nuestra vida sexual.*

masculinas como la testosterona, que suele estar baja en las personas con deficiencia de yang.

El vínculo yang-hormona también explica la forma en que se manifiestan o agudizan muchos síntomas de deficiencia de yang durante la menstruación y/o a eso de la mitad del ciclo (en la ovulación). Por ejemplo, el cansancio, la mala circulación y los problemas digestivos (especialmente, heces sueltas), que se manifiestan en esos momentos en las hormonas, en la deficiencia de yang o en ambos.

Debido a la vinculación del yang con tus hormonas, las características de tu ciclo menstrual también pueden indicar la deficiencia de yang. Los síntomas son mucha secreción vaginal en la fase no menstrual del ciclo; los dolores de la menstruación se calman con calor (como una toalla caliente o un baño de agua caliente). O tienes menstruaciones cortas pero copiosas. La otra versión es la de los períodos largos (más de cinco días). Otra cosa que no es probable que veas en una deficiencia de yang es un ciclo típico de veintiocho días.

Estrógenos, progesterona y testosterona

Las mujeres con deficiencia de yang suelen tener el estrógeno alto o la progesterona y/o testosterona bajas. Los síntomas que cito a continuación pueden indicarte qué es lo que está sucediendo con tus hormonas. También pueden ayudarte a identificar si tienes deficiencia de yang. (Si esta lista levanta tus sospechas, te recomiendo que vayas al médico para que te revise tus valores hormonales. No obstante, puedes seguir de todos modos estos importantes consejos aunque no tengas todavía los resultados del laboratorio).

El **estrógeno alto** puede apagar el deseo sexual. Además de la deficiencia de yang, los síntomas de estrógeno alto son:

- Falta de deseo sexual
- Menstruaciones copiosas
- Aumento de peso
- Retención de líquidos antes de la menstruación, con la menstruación o en general

- Cansancio
- Irritabilidad
- Síndrome premenstrual

- Hinchazón antes de la menstruación, con la menstruación o en general
- Cambios de humor antes de la menstruación, con la menstruación o en general

La **progesterona baja** no suele tenerse en cuenta como factor de la falta de libido. La deficiencia de yang es uno de los signos de progesterona baja. Otros son:

- Sentirse estresada
- Mamas fibroquísticas
- Menstruaciones irregulares o copiosas
- Retención de líquidos e hinchazón
- Depresión

- Aumento de peso
- Temperatura corporal baja
- Deseo de comer carbohidratos o azúcar
- Libido baja

A veces, síntomas que parecen deberse a un valor alto de estrógeno se deben en realidad a un valor bajo de progesterona. Pero, en realidad, se reduce a lo mismo: lo que importa es la relación entre los valores de cada hormona. Esto se denomina *dominancia de estrógeno*. (La dominancia de estrógeno también es común entre las mujeres con estancamiento de chi; véase página 49).

En las mujeres con la libido baja, a veces este trastorno se atribuye a la progesterona baja cuando en realidad se debe a una falta de testosterona.

La **testosterona**, que en el cuerpo de la mujer está hecha de progesterona, potencia su deseo sexual. También tiene un efecto directo en su experiencia de placer durante el sexo; si está baja, puede mermar la satisfacción. Los valores óptimos de testosterona también proporcionan una sensación de bienestar general.

La **testosterona baja** suele ser la causa de la falta de deseo sexual. A menudo la causa subyacente es el estrés. Cuando una mujer padece estrés, convierte la progesterona en hormonas del estrés (como el cortisol), en lugar de hormonas sexuales (concretamente, testosterona). Cuando, con el tiempo, se advierte el estrés crónico, este cambiazo se manifiesta como falta de libido (y es la causa de otros problemas relacionados con la salud). Las píldoras anticonceptivas son otra de las posibles causas, porque inhiben la producción de andrógenos (hormonas *masculinas*), incluida la testosterona. Además de la deficiencia de yang, los signos de falta de testosterona son:

- Estrés crónico
- Fatiga
- Mala memoria

- Confusión mental
- Dolor muscular
- Pérdida de la resistencia

PARA LOS HOMBRES: la testosterona en los hombres

Un hombre con deficiencia de yang también tiene tendencia a tener la testosterona baja. Los valores de testosterona en los hombres bajan con el estrés, la falta de sueño, las drogas y el alcohol y con algunos medicamentos de prescripción facultativa, concretamente las estatinas (para el colesterol), entre otras cosas. ¿Es de extrañar que sea uno de los desequilibrios hormonales más comunes en los hombres?

Los signos y síntomas de testosterona baja —aparte de la deficiencia de yang— son:

- Falta de deseo sexual
- Estado de apatía general (incluyendo, aunque no limitado a, la apatía ante las relaciones sexuales)

- Disfunción eréctil
- Cansancio
- Trastornos del sueño
- Depresión
- Mala memoria

Es bastante habitual en los hombres que tienen la libido baja tomar suplementos de testosterona. Pero las hormonas y sus posibles efectos secundarios no son una tontería, y se han de tomar bajo la supervisión de un especialista.

Más sexo en la vida real: Darcy

En su primera consulta, Darcy admitió que estaba un poco preocupada porque ya casi no tenía interés en el sexo. Pero vino a verme porque estaba empezando a engordar, sin importar la cantidad ni lo que comiera. Había ido a visitar a su médico de cabecera para hablarle de su metabolismo perezoso, pero sus valores de la hormona tiroides estaban dentro de los baremos de la *normalidad* y el médico no tenía ninguna otra idea de a qué podía deberse su continuado aumento de peso. Intuí que podía padecer deficiencia de yang. Me confirmó que siempre tenía frío y estaba cansada. Me dijo que, aunque dormía suficiente, por las mañanas estaba zombi, al menos hasta la segunda taza de café.

Le aconsejé que no se obsesionara demasiado con su peso o con su deseo sexual. Esto se normalizaría, si podía conseguir que volviera a equilibrarse a través de estimular su energía yang. Le dije que empezara con ejercicios como el del Vientre de Buda (página 98), el Circuito (página 80) y la Contracción (página 106), para generar energía, y especialmente energía yang, y canalizarla hacia la excitación sexual. También le receté la fórmula de hierbas medicinales chinas Jin Gui Shen Qi Wan (Rehmannia Ocho), que se puede comprar sin receta y que se usa para tonificar el yang.

Se sentía bien por haber sido capaz de expresar las cosas, y estaba muy contenta de la respuesta de su marido cuando por fin lo consiguió.

Además, Darcy y yo planificamos una serie de cambios en su estilo de vida, entre los que se incluían una dieta con muchos cereales integrales, que al liberar lentamente la energía sustituirían las dosis rápidas de azúcar a las que ella estaba acostumbrada. Le recomendé muchos alimentos calientes, como sopas, y que cada noche se pusiera una botella de agua caliente en la zona lumbar. Empezó a hacer ejercicio aeróbico: lo hizo poco a poco y fue aumentando la duración y la intensidad de sus ejercicios semana a semana. También le dije que descansara durante el día y que durmiera mucho cada noche.

Además, también hablamos de que debía reafirmarse en su relación. He observado que a las mujeres con deficiencia de yang suele faltarles seguridad en sí mismas para pedir lo que desean y eso genera problemas en su relación. Admitió que se había vuelto un poco apática con su esposo, Dave. Luego empezó a hablarme de los problemas con su suegra: «¡Es muy crítica con todo lo que yo hago!». Aunque a mí me pareció que el problema era más con su marido: «Dave nunca me defiende». Cuando le pregunté si había hablado de esto con Dave, pareció sorprendida. Negó con la cabeza. Sencillamente, había ido aguantando, estaba resentida con su suegra por el trato que recibía, y más resentida todavía con su marido por su pasividad, pero nunca había dicho una palabra. Aunque estaba de acuerdo en que era el mejor tratamiento posible, sólo me confirmó que se pensaría lo de hablar con Dave.

Al cabo de unas tres semanas, cuando su programa había empezado a surtir efecto, Darcy estaba menos cansada y había adelgazado un poco. Perder unos kilos le había ayudado a mejorar su aspecto físico y tenía más ganas de sexo. Al mismo tiempo, estaba encantada al darse cuenta de que había sido capaz de desarrollar la confianza necesaria para explicar a Dave sus problemas con su madre, pero con calma y objetividad. Él, a su vez, pudo marcar las fronteras apropiadas con su madre,

Sexual-té para el yang

Esta mezcla básica puede alegrar tu vida sexual. Las hierbas, así como la propia infusión, tienen el efecto de calentar. Debes combinar los ingredientes secos que menciono a continuación y almacenar la mezcla en un recipiente hermético pequeño; tendrás para 30 tazas.

> 1 taza de hojas de té negro
>
> 2 cucharadas de pimienta de Jamaica molida
>
> 2 cucharadas de cardamomo molido
>
> Rodajas de jengibre fresco

Para una taza, añade 2 cucharaditas de la mezcla seca en una taza, añade las rodajas de jengibre fresco y echa agua hirviendo. Cúbrela y déjala reposar durante 10 minutos. Cuélala y sírvela.

y las dos mujeres empezaron a llevarse mucho mejor. Darcy se sentía bien por haber sido capaz de expresar las cosas, y estaba muy contenta de la respuesta de su marido cuando por fin lo consiguió.

Al cabo de aproximadamente un mes, llegamos al origen de nuestra historia: tras años de confiar en que fuera su esposo quien diera el primer paso para el sexo, Darcy se sintió preparada para dar el salto y siempre que venía a visitarme me comunicaba resultados positivos. En más de una ocasión, ¡habían estado a solas en su dormitorio... y despiertos! «Ni siquiera echaba en falta tener sexo hasta que he empezado a notar que estaba menos cansada —me contó—. No sabía exactamente qué es lo que me faltaba. Ahora, me doy cuenta que recuperar esa parte de mí es lo mejor de todo el tratamiento.»

 HAZLO AHORA: la Contracción

La Contracción mejora la energía yang en nuestro cuerpo. La práctica regular de este ejercicio incentivará tu respuesta al estímulo sexual, aumentará tu placer e intensificará el orgasmo de los dos. Eso sólo para empezar, que es la razón por la que recomiendo que se haga a diario y por la que leerás mucho más sobre ello.

La versión completa de este ejercicio (véase página 143) exige que le dediques un poco de tu tiempo para realizarlo. Pero ahora vas a empezar por un componente clave del mismo que puedes hacer casi en cualquier momento y en cualquier parte.

Si conoces los ejercicios de Kegel, ya conoces la esencia de la contracción. Lo único que has de hacer es contraer los músculos de tu vagina y de tu ano, como si fueras a detener la salida de la orina. Al hacer esto, ejercitas el músculo pubococcígeo. Aprieta, cuenta hasta diez y afloja. Relájate, cuenta otra vez hasta diez y repite el ciclo un total de diez veces. Si no puedes contraer los músculos durante diez segundos, no te preocupes, hazlo gradualmente hasta que consigas llegar a los diez segundos cuando hayas fortalecido la zona.

Estancamiento de chi + deficiencia de yang = ¿?

Puesto que el estancamiento de chi casi siempre conduce al desequilibrio yin-yang, suelo ver a pacientes que presentan ambos cuadros: deficiencia de yang y estancamiento de chi. Tienen síntomas de las dos condiciones. Suelen acumular factores de estrés, por lo que cada vez sienten más presión y no tienen una buena vía de escape, mientras que a la vez queman su yang como locas intentando hacerlo todo sin realizar suficientes actividades yin que puedan compensar esa pérdida.

Las mujeres con la combinación de deficiencia de yang y estancamiento de chi suelen negarse a ser ellas quienes sugieran tener sexo y les cuesta llegar al orgasmo. Las que tienen este patrón también tienen un metabolismo lento y es habitual que tengan sobrepeso. Los trastornos digestivos son habituales, en particular en etapas de estrés y de cambios hormonales.

La deficiencia de yang también puede ser la *causa* del estancamiento de chi, como puede serlo la deficiencia de yin. En el caso de la deficiencia de yang y el estancamiento de chi, el chi no circula porque no hay suficiente energía para impulsar esa circulación, no hay suficiente *impulso* para hacer que las cosas sigan en movimiento.

 PARA LOS HOMBRES: Jonathan

Las erecciones son yang. Si no hay suficiente yang en relación con el yin, a un hombre le puede costar excitarse y/o tener una erección (o mantenerla). Es posible que tenga problemas de falta de deseo sexual y de sensibilidad.

Cuanto mayor se hace, más fácil es que disminuya su yang y que aparezcan sus síntomas. Con la edad, disminuye el nivel general del yin y el yang, tanto en los hombres como en las mujeres. En los hombres, lo más habitual es un desequilibrio hacia la deficiencia de yang.

Cuando Jonathan vino a mi consulta por primera vez, tenía toda una lista de cosas que contarme: aumento de peso, fatiga, dolor de espalda, sensación de frío continuamente y orina frecuente pero lo que más le preocupaba era su falta de deseo sexual y su esporádica disfunción eréctil. Decía que estaba demasiado cansado para el sexo.

Jonathan trabajaba muchas horas a la semana y luego consumía sus fines de semana realizando una larga lista de proyectos de reformas en el hogar. Estaba orgulloso de ser un buen sustentador de la familia y un manitas, pero cumplir con estas dos exigencias le dejaba exhausto. Su esposa se lamentaba de que no tenía ni tiempo ni energía para ella, y él a su vez se quejaba de que ella no valoraba lo que hacía. Las exigencias de su esposa —como salir por la noche juntos y salir a pasear— no le parecían razonables.

Los síntomas físicos de Jonathan eran típicos de una deficiencia de yang. Los problemas en su matrimonio eran los que suelen tener los hombres que tienen poco yang: se refugian en una afición, el trabajo o alguna otra cosa que les dé seguridad y descuidan sus relaciones.

Le recomendé una fórmula de hierbas chinas, You Gui Wan (tónico general del yang de riñón), que se compra sin receta. También le dije que comiera más alimentos calientes, especialmente los que contienen especias como la canela, cayena y jengibre.

Jonathan decidió dirigir parte de su energía a su relación haciendo algo que su esposa quería hacer cada semana. También le puse deberes: que practicara un sencillo ejercicio respiratorio (la «Respiración abdominal», página 116) junto con la versión masculina de la «Contracción», para cultivar su energía sexual. En el caso de los hombres, la contracción implica concentrarse en los músculos que rodean el ano. Siente como si tiraras de ellos hacia arriba o contráelos como si quisieras retener la orina. Contráelos durante diez segundos, mantenlos así diez segundos, afloja, relájalos diez segundos más y vuelve a hacerlo nueve veces más. (La versión completa de la «Contracción» aparece en la página 106, en el capítulo dedicado al masaje). También les sugerí a los dos que probaran la postura del Tigre (véase página 242, del capítulo sobre posturas) para activar el yang.

La insuficiencia de yang no es sólo no tener energía, sino también no dirigir la energía que tienes hacia lo que estás haciendo. Ésta es la razón por la que Jonathan se sentía disperso y que *nunca estaba del todo* en ninguna parte, hiciera lo que hiciera. Parte de la función de los ejercicios era ayudarle a que se concentrara en lo que quisiera concentrarse, incluida su relación. En la práctica, le ayudó a planificar mejor las cosas para saber que tendría tiempo para sus proyectos y para su esposa.

Al cabo de unas semanas, empezó a tener más energía y a notar mejoras en su salud general. Lo primero que notó era que estaba mucho más despierto por las mañanas. También le encantó ver que no tenía tanta necesidad de orinar y que ya no tenía que levantarse por la noche para ir al baño. Empezó a adelgazar y a notar un entusiasmo general por la vida que hacía años que no sentía.

A medida que fue sintiéndose mejor, su vida sexual también mejoró. Al haber reactivado su yang, empezó a tener sexo con más frecuencia y descubrió que podía mantener más tiempo su erección. Eso aumentó su seguridad y también su deseo. También se dio cuenta de que le apetecía complacer a su esposa, y no sólo montándole estanterías nuevas o cambiando grifos estropeados.

 ## PARA LOS HOMBRES: lista yang para hacer(lo)

Estamos intentando tonificar el yang casi de la misma manera que las mujeres, como veremos en la «Lista para hacer(lo)» que hay al final de este capítulo. Pero hay unos cuantos puntos en que los hombres debemos concentrarnos si queremos corregir nuestra deficiencia de yang, empezando por: tener sexo. Esto estimulará tu... producción de testosterona. Ésta es una de las razones por las que la actitud del «simplemente hazlo» funciona para contrarrestar la falta de libido. A continuación tienes más:

- **Come adecuadamente para tu vida sexual**. Si tienes deficiencia de yang y/o la testosterona baja, tu dieta tendrá que ser relativamente rica en proteínas, baja en hidratos de carbono y moderada en grasas.

- **Toma muchos ácidos grasos esenciales (AGE)**, sobre todo si tienes baja la testosterona. Los AGE son importantes para la producción de las hormonas sexuales en general y de la testosterona en particular. Las buenas fuentes naturales son alimentos como cacahuetes, aguacates, pescado, aceite de linaza y aceite de oliva. También puedes tomar suplementos.

- **Prueba la fitoterapia china para estimular tu testosterona**. Para los hombres, Yu Gui Wan (Tónico general del Yang de Riñón) se utiliza para tratar la disfunción sexual y la infertilidad. Puedes esperar buenos resultados de esta fórmula, pero, si tienes la testosterona baja, quizá necesites combinarla con una o más hierbas (incluso puedes utilizar las tres a la vez).

- **Yin Yang Huo (*Epimedium* o hierba del macho cabrío)** para estimular la testosterona. También produce óxido nítrico, una sustancia química que dilata lo suficiente los vasos sanguíneos durante la excitación como para permitir que el flujo de sangre favorezca la erección. Ayuda a reducir el estrés y da energía a todo tu cuerpo, lo que propicia una actitud positiva para el sexo.

- **Ginseng (Ren Shen)** es un tónico popular para muchos trastornos y favorece la salud sexual de varias formas, incluida la producción de testosterona.

- **Bai Ji Li (Tribulus terrestris)** estimula la glándula pituitaria para que genere testosterona.

LISTA PARA HACER(LO): estimular el yang

El sexo es la mejor forma de equilibrar el yin y el yang. Pero también hay muchas otras formas de conseguirlo, que son eficaces y que, entre otras cosas, te ayudarán a tener más ganas:

→ **Come adecuadamente para tu vida sexual**. Cuando tienes deficiencia de yang, debes comer carbohidratos saludables —como cereales integrales, además del trigo— y pequeñas dosis de proteínas de calidad, con pocos productos lácteos, trigo, zumos de frutas o alimentos fritos o grasos. Si tienes la testosterona baja, debes tomar principalmente proteínas de origen animal.

→ **Toma alimentos que tonifiquen el yang**: zanahorias, chirivía, setas, cebollas, puerros, boniatos, calabaza de invierno, hojas de la mostaza (ajenabe), pimientos, jengibre, cerezas, manzanas, plátanos, avena, espelta, arroz blanco, quinoa, pollo, salmón, cordero, alubias rojas, lentejas, alubias negras, cacahuetes y nueces. Las verduras crucíferas (brócoli, coliflor, col rizada, coles de Bruselas, repollo) son particularmente indicadas si tu testosterona está baja.

→ **Toma alimentos que estimulen la testosterona**, si es necesario, como buey, huevos, ajo, ostras, rábanos y nabos.

→ **Toma yogur bajo en grasa** al menos tres veces a la semana si tienes la progesterona baja (o exceso de estrógeno). Sí, aunque, aparte de esto, mejor que evites los lácteos. El yogur es más fácil de digerir y además ofrece beneficios únicos. Lee la etiqueta para asegurarte de que tu yogur tiene «bacterias vivas», porque esas bacterias ayudan al hígado a metabolizar mejor el estrógeno, eliminándolo de nuestro sistema si es necesario y ayudando a mantener el equilibrio con la progesterona.

→ **Come varias veces al día, lentamente**. Come siempre a las mismas horas y repártelas bien a lo largo del día.

→ **Haz ejercicio**. Haz treinta minutos de ejercicio aeróbico moderado al menos tres veces a la semana. Cada día sería aún mejor. Hacer más ejercicio es muy importante cuando la testosterona está baja.

→ **Procura no tomar mucha cafeína**. El estímulo que te proporciona es una falsa energía y con el tiempo te debilitará todavía más. La cafeína también altera el metabolismo del estrógeno, lo que puede elevar los valores del mismo en el cuerpo, dominando a la progesterona en lugar de actuar conjuntamente con ella.

→ **Bebe con moderación**. El exceso de alcohol consume la energía.

→ **Evita el exceso de sal**, especialmente si tiendes a retener líquidos.

→ **Controla el estrés**, duerme bien y descansa lo suficiente durante el día. Aprende a ponerte unos límites; practica el decir «no».

→ **No te enfríes**.

→ **Toma suplementos de cromo** para estimular el metabolismo y la acción de la insulina.

→ **Consulta el apéndice 2, para ver los sexoejercicios para estimular el yang**, a fin de complementar los que ya has aprendido en este capítulo (el Vientre de Buda, y el que es esencial para tu vida sexual, la Contracción). La Meditación de la energía (página 136) es para calmarte y relajarte y te da la base para entablar una verdadera conexión con otras personas. El Bol para mezclar (página 150) hace circular el chi, a la vez que tonifica el yang, lo que ayuda a desarrollar y a transmitir el deseo sexual.

→ **Plantéate un tratamiento de acupuntura** para tonificar el yang.

→ **Prueba la fórmula de hierbas Jin Gui Shen Qi Wan (Rehmannia Ocho)**.

→ **Prueba la fórmula You Gui Wan (Tónico General del Yang de Riñón) con Dang Gui** si tu testosterona está baja.

→ **Toma Gui Pi Tang (Infusión para Restaurar el Bazo)** para aliviar el estrés y la ansiedad.

→ **Prueba Rou Gui (canela en rama)** para tonificar la energía yang y estimular la libido.

SEGUNDA PARTE

RENUEVA TU YO SEXUAL

5

Tú primero

Encuentra tu propio equilibrio

¿Sabes el espectáculo circense en el que una acróbata hace todo tipo de ejercicios encima de un compañero? ¿Crees que la acróbata voladora *aprendió* a hacer la postura del pino sobre las manos de su compañero? Te puedo asegurar que no. La practicó ella sola antes de probarla con la otra persona.

Es una estrategia que aprobarían los sabios taoístas, que eran grandes aficionados del equilibrio. Ellos enseñan que primero has de encontrar tu propio equilibrio antes de intentar encontrarlo con otra persona. Esto no es sólo un antiguo concepto místico. Los taoístas que desarrollaron estas ideas hace miles de años reconocerían una tendencia de pensamiento similar en la psicología occidental, que sostiene que antes de pretender mantener una relación saludable con otra persona has de tenerla contigo misma. Dicho de un modo más técnico, las personas necesitamos un fuerte sentido de individuación (puesto que necesitamos que nos *diferencien*) para poder entablar con éxito una relación (o *apego*).

Has de crear un equilibrio entre tu pareja y tú, pero la verdadera fuerza, estabilidad y flexibilidad —y sexualidad— proceden de ocuparte primero de ti mismo. Así que empezamos aprendiendo a hacer nuestra particular postura del pino.

> **! HAZLO AHORA: la Respiración abdominal** ————————
>
> He hecho este ejercicio muchas veces en clase de yoga, principalmente para relajarme y oxigenarme. Me siento muy cómoda haciéndolo, pero el mero hecho de inspirar y espirar también ayuda a equilibrar el yin y el yang. La inspiración es yin, mientras que la espiración se considera yang, así que la respiración abdominal une a ambos. Te ayuda a encontrar tu centro.
>
> La respiración abdominal también aporta aire y energía a la zona inferior del abdomen, el *dan tien**, el centro sexual. Sintonizar con las sensaciones que tenemos en esa zona es una gran forma de conectar con nuestra energía sexual e incrementar la respuesta sexual y la satisfacción.
>
> Puedes hacerlo sola o con tu pareja. Siéntate cómodamente en una silla con los pies apoyados en el suelo o bien túmbate boca arriba con las piernas estiradas o flexionadas con las plantas de los pies apoyadas en el suelo. Coloca las manos sobre tu vientre justo debajo del ombligo dejando que se toquen las yemas de los dedos, al menos al principio.
>
> Inspira lentamente por la nariz. Nota cómo se eleva e hincha tu
>
> ---
>
> *También se conoce como «*tan tien*». (Nota de la T.)*

Equilibrio dinámico

Tu meta es encontrar el equilibrio entre los aspectos yin y yang y entre los lados yin y yang de la escala. Estás buscando un equilibrio dinámico, no un punto fijo ni una línea divisoria exacta. Para la mayoría de las personas, el punto ideal es cuando predomina ligeramente el yin o el yang.

No esperes conseguir tu meta y quedarte allí sin moverte de ella. Siempre estamos consiguiendo y perdiendo el equilibrio en mayor o menor medida. Eres como una piloto que vuela de Nueva York a Los Ángeles: no despega y va derechita de un aeropuerto al otro, sino que vas corrigiendo el vientre por debajo de tus manos, lo suficiente como para separar las yemas de los dedos. Prosigue inspirando uniformemente. Notarás que, a medida que el aire va llenando tus pulmones, también se expande tu pecho.

Ahora espira a través de la nariz, hundiendo el vientre hacia tu columna vertebral para expulsar el aire con firmeza (pero con suavidad). Repítelo unas cuantas veces. Luego haz una pausa y respira normalmente varias veces antes de iniciar otro ciclo de respiraciones abdominales.

Las inspiraciones y espiraciones han de ser naturales y suaves. Si te cuesta mucho mover el aire, relájate un poco; estar relajada es más importante que el volumen total de aire que introduzcas en tus pulmones.

Puedes practicarla todo el tiempo que te apetezca. Empieza con un par de minutos y puedes ir aumentando hasta llegar a diez en un ciclo.

Variante: al final de la inspiración, retén el aliento un par de segundos antes de espirar. Haz lo mismo al final de la espiración. Recuerda: no fuerces la respiración. Busca el ritmo que te sea cómodo.

---

rumbo constantemente en los 4.000 kilómetros de distancia, volando unas veces más alto y otras más bajo, unas veces hacia el norte y otras hacia el sur —y de nuevo hacia norte—, según sean las condiciones. Estas desviaciones no son una pérdida de tiempo, sino la forma correcta de lograr un tiempo de vuelo óptimo con la máxima seguridad.

El desequilibrio es inseparable del equilibrio. Esto lo experimentas en tu propio cuerpo cuando te mantienes sobre un solo pie. No estás recta y quieta —nadie lo está—, sino que siempre estás realizando pequeñas correcciones para regresar a tu centro, puesto que inevitablemente sales del

> *No temas perder el equilibrio; todo lo contrario, acepta el sentimiento de retornar al mismo. Ése es el principio de la resistencia física y emocional.*

mismo. No temas perder el equilibrio; todo lo contrario, acepta el sentimiento de retornar al mismo. Ése es el principio de la resistencia física y emocional.

Las reglas del yin y el yang

La filosofía taoísta establece varios principios que describen la relación entre el yin y el yang. Todos ellos son útiles cuando estás intentando aplicarlos —y equilibrarlos— primero en ti y luego en tu relación.

El yin y el yang son relativos. El yin y el yang son opuestos, pero lo que es yin y lo que es yang siempre es relativo. Por ejemplo, respecto al vapor, el agua es yin (en este caso, fresca), pero, respecto al hielo, el agua es yang (templada). Habitualmente, en mi trabajo soy yang en comparación de cómo soy en casa. Pero en mi trabajo soy yin cuando trato a mis pacientes y más yang cuando me encargo de los temas administrativos. Cuando has perdido tu equilibrio, puedes tonificar lo que está en deficiencia o dispersar lo que está en exceso. Cambiar uno siempre afectará al otro.

El yin y el yang son interdependientes. El uno no puede existir sin el otro. Uno no tiene sentido sin el otro. Nadie es totalmente yin ni totalmente yang; tu energía está formada por ambos, que es la razón por la que intentamos equilibrarlos a los dos, en vez de elegir uno u otro.

El yin y el yang están cambiando constantemente. El nivel relativo del yin y el yang cambia constantemente. No tiene un valor fijo. Tu meta no es llegar a un extremo o al otro, sino aprender a darte cuenta de dónde te encuentras —que puede ser diferente de ayer o de más tarde hoy— y corregir hasta encontrar de nuevo tu centro.

El yin y el yang se transforman continuamente el uno en el otro. El yang activa el yin y el yin genera yang. Otra forma de plantearlo es que el yin más extremo puede convertirse en yang, y que el yang más extremo pue-

PRUEBA ESTO ESTA NOCHE: el Circuito _y_ la Contracción

Ya conoces dos de los ejercicios más potentes para tonificar el yin y estimular el yang: el Circuito (página 80) y la Contracción (página 106). De modo que una excelente forma de equilibrar el yin y el yang es: ¡combinar los dos!

Espera a practicar esta variante hasta que te sientas cómoda con el Circuito.

Al inspirar y mover la energía hacia arriba por tu espalda, contrae tu músculo pubococcígeo como si quisieras retener la orina. Mantén la contracción reteniendo la respiración al final de cada inspiración. Al espirar, relaja la contracción y vuelve a enviar la energía hacia abajo por la cara anterior de tu cuerpo.

de convertirse en yin. Esto puedes verlo en el diagrama del yin y el yang: justo en el sitio donde se encuentra la parte más amplia de la zona negra se adentra una fina punta de blanco (y viceversa). Si te esfuerzas demasiado en tu trabajo durante demasiado tiempo (y te vuelves cada vez más yang), un día enfermarás (una manifestación muy yin: estar en la cama).

Este fenómeno es el origen del refrán chino que dice: «El 80 por ciento es la perfección». Todo lo que se mantiene en su extremo se transforma en su opuesto; por tanto, si quieres que siga funcionando, es mejor que lo sedes un poco.

El yin y el yang se pueden debilitar y reforzar mutuamente. Los cambios entre el yin y el yang suelen ser armoniosos, pero, cuando uno o ambos están muy desarmonizados, al final acaban debilitándose o consumiéndose mutuamente. El exceso de uno puede provocar el mismo desequilibrio que la deficiencia del otro. El exceso de uno debilita al otro. Por ejemplo, si una persona es demasiado agresiva (yang) en el trabajo, eso puede debilitar su yin hasta el extremo que puede llegar a adelgazar mucho y sentir sequedad.

El equilibrio emocional y psicológico

Cuidar tu aspecto emocional-psicológico es esencial para que encuentres tu equilibrio interior. Es igual de importante para que puedas mantener una vida sexual sana. Sentirte emocionalmente estable y en un estado psicológico positivo favorece el deseo sexual saludable y el buen sexo. Los estados emocionales negativos pueden bloquear los sentimientos sexuales. Los estudios demuestran que entre el 20 y el 45 por ciento de los adultos estadounidenses experimentan una disminución de su libido debido a cuestiones psicológicas. Si no estás de humor para el sexo, quizá se deba a tu estado de ánimo.

Las emociones negativas agotan y desequilibran tu energía en general y concretamente tu energía sexual. Por otra parte, las emociones positivas nos tonifican, generan energía, hacen que ésta circule y que esté armonizada; condiciones básicas para desear sexo y disfrutarlo.

La medicina china considera las emociones como formas de energía, y el sexo es una de las formas de transformar la energía, incluidas las negativas en positivas. Por tanto, mejorar tu estado de ánimo no sólo mejorará tu vida sexual, sino que también mejorará tu estado de ánimo. Y, además, tal vez la falta de sexo fuera la causa de tu depresión.

No quiero decir que el sexo pueda evitar o eliminar todas las emociones o los problemas psicológicos, y nunca has de utilizar el sexo para encubrir un problema. Tratar de tapar algo que realmente has de solucionar sólo te creará más problemas o empeorará los que ya tienes. Pero el sexo —practicado correctamente— te ayudará a corregirlos. En algunos casos, aunque no en todos, *es* curativo.

Es bastante fácil quedarse atrapado en una espiral de emociones negativas y en la carencia de vida amorosa. Pero salir de esa espiral puede ser muy fácil: deja de *no* tener sexo y empieza a tenerlo. Si puedes tirar adelante y simplemente ponerte manos a la obra —con una actitud que al menos sea abierta, aunque no estés (todavía) entusiasmada—, te darás cuenta de que puedes cambiar las reglas del juego. Algunos ejercicios de este libro te ayudarán a hacerlo, cambiando tu actitud mental y orientándote hacia el lugar por donde tienes que empezar. Esto refleja la filosofía de la medicina china de que la mente y el cuerpo están unidos, y que con los actos físicos, incluido el sexo, influyes en ambos.

Cuando practicas sexo, bloqueas algunos sentimientos negativos con los deseos sexuales. Probablemente te habrás dado cuenta de que el sexo puede sacarte las preocupaciones de la cabeza, simplemente gracias a concentrar tus pensamientos en otra parte (¡en otra parte agradable!) durante un rato. El sexo hace que liberemos endorfinas, que nos ayudan a sentirnos bien de muchas formas. El buen sexo alivia la tristeza, la ansiedad, la ira, la culpa, el miedo y la soledad. ¡Y los efectos duran hasta una semana!

Pero, espera, ¡todavía hay más!

El buen sexo genera sentimientos de placer, amor, cariño, satisfacción, energía, fortaleza, confianza, amabilidad, alegría, gratitud, paz, armonía y felicidad.

Y equilibrio.

Señales de aviso de desequilibrio

El desequilibrio emocional o psicológico se manifiesta de todo tipo de formas. Algunas son graves, como la depresión clínica, y su tratamiento exige algo más que lo que contiene este libro; pero existen muchas más conductas que revelan un desequilibrio, y, aunque no lleguen a ser una patología, pueden causar muchos trastornos en tu equilibrio energético y en tu libido y, por extensión, en tu relación y tu vida sexual.

La escala del yin y el yang del capítulo 3 enumera los temas principales, pero creo que tienes que ampliar tus conocimientos sobre la variedad de signos de desequilibrio que existen, para que puedas estar atenta, reconocerlos y tener una idea de lo que puedes hacer en cuanto los detectes.

Una persona con poco yin en relación con el yang puede:

- Tener problemas de adaptación al cambio.
- Parecer insensible.
- Sentirse incómoda al recibir algo, aunque sea un cumplido o un regalo.
- Crear conflictos.

• Ser controladora, inflexible o dominante.

• Ser demasiado agresiva o incluso violenta.

• No sentirse segura cuando tiene que expresarse.

• No saber escuchar.

• Insistir en que las cosas se hagan a su manera.

• Ser incapaz de ver el punto de vista de otras personas.

• Asumir el papel de mártir.

• Perder su identidad en una relación.

• Dar más de lo que pueden soportar sus recursos personales, o descuidar sus propias necesidades mientras se ocupa de las de los demás.

• Dar lo que ella quiere dar, no lo que necesita o desea su pareja.

• Ser incapaz de corresponder a su pareja.

• Le cuesta pedir a los demás que le den o pedir lo que realmente desea o necesita.

• Confiar en su pareja para que la cuide y apoye, porque no es capaz de hacerlo por sí misma.

• Ser incapaz de recibir lo que necesita de una pareja —incluido el amor— aunque su pareja se lo esté brindando (o lo esté intentando).

Alguien con muy poco yang (o demasiado yin) puede:

• No hacerse valer o no atreverse a defenderse solo en las relaciones.

• Recurrir a la actitud pasivo-agresiva cuando quiere salirse con la suya.

• No saber delimitar fronteras en las relaciones.

• Sentirse utilizada.

• Quedarse estancada.

• Encerrarse en sí misma o guardar secretos y distanciarse en las relaciones.

• Preferir convertirse en una persona *casera* a involucrarse en actividades fuera de casa.

• Parecer que le falta entusiasmo.

• Descuidar su aspecto.

• Que se aprovechen de ella, ser dominada o controlada.

• Dirigir atención, energía y esfuerzo a intereses ajenos a la relación.

• Concentrarse en sus propias necesidades.

• Prestar toda su atención a su profesión o a una afición en lugar de de a su pareja.

• Perder fuerza o capacidad de liderazgo.

• Confiar en que sea su pareja la que mande o dirija y ser incapaz de hacer las cosas por sí misma.

• Volverse menos creativa.

• Tener poca ambición.

• Tener problemas para estar a la altura de las exigencias que le han puesto los demás.

• Volverse fría, introvertida o inalcanzable.

• Costarle definir lo que desea.

• Encontrar que su relación no le llena.

• Sentirse fácilmente incomprendida.

Avanzar hacia el equilibrio

En el caso extremo, el desequilibrio es muy incómodo, y tanto si las personas son conscientes de que lo padecen como si no, intentarán reequilibrarse. Si no saben cómo hacerlo de formas saludables, a veces lo intentan de formas poco saludables, como comiendo en exceso, comprando compulsivamente, bebiendo demasiado o teniendo un romance. Ninguna de ellas puede conducir al equilibrio, por supuesto, al menos a uno que dure un tiempo razonable. De hecho, no harán más que empeorar las cosas.

Razón de más para practicar estrategias positivas para hallar el equilibrio y que no exista razón para recurrir a vías de escape insalubres. Estrategias como las que aparecen en la «Lista para hacer(lo)» al final de este capítulo. No obstante, necesitarás unos preliminares:

Identifica tu rasgo dominante. ¿Eres más a menudo yin o más a menudo yang?

Pregúntate si en estos momentos te sientes equilibrada o notas algún desequilibrio. En este momento. Luego, pregúntate si en otros momentos, lugares o situaciones de tu vida también notas ese desequilibrio.

Dedica unos minutos a identificar cuándo, dónde y cómo estás *en* equilibrio. También puedes aprender mucho de eso.

Recuerda que eres la única persona que puedes cambiar o controlar. Estoy segura de que habrás oído muchas veces que no puedes cambiar a otra persona, pero, a juzgar por la letanía de quejas que escucho de mis pacientes sobre todas las cosas que deberían cambiar sus parejas, creo que es un mensaje que todavía no se ha asimilado *muy* bien. (Archívalo en Bueno es Saber: cuando tú cambias, también provocas cambios en tu pareja).

No te obsesiones con los detalles. Si te está estresando tratar de averiguar si eres yin o yang, procura no fijarte tanto en los detalles durante un tiempo. Intenta fluir con este proceso, al menos al principio. Es muy probable que en tu interior sepas si en estos momentos estás desarmonizada —o si lo estarás en el momento en que consigas conectar—, y en realidad esa percepción es más importante que ser capaz de determinar con exactitud si ese desequilibrio es yin o yang o una deficiencia general de coordinación o qué es. Identifica el desequilibrio, busca el equilibrio y estarás haciendo lo más importante que has de hacer por ti. Y, a medida que te vayas familiarizando con los conceptos del yin y el yang, lo irás viendo con más claridad. Entonces podrás perfilar tu percepción como corresponde. No es necesario que sea perfecta desde el principio para que sea eficaz.

LISTA PARA HACER(LO): reequilíbrate

Tener sexo es una forma de reequilibrar tu yin y tu yang; una de las muchas razones por las que puedes hacer una pausa y simplemente hacerlo. Por supuesto, también hay otras formas:

➜ **Cuida tu salud general**. Evalúa y traza un plan para tratar cualquier síntoma físico. En el capítulo 16, hablo de los problemas de salud más comunes; eso te ayudará a ir en la dirección correcta. Consulta con un médico o cualquier otro profesional de la salud si es necesario. La buena salud significa equilibrio, la conservación del mismo y una libido activa.

➜ **Cuida tu salud mental**. Estar fuerte emocionalmente te ayuda a mantener el equilibrio entre el yin y el yang, y es una gran ayuda para conseguir una vida sexual sana. Has de evaluar y tratar cualquier problema psicológico o signo emocional de desequilibrio, del mismo modo que lo haces con los físicos. Habla con un médico o con un terapeuta si tus sentimientos te desbordan o no respondes a las técnicas de autoayuda.

➜ **Come bien**. Una mala dieta es otra forma de estrés para tu cuerpo, otro factor que te desequilibra. Una buena alimentación aporta recursos imprescindibles que necesita nuestro organismo para afrontar cualquier cosa que se interponga en su camino y te permitirá estar más centrada.

➜ **Muévete**. Hacer ejercicio es un famoso energizante y remedio para el estrés: te ayuda a equilibrarte, tanto literal como metafóricamente. Hacer ejercicio también te sirve para que te sientas más a gusto en tu cuerpo, te da confianza en tu aspecto. No hay nada más sexi que la confianza en una misma.

➜ **Utiliza el yin y el yang**. Practica las cualidades yang (asertivas) y yin (receptivas) para permanecer centrada, sin oscilar entre agresiva o controladora o pasiva o necesitada. Busca las oportunidades para poner esto en práctica cada día. También puedes usar cualquiera de los ejercicios para el yin o el yang.

→ **Trabaja tu rasgo menos dominante**. Si eres más bien yang, practica conectar con tu energía yin. Y viceversa. Si sueles hacerlo todo deprisa, esfuérzate en hacer las cosas despacio, al menos en algunas ocasiones. Si siempre eres una persona calmada, prueba experiencias que sean estimulantes. Si eres una persona mental, procura poner en práctica tus ideas.

→ **Practica la consciencia plena**. Está totalmente presente en el momento presente sin juzgar. Aparece en el aquí y ahora, deja de vivir en el sufrimiento del pasado o en los miedos sobre el futuro. Adopta la actitud del *estar aquí ahora*. El ejercicio de Abre tus sentidos, ya sabes, el del chocolate (página 72, en el capítulo 3), no es sólo una excelente razón para tener chocolate bueno en tu despensa y una gran forma de equilibrar el yin y el yang, sino que también es una práctica clásica de la meditación de la consciencia plena.

→ **Tranquilízate**. Aprende formas de tranquilizarte que no dependan de otra persona. Utiliza ejercicios de respiración o meditaciones, como las de los capítulos 2 y 6. También puedes intentar hacer ejercicio, salir a pasear, escuchar música o hacer yoga.

→ **Disfruta de la naturaleza**. Para muchas personas, conectar con el mundo natural no es sólo una forma de reducir el estrés, sino también de restauración. Estar en contacto con la armonía de la naturaleza fortalecerá tu armonía interior.

→ **Haz el bien**. Ayudar a otras personas, contribuir en algo positivo en este loco mundo, tiene un maravilloso efecto secundario: te ayuda a sentirte bien. Cuanto más das, más vuelve a ti.

→ **Reconstruye** los mensajes sobre tu pareja que has estado repitiéndote en tu cabeza y adáptalos a *ti*. Puesto que vas a reconstruirlos de todos modos, hazlo y busca una perspectiva positiva cuando te pongas a ello. ¿Estás pensando: «Siempre antepone el trabajo a mí y a los niños» o «¡Nunca está satisfecho!»? Concéntrate en estas ideas en su lugar: «Me encanta que estemos juntos, así que voy a planificar algo para estar juntos» o «Estoy progresando y seguiré haciéndolo».

→ **Prioriza y delega**. No puedes hacerlo todo tú sola ni tienes por qué. ¡Pues no lo hagas!

→ **Haz algo por *ti***. Ve a que te den un masaje. Ve a tomarte una taza de té verde a una cafetería. Lee por gusto. Hazte la manicura. Sal con un amigo o amiga.

→ **Sé imperfecta**. Acepta que no eres perfecta y deja que te *resbalen* tus normas. Es más que probable que el mundo siga girando aunque, de vez en cuando, salgas de la oficina a las cinco; o deja que se amontonen tus mensajes de texto para responderlos por la tarde.

→ **Sexoejercicio**. Todos los sexoejercicios te ayudarán a equilibrar tu energía a través de conectar con tu energía sexual. Mencionaré uno especialmente eficaz: el Circuito (página 80) es bueno para absolutamente todos. Véase el apéndice 2 para una guía de todos los sexoejercicios con sus beneficios específicos; así podrás elegir lo que más te convenga para cada situación.

→ **Prueba la acupuntura**. Equilibra el yin y el yang y hace que el chi vuelva a circular. Además, relaja la tensión muscular y hace que el cuerpo libere las endorfinas que alivian el estrés.

→ **Prueba a tomar hierbas medicinales** según lo que más necesites: restaurar la circulación del chi, tonificar el yin o el yang (véase las «Listas para hacer(lo)» al final de los capítulos 2, 3, y 4).

6

Céntrate en ello

*El deseo de sexo empieza en la mente
y la respiración*

El deseo sexual empieza por estar receptiva a tu propia energía sexual. La conexión sexual empieza por estar receptiva a la energía sexual de otra persona. Concentrarte en tu respiración es una forma de llevar tu atención a tu cuerpo para sentir tu energía. La meditación es una forma de lograr la serenidad necesaria para recibir la energía de otra persona.

La respiración —consciente— puede ser un poderoso medio de cultivar, hacer circular, mover y dirigir el chi y tu energía sexual. Respirar puede aliviar el estrés y calmar la mente hasta bajar la presión sanguínea. Respirar hace circular el oxígeno a través de tu cuerpo e incrementa tu deseo —y receptividad— de sexo. De igual importancia es el hecho de que tu respiración te ayuda a tomar consciencia de tu cuerpo y de lo que éste está sintiendo.

La respiración también puede usarse junto con una meditación o constituir una meditación en sí misma. Hay muchas formas de meditar; la mejor es la que te funcione a ti. Quizá quieras probar algunas antes de establecer tu propia práctica.

Para algunas personas, la meditación es una práctica espiritual. Para otras, es una práctica religiosa que quizás incluya la oración. Pero no tiene por qué ser así. Tanto si para ti la meditación es una práctica espiritual como si no, tiene beneficios similares a los de la respiración: reduce el estrés y calma la mente y el cuerpo. También mejora la concentración. A muchas mujeres les cuesta llegar al orgasmo porque se distraen. Mantener la concentración es una habilidad que se aprende, y una de las mejores formas de empezar es meditando.

Los ejercicios de respiración y de meditación de este capítulo están pensados como actividades independientes o como preludio para el sexo. Lo que hagas es cosa tuya, pero asegúrate de que tu pareja y tú estáis en la misma página cuando vayáis a hacerlos juntos.

Te recomiendo que al menos hagas uno cada día. Aunque sea sólo durante un minuto. Deberías empezar a notar algunos resultados enseguida.

> ## Volvemos a la respiración
>
> En los capítulos anteriores ya te hemos enseñado algunos ejercicios respiratorios excelentes.
>
> Si quieres repasarlos y refrescar tu memoria, aquí tienes dónde puedes revisarlos:
>
> **Respira** (página 39)
>
> **Respiración abdominal** (página 116)

Relajación progresiva

Es un ejercicio muy sencillo. Lo único que has de hacer es tensar y relajar tus principales grupos musculares, de uno en uno. Empieza por los pies y ve ascendiendo. Tensa una zona y cuenta hasta diez; mantenla firmemente apretada. Luego, relájate y disfruta de la sensación de soltar. Asegúrate de que no dejas de respirar (no contengas la respiración cuando tenses los músculos):

1. Siéntate o túmbate cómodamente boca arriba y cierra los ojos.
2. Separa ligeramente los pies, y, si estás tumbada, separa un poco los brazos de los costados de tu cuerpo y deja las palmas de las manos hacia arriba.

3. Respira más despacio. Centra toda tu atención en la respiración, en su movimiento de entrada y salida. Cuenta lentamente hasta veinte.

4. Tensa los músculos de las distintas zonas de tu cuerpo que mencionamos a continuación, de una en una, en el orden que te damos. Cada vez que contraigas los músculos de una zona, cuenta hasta diez. Luego, relájalos suavemente. Haz una pausa y cuenta de nuevo hasta diez. Repite esto con cada grupo muscular: pies, pantorrillas, muslos, vientre, pecho, espalda, manos (cierra los puños), brazos (flexiónalos por el codo), cuello, cabeza y cara.

Los Tres cierres

Los taoístas concibieron este ejercicio pensando en los hombres, pero no veo razón por la que sólo ellos puedan beneficiarse del mismo. Es un ejercicio importante para todos, y especialmente indicado para quienes quieran tonificar su yin, por el modo en que lleva la energía desde la parte superior del cuerpo hasta la pelvis.

Los Tres cierres potencia el orgasmo de varias formas. Genera chi y distribuye la energía por todo el cuerpo. Mejora el aporte de sangre y la energía hacia la pelvis y su circulación en dicha área, que es la razón por la que se intensifica la sensación. Si se realiza durante el sexo (como en la variante 2), distribuye la energía *sexual*, que ayuda a que el orgasmo sea una experiencia corporal más generalizada. Los Tres cierres también refuerzan algunos músculos que son esenciales para una experiencia sexual satisfactoria. Se parece a algunas partes del ejercicio de la Contracción (página 106).

Es una buena idea practicar los cierres de este ejercicio antes de combinarlos con la respiración y, al final, con el sexo. Practicarás tres cierres: cuello, abdomen y ano, que no es más que contraer ciertos músculos de ciertas formas.

Siéntate cómodamente con los hombros y la espalda rectos y bien afianzados. Mantén la cabeza erguida, con la mirada al frente. Contrae los músculos de tu garganta bajando la barbilla hacia tu cuello: ten la boca cerrada, crea la sensación de cerrar tu garganta. Simplemente se trata de bajar la cabeza. Mantén esta posición durante tres segundos. Luego, relájala lentamente y levanta la cabeza.

El cierre abdominal puedes hacerlo en cualquier posición, lo que es muy apropiado para cuando tengas que hacerlo durante el acto sexual. Para realizar este cierre, hunde tu estómago, tu ombligo se dirigirá hacia tu columna vertebral y hacia arriba. Cuenta hasta tres y afloja, como antes.

Para el cierre anal, simplemente contrae tus músculos como lo harías si estuvieras conteniendo tus ganas de ir al lavabo. Mantén el cierre brevemente y aprieta todavía más (puedes notar los músculos más elevados en tu contracción anal). Aguanta ahí un momento y relaja.

Cuando te hayas familiarizado con estos tres movimientos, prueba a hacerlos consecutivamente, sin aflojar el anterior: empieza por el del cuello, luego añade el abdominal y por último el anal. Esto lleva tu energía hacia abajo. Mantén unos segundos y afloja los tres cierres a la vez.

Estos cierres fueron creados para combinarlos con la respiración, así que aquí tienes cómo coordinarlos: empieza con una respiración lenta y completa. Respira profundo y llena tu abdomen. Ahora aplica los cierres, de arriba hacia abajo. Mantenlos con comodidad todo el tiempo que puedas. Aflójalos al espirar.

Ya estás meditando

En el capítulo anterior, has aprendido ejercicios de meditación muy poderosos. Para refrescar lo que has leído, revisa también:

Piensa en ello (página 49)

Abre tus sentidos (página 72). Es una práctica maravillosa en sí misma, pero también un excelente preludio para cualquier técnica de masaje o sexoejercicio.

El Circuito (página 80). Ésta es una de las prácticas más importantes de todo el libro, por eso se repite.

Variante 1: cuando hayas hecho los Tres cierres, tensa *todos* tus músculos. Relájalos junto con los cierres al espirar.

Variante 2: para intensificar el orgasmo, empieza a hacer los Tres cierres cuando notes que se acerca. No obstante, si ves que hacerlo te distrae, no favorecerá mucho a tu orgasmo, así que lo mejor es que los practiques fuera de cualquier actividad sexual durante un tiempo antes de probar esta variante. Puedes practicarlos también durante la masturbación antes de ponerlos en práctica cuando estés con tu pareja.

PARA LOS HOMBRES: por qué meditar para mejorar el sexo no es una tontería

Si respirar y meditar te parece un poco soso, y, francamente, no demasiado excitante, quizá quieras probar esto: se trata de ejercicios para intensificar y alargar el orgasmo. Te ayudan a controlar el momento en que quieres tenerlo, y, por tanto, pueden durar todo lo que desees. *Y* tu pareja obtendrá beneficios orgásmicos similares, de modo que, si los practicáis juntos, los dos obtendréis parte de los mismos.

Los antiguos taoístas estaban *realmente* interesados en el orgasmo masculino, y muchos de sus textos están dedicados a ayudar a los hombres a perfeccionar la manera de conseguirlo. Los Tres cierres y el Circuito son los dos instrumentos principales que utilizaremos para este fin.

En cualquier momento en que uses los Tres cierres antes del orgasmo, conseguirás intensificarlo. Pero también puedes usarlos para retrasar el orgasmo, incluso (o especialmente) si tienes eyaculación precoz. Sea como fuere, deberías probar esto durante la masturbación unas cuantas veces antes de hacerlo con tu pareja.

El Circuito (páginas 80 y 137) también puede ayudarte a retrasar el orgasmo, tanto si quieres controlar una eyaculación precoz como si quieres sólo posponerla un poco. Durante cualquier tipo de actividad sexual, la energía suele acumularse en la pelvis alrededor de los genitales, y llegará un momento en que superará la capacidad de controlar la eyaculación. Hacer circular esa energía a través de tu cuerpo aparta tu atención de la eyaculación hasta que tú lo decidas, y concentra la energía donde te pueda aportar la experiencia más intensa.

Sigue brillando

Esta técnica de meditación taoísta es tanto para liberar el estrés como para recargar la libido.

Siéntate o túmbate cómodamente y cierra los ojos. Dedica diez o veinte segundos a relajarte. Lleva tu atención a tus genitales. Luego, respira profundo. Imagina que el aire circula por un tubito blando desde tu nariz hasta tu vagina. Visualiza el aire que entra como un hermoso rayo de luz. La luz puede ser de cualquier color que te apetezca, y puede cambiar a medida que cambien tus sentimientos. Deja que ese cálido rayo de luz permanezca en tus genitales mientras sigues inspirando y espirando. Cuanta más atención lleves a esa zona, más chi recopilarás y más sensaciones notarás.

Más sexo en la vida real: Karen

Cuando Karen vino a verme, me dijo que nunca le apetecía el sexo, aunque, algunas veces, cuando Allen, su pareja, tomaba la iniciativa, acababa calentándose y se lo pasaba bien haciendo el amor. Pero le preocupaba no sentir deseo. Allen le seguía pareciendo atractivo, pero nunca sentía verdaderas ganas de estar con él. «Somos como compañeros de piso —me dijo—. Compañeros compatibles y que se ayudan mutuamente.»

Empezamos con un programa diseñado para incrementar su energía, tonificar su yang y hacer circular su chi. Como parte del mismo, empezó a realizar diariamente un ejercicio de meditación donde pasaba unos minutos visualizando que hacía el amor con Allen (Piensa en ello, página 49). Pronto, sintió un renovado interés por todo tipo de cosas, entre ellas nada menos que su pareja. «Si no planifico un momento, me doy cuenta de que mi mente no piensa en ello. Nunca se me ocurre tener sexo. Pero cuando me concentro en ello, aunque sólo sea un minuto, se convierte en lo más importante y me puede durar todo el día.»

En seis semanas, Karen estaba insinuándose a su marido, una inversión de la situación con la que tanto Allen como ella estaban encantados.

La Sonrisa interior

Los antiguos taoístas diseñaron una meditación basándose en la naturaleza curativa de la sonrisa. Es una de mis meditaciones favoritas porque es muy dulce, y, por esa misma razón, especialmente indicada para los meditadores novatos. Me gusta practicarla en el exterior, cuando me da el sol en la cara, pero en realidad es maravillosa (y fácil) de hacer en cualquier momento en que dispongas de unos minutos. He descubierto que me ayuda a superar obstáculos, grandes o pequeños, con ecuanimidad y buen humor. (Esto también resulta ser una forma excelente de afrontar los temas de la libido). La Sonrisa interior te ayuda a entrar en un estado mental relajado, feliz y alegre que es ideal para el sexo. Además, te ayuda a tener una actitud cariñosa contigo misma, y la autoaceptación es muy importante para un deseo sexual saludable. La sonrisa también propicia la gratitud y los pensamientos positivos, sentimientos que, cuando los proyectas hacia tu pareja y hacia ti misma, incrementan tu deseo de sexo y tu goce del mismo. La Sonrisa interior es una gran opción para cualquier persona que tenga problemas con su estado de ánimo. Sonreír, con o sin meditación, te ayudará a reequilibrar el yin y el yang.

Así es como se hace: siéntate cómodamente con la espalda lo más recta posible y los ojos cerrados. Relaja el cuello y la garganta. Respira profundo un par de veces, lo suficiente como para que se eleve tu abdomen cuando inspiras. Aprovecha las espiraciones para eliminar todos aquellos pensamientos que no sean del presente; por el momento, aparta todo aquello que pertenezca al pasado o al futuro. Coloca la lengua en el paladar, cerca de los dientes. Sonríe dulcemente como si tuvieras un delicioso secreto o un chiste privado. No es una sonrisa abierta, es más bien parecida a la de la Mona Lisa. Sigue respirando lenta y regularmente, y utiliza tu respiración para canalizar tu atención. Concentra tu atención en tu entrecejo o, si lo prefieres, lleva allí tu energía. Recuerda que tu chi va donde va tu mente. Algunas personas sienten que la energía de su sonrisa se expande hacia atrás, hacia el centro de su cabeza. Traslada gradualmente la energía de tu atención-sonrisa por todo tu cuerpo. Deja que se quede en cualquier zona que necesite sanación, partes de tu cuerpo que no te gustan, o que te duelen o que necesitan un cuidado o atención especial por cualquier motivo, una a una. Dedica un total de unos cinco minutos a proyectar esta energía de tu sonrisa a cada parte. Cuando te dispongas a acabar, dirige por un momento tu sonrisa hacia un punto que se encuentra a unos cinco centímetros por debajo de tu ombligo (en medicina china, se le denomina «*dan tien*», el centro de la energía sexual). Concéntrate allí unos momentos; relaja la lengua y tu sonrisa.

Por difícil que resulte resistirse a una sonrisa, es posible que te encuentres con zonas testarudas: áreas que parecen resistirse a la energía de la sonrisa o que siguen estando tensas y contraídas incluso cuando te concentras positivamente en ellas; eso te puede indicar qué zonas requieren más atención. Para las personas con problemas de libido, los genitales son una de esas zonas —no es de extrañar—, como lo es el pecho, así que no los pases por alto.

A veces, estas zonas difíciles nos están mandando un mensaje físico, y, a veces, también contienen una capa de información emocional. Las zonas problemáticas pueden ser un indicativo de que has de perdonar a alguien; o liberar un resentimiento; o trabajarte el estar presente y no preocuparte tanto del futuro; o permitirte sentirte segura y a salvo; o encontrar la forma de eliminar una aflicción; o soltar el odio que has estado guardando; o rendirte a la compasión. Una de las zonas conflictivas habituales en los problemas sexuales es la tensión en las costillas, que, para la medicina china es un signo de ira reprimida. Sonreír a esas áreas ayudará, pero si eso no basta deberías ahondar más para descubrir qué está sucediendo.

La ciencia moderna también apoya las teorías taoístas del poder curativo de la sonrisa.

Por cierto, la ciencia moderna también apoya las teorías taoístas del poder curativo de la sonrisa. Ahora sabemos que sonreír reduce las hormonas del estrés, el cortisol, la adrenalina y la noradrenalina, y segrega hormonas que estabilizan la presión sanguínea, relajan los músculos, mejoran la respiración, aumentan tu sensación de bienestar y estimulan tu energía. Esto es una buena razón para estar cerca de cualquier cosa o persona que te haga sonreír. Pero conservarás todos los beneficios si trasladas esa sonrisa a tu rostro por ti misma. Tanto si prefieres verlo desde la perspectiva china como desde la occidental, cinco minutos al día dedicados a sonreír son una buena medicina.

Variante: sonríe al sexo. En este ejercicio puedes concentrarte en lo que desees, pero, por el tema que nos ocupa, es conveniente que lo hagamos en el sexo y/o en tu relación con tu pareja. El proceso es básicamente el mismo que antes, pero mientras sonríes piensa en tu pareja. Visualízala y, mientras lo haces, siente ternura, compasión y cariño. Al cabo de unos minutos, recopila la energía que generas de este modo e inclúyela en la energía de tu sonrisa cuando la dirijas hacia tu zona pélvica.

La Meditación de la energía

El objetivo de esta meditación, además de relajarte y calmarte, es ayudarte a conectar de veras con el mundo que te rodea. Ejercitar la habilidad de sentir que realmente formas parte de algo más grande que tú es una buena práctica, en un nivel muy básico, para evocar este sentimiento con tu pareja. También es el camino hacia un sentimiento de unión más profundo con todo lo que existe, que se puede generar a través del sexo.

Siéntate cómodamente, cierra los ojos y concéntrate un momento en la respiración. Empieza a visualizar que todo lo que te rodea se convierte en energía, que se transmuta en pequeñas partículas vibratorias. Extiende tu visión para abarcar todas las cosas del universo, que también están compuestas de energía. Todo lo sólido, líquido o gaseoso se convierte en un campo de energía. El universo es una enorme masa de energía que adopta diversas formas y los diferentes estados de la materia. Estás rodeado por un mar de energía.

Ahora, vuelve a atraerla hacia ti. Imagina que tu cuerpo está formado por esas pequeñas partículas de energía vibrante. Visualiza todo tu cuerpo, todos tus órganos, transformándose en energía.

Visualiza que tu energía se funde con la energía del universo. Quédate con este sentimiento todo el tiempo que te plazca. Abre muy despacio los ojos.

El Circuito avanzado

Si tuviera que elegir una meditación para que trabajaras sobre tu libido, sería el Circuito. Es tan buena que te recomiendo que la hagas todos los días. La que expongo aquí es una versión un poco más avanzada que el modelo básico del capítulo 3 (página 80), que espero que ya hayas puesto en práctica, para cuando sientas que estás preparada o interesada en avanzar un poco.

Practica el Circuito para estimular el placer sexual: generará más energía sexual o te ayudará a conectar con tu energía sexual si es que te has desconectado de ella. El Circuito combina la respiración con la visualización en un ejercicio de meditación diseñado para equilibrar el yin y el yang y hacer circular el chi. Específicamente, ayuda a mover la energía sexual desde la pelvis al resto del cuerpo. Con el tiempo, la práctica del Circuito mejorará la calidad de tus orgasmos, que se volverán más intensos, largos, completos y serán más una experiencia corporal generalizada. Algunas mujeres experimentarán multiorgasmia. La mayoría de las personas notan resultados tras haber hecho el ejercicio unas cinco veces, aunque en algunos casos los notan desde la primera vez. Sea como fuere, adquirirás la maestría con la práctica.

Una forma de ampliar esta versión básica es hacerlo como los taoístas —que denominan a esta versión intensa del ejercicio la «Órbita microcósmica»—, colocando la punta de la lengua en el paladar, justo detrás de los dientes, e imaginando que el aceite llega hasta la cabeza. Esto conecta los dos canales por los que estás moviendo la energía y facilita que el chi circule correctamente. Además, la medicina china considera que el canal frontal es yin y el posterior es yang, por lo que conectar ambos permite equilibrar el yin y el yang. El doble efecto del chi y del yin y el yang es lo que hace que este proceso sea tan importante en los textos taoístas.

Variante 1: practica el Circuito sentada, de la forma habitual, y añade la siguiente secuencia al final: coloca las manos entre tu ombligo y tu pubis (en el *dan tien*, que es tu centro sexual según la medicina china). Concéntrate en el sacro, la zona inferior de tu espalda donde la columna llega hasta la pelvis. Se trata de que la atención y la energía circulen desde tus manos hasta tu columna, bañando los órganos sexuales que encuentre a su paso. Al cabo de unos momentos, mueve tus manos hacia el sacro y vuelve a enviar la energía hacia delante a través de tu bajo vientre (*dan tien*) durante un rato.

Variante 2: combina el Circuito con la Contracción, como he descrito en el capítulo 5 (página 119). Tonificarás el yin y el yang *y* moverás el chi. Sólo tienes que esperar hasta sentirte cómoda con cada ejercicio. Cuando estés lista, lo que tienes que hacer es contraer tu músculo puboccígeo al inspirar, para hacer que tu energía suba por tu espalda, y al espirar relajarte para que descienda de nuevo por la cara anterior de tu cuerpo.

Variante 3: haz el Circuito con tu pareja. Empezad sentados o tumbados en silencio, cada uno haciendo su propio Circuito. Añadid la contracción puboccoccígea si lo deseáis (como antes). Cuando os sintáis cómodos haciendo juntos el ejercicio, podéis pasar a la versión completa del mismo, pero a dúo: poneos cómodos, uno frente al otro, y empezad a sincronizar vuestra respiración. Cuando estéis preparados, empezad con el circuito: al inspirar, imaginad que estáis absorbiendo energía de vuestra pareja y que la lleváis a vuestra columna, como antes. O bien podéis permanecer con la imagen del aceite templado, si así os resulta más fácil; el aceite se vierte desde el bol de tu pareja hacia el tuyo. Cuando sea el momento de espirar, imaginad que enviáis energía —o aceite— hacia y a través de vuestra pareja, y que ésta desciende por su espalda para volver a llenar su bol. Si lo deseáis, podéis juntar vuestras frentes durante el ejercicio o durante el rato en que la energía está en vuestras cabezas. Este contacto puede serviros para tener un punto de referencia para enviar energía a vuestra pareja, así como para concretar vuestra conexión.

Cuando estéis preparados, añadid otro componente —e intensificad la experiencia—: añadid ambos la contracción pubococcígea.

Otra opción es utilizar la respiración sincronizada: inspirar cuando tu pareja espira y espirar cuando tu pareja inspira. Inspira y envías energía/aceite a la parte superior de tu cuerpo, como has hecho antes, mientras tu pareja espira. Entonces, tu pareja inspira y traslada la energía desde su cabeza otra vez hacia abajo hasta su bol (a diferencia de espirar al ir hacia abajo, como se hace en la práctica en solitario y en variantes anteriores), mientras tú espiras e imaginas que vuestra energía conjunta se mueve a través de tu pareja. Entonces, tu pareja espira y tú inspiras, mientras los dos os imagináis que trasladáis la energía hacia vuestro bol y de nuevo hacia arriba a través del ciclo. Al cabo de unas cuantas rondas, invertid el sentido, para que los dos tengáis la oportunidad de llevar la energía hacia arriba al inspirar, antes de finalizar el ejercicio. Podéis hacer la contracción pubococcígea al inspirar, como parte de este ejercicio, pero nunca cuando estéis llevando la energía hacia abajo.

Con el tiempo, la práctica del Circuito mejorará la calidad de tus orgasmos, que se volverán más intensos, largos, completos y serán más una experiencia corporal generalizada.

Variante 4: haz el Circuito cuando haces el amor y no te olvides de incluir la contracción pubococcígea. Hacer juntos el Circuito es una gran forma empezar. Pero también lo podéis usar cuando ya llevéis un rato. Generar juntos energía sexual antes de hacer una pausa para concentraros en hacerla circular dentro de vosotros y entre vosotros, puede aportaros una experiencia bastante intensa del Circuito.

Estaréis generando y experimentando mucha energía sexual con este ejercicio, o con la variante anterior —en particular, si estáis desnudos en la cama—. Por tanto, si sentís que os entran ganas de pasar al coito o de hacer alguna otra cosa que se os ocurra antes de *finalizar* este ejercicio, os recomiendo que lo hagáis.

Los textos taoístas consideran que este método de hacer circular la energía a través del cuerpo —especialmente, en la zona de la cabeza donde se arremolina durante un tiempo— es esencial para alcanzar estados de consciencia superiores. Para los que estéis interesados, ésta es la forma de que el sexo se convierta en una experiencia espiritual. Aunque eso no os interese, el Circuito aumenta el sentimiento de conexión entre dos personas y nos conecta con el sentimiento de formar parte de algo superior a nosotros.

7

Estar en contacto

Utiliza el masaje para aumentar tu deseo

El placer sexual depende de que la energía se mueva a través de tu cuerpo y entre tu pareja y tú. El masaje moviliza la energía, y cuando se hace con la pareja se produce un intercambio.

Además de eso, el masaje beneficia al cuerpo y la mente. Tiene todos los beneficios del tacto en general y otros en particular. Alivia el estrés, favorece la relajación e incluso la meditación y la intimidad —según cómo lo hagas—, todo en uno. Mejora la circulación, genera una conexión más profunda con tu propio cuerpo y con tu pareja, y entonces se convierte en un trabajo en equipo. El masaje puede mover el chi y restaurar el equilibrio entre el yin y el yang.

Para muchos de los ejercicios que incluyo en este capítulo, he contado con el consejo y la gran experiencia de Nicole Kruck, la masajista diplomada que trabaja en nuestro centro. La mayoría de las técnicas de masaje que expongo han sido ideadas para que las practiques a solas; al menos al principio. En muchos casos, después de haber explorado en solitario, quizá te apetezca compartir algún ejercicio con tu pareja. Un masaje profesional también es una opción excelente, si te lo puedes permitir. Puedes conocer perspectivas y técnicas que estén por encima de tus conocimientos y de los de tu pareja. En un mundo ideal, te darías un masaje a la semana. No todo el mundo puede pagarse ese lujo en un balneario, pero quizá puedas pactar algún intercambio con tu pareja, ¿no te parece?

Cuando te hagas el masaje tú misma, empieza con movimientos lentos y suaves, ejerciendo una ligera presión, respirando lento y profundo. Relájate en la experiencia y acostúmbrate a tu propio tacto. De este modo, crearás una relación con tu propio cuerpo; una relación que para muchas personas se ha vuelto muy distante. Si en algún momento notas algo que no te gusta, deja de hacerlo enseguida. Respira, sacude tus manos, relájalas y vuelve a probar. Si sigue resultándote incómodo, déjalo estar. Simplemente, deja tus manos sobre la zona y respira unas cuantas veces, concentrándote en la misma para calmar la respuesta de tu cuerpo, y pasa a otra cosa. Vuelve a probar ese ejercicio o esa parte del ejercicio otro día. Debes actuar de la misma manera que si estuvieras recibiendo un masaje o dándolo.

> **Elementos para el masaje**
>
> En los capítulos anteriores ya has aprendido un par de técnicas que a continuación desarrollaré, así que vale la pena que las revises:
>
> **El Vientre de Buda** (página 142).
>
> **La Contracción** (página 106).

Te aconsejo que pruebes todas las técnicas, al menos una vez. Lo que más te guste, o lo que encuentres más útil, aplícalo con regularidad o practícalo de tanto en tanto cuando quieras salir de la monotonía. No obstante, algunos de los masajes que describo son para ocasiones especiales, mientras que otros son para una práctica regular, como la Contracción, que es importante que la hagáis los dos.

El Vientre de Buda

Este ejercicio lo he presentado en el capítulo 4 porque es bueno para generar energía, especialmente la energía yang, y canalizarlo hacia la excitación; pero es bueno para casi todo el mundo, independientemente de cuánto yang tengas.

El abdomen es una zona muy sensible para muchas personas, y la mayoría no se sienten cómodas concentrándose en ella. No nos gusta enseñarlo. Muchas veces no nos lo tocamos. Cuanto mayores nos hacemos, menos probable es que le prestemos atención a esta zona, ni siquiera una atención positiva. Pero el abdomen sigue siendo un poderoso centro vital a lo largo de toda nuestra vida. Reconectarnos con esta zona nos aportará grandes beneficios.

Sin embargo, el estilo de vida moderno no propicia la respiración y la circulación saludable en la región abdominal, y especialmente en la pelvis, y eso no es bueno ni para la salud ni para la vida sexual de nadie. Este masaje puede ayudar a contrarrestar los efectos de la mala postura que podemos adoptar como consecuencia de estar demasiado encorvadas delante del ordenador, de llevar bolsas más grandes y pesadas de lo que debiéramos o por llevar ropa restrictiva, como tejanos ajustados, pantys y tacones altos. Por supuesto, mejorar nuestra postura, llevar ropa menos ceñida y alejarnos un poco de nuestras pantallas ¡tampoco es una mala idea!

Como he dicho antes, en la medicina china, la zona que está debajo del ombligo —el *dan tien*— es donde se genera y almacena la energía sexual. Volver a tomar consciencia de nuestro abdomen sin juzgarlo puede ayudarnos a conectar con nuestra sexualidad y renovar nuestro placer sexual, mejorar nuestra salud y reforzar nuestras relaciones.

Haz el Vientre de Buda una o dos veces a la semana para estimular tu deseo o cada vez que sientas que quieres crear energía sexual.

La Contracción

Si tuvieras que quedarte con sólo dos cosas de este libro, te diría que ésta es una de ellas (la meditación del Circuito sería la otra). Aunque hayas aprendido lo básico sobre la misma en el capítulo 4, página 106, aquí aprenderás la versión más larga y más poderosa.

Hace miles de años, los taoístas ejercitaban ávidamente su músculo pubococcígeo, del mismo modo que en la actualidad tu ginecólogo-obstetra puede aconsejarte que lo hagas para fortalecer tu suelo pélvico y evitar o invertir la incontinencia por estrés. Esto está muy bien y es muy bueno, pero los taoístas hacen hincapié en aportar sangre y chi a la zona para incrementar el placer sexual. *Ahora*, ¡tú decides! Los músculos del suelo pélvico a veces se denominan los «músculos del amor» porque rodean el clítoris y la vagina (junto con la uretra y el ano).

Si tuvieras que quedarte con sólo dos cosas de este libro, te diría que ésta es una de ellas.

La falta de tono muscular en esta zona puede provocar dolor durante el coito. Por si fuera poco, tonificar estos músculos con un sencillo ejercicio aumenta la sensibilidad al tacto y la respuesta al estímulo sexual, que ayudará a alcanzar o prolongar e intensificar el orgasmo, a la vez que intensifica el placer del hombre durante el coito.

Practicar el coito ayuda a fortalecer los músculos de la pelvis, en particular, el pubococcígeo, pero no hay muchas otras cosas que lo consigan, salvo ejercicios específicamente diseñados para este fin como éste (que, por cierto, realiza un trabajo mucho más eficiente y eficaz que cuando *sólo* practicamos sexo). Esta versión de los taoístas se basa en añadir un poco de masaje, que multiplicará los beneficios de la *contracción*.

Un músculo pubococcígeo fuerte nos aporta más beneficios incluso que un orgasmo intenso, ¡más incluso que corregir la incontinencia por estrés! También estimula la producción de estrógeno y ayuda a aliviar el síndrome premenstrual, los períodos irregulares y los síntomas de la menopausia; tensa la vagina y la mantiene flexible (algo que tu pareja masculina agradecerá), y sostiene tus órganos sexuales.

El masaje en el pecho es la parte de este ejercicio que estimula los nervios del pecho, concretamente los que circundan el pezón, mejora la circulación, libera oxitocina, hace circular la linfa e incrementa las conexiones nerviosas; también refuerza los músculos y los ligamentos, favoreciendo que los pechos tengan un aspecto firme y turgente.

Y eso sólo por dedicar unos minutos al día a esto:

Siéntate en el suelo o en la cama, de modo que puedas colocar los talones de los pies contra el orificio de la vagina, con la ropa interior puesta. Si no consigues adoptar esta postura, puedes utilizar un objeto redondo, como una pelota de tenis, en vez del pie. Se trata de que ejerzas una ligera presión y estimulación sobre los labios vaginales mientras haces el ejercicio.

Frótate las palmas de las manos vigorosamente hasta que las notes calientes. Coloca las manos sobre cada uno de los pechos para que puedas notar su calor sobre la piel. Frótate los pechos en un movimiento circular hacia fuera treinta y seis veces.

Mientras los estás frotando, tensa los músculos de la vagina y del ano como si intentaras retener la orina. Cuenta hasta diez, luego relájalos contando de nuevo hasta diez, y repítelo. Al principio, no podrás mantenerlo tanto tiempo; no te preocupes. Haz lo que puedas, poco a poco se irá fortaleciendo la zona y podrás mantener la contracción más tiempo. Haz una serie de diez contracciones, tres veces al día, y ya está. Hacerlo más veces o mantener la contracción más rato fatigaría el músculo y lo debilitaría (temporalmente), en lugar de fortalecerlo.

Con la práctica, podrás hacer más contracciones y más fuertes.

Variante 1: en esta variante no utilizarás ni la pelota de tenis ni tu pie. Introduce un dedo en tu vagina para que puedas notar si estás haciendo la contracción correctamente. A veces, sobre todo cuando estás empezando, va bien tener algo que apretar. Esta variante también te puede servir para notar la fuerza de tus contracciones y evaluar tus avances.

Variante 2: haz la contracción con tu pareja. Pídele que te masajee los pechos, o bien que sea tu pareja quien utilice tres o cuatro dedos para ejercer presión sobre tus labios vaginales (en lugar de hacerlo con tu talón o con la pelota de tenis).

Variante 3: haz la contracción durante el coito. Aquí me estoy refiriendo a la interpretación libre de la Contracción, no hace falta pelota de tenis; pero el masaje en los pechos en círculos hacia fuera es opcional. Esto es lo que has de hacer: contrae cuando tu pareja vaya hacia atrás y relaja cuando empuje. ¡Mejorarás con la práctica y él te lo agradecerá! Mientras tienes ocupada a tu pareja con esto, dile que te informe de si nota algún progreso en la fuerza de tus contracciones.

Variante 4: idealmente, deberías hacer la Contracción tres veces al día. Si no dispones de tres momentos al día para hacer una pausa y realizar todo el ejercicio de la Contracción, puedes hacer el componente más básico casi en cualquier momento, en cualquier parte: contrae, mantén y relaja, mientras haces cola en algún sitio, conduces o estás mirando la televisión. Nadie más se dará cuenta. Intenta hacer la Contracción completa al menos una vez al día.

PARA LOS HOMBRES: la Contracción para los hombres

La Contracción es un poco distinta para los hombres, pero sigue ofreciendo unos beneficios muy tentadores. El músculo pubococcígeo se encuentra en la raíz del pene, y aprender a controlarlo refuerza las erecciones y alarga su duración. Las investigaciones han demostrado que sus efectos pueden incluso llegar a contrarrestar la disfunción eréctil. También intensificará y prolongará el orgasmo, un tema muy común en los antiguos textos taoístas sobre el sexo.

La Contracción fortalece la pelvis y favorece la circulación en la zona. También tiene un efecto protector sobre la próstata porque la contracción la masajea ligeramente. La práctica regular de este ejercicio estimulará la producción de hormonas y puede aumentar la producción de semen y el conteo de esperma. Es un gran ejercicio no sólo para la disfunción eréctil, sino también para la eyaculación precoz o para las poluciones nocturnas, pues la Contracción te ayuda a controlar mejor la eyaculación. Ésta es la razón por la que es un elemento esencial de las *retenciones* (véase capítulo 14). Pero todos los hombres se beneficiarán del mismo, aunque no estén interesados en llegar tan lejos en la escala de la sexología taoísta.

Haz la Contracción de pie o tumbado. Desnúdate y ponte cómodo. Frótate las palmas de las manos vigorosamente hasta que las notes calientes. Coloca una mano en los testículos y la otra en el bajo vientre, debajo del ombligo, a unos tres centímetros del mismo. Mueve la mano que tienes en el abdomen en sentido circular, ejerciendo una suave presión. Los taoístas insisten en realizar ochenta y una repeticiones, pero no creo que sea necesario contarlas con exactitud. Calcula aproximadamente un minuto, con eso basta. Sea como fuere, has de notar calor; si no lo notas, probablemente es que has terminado demasiado pronto.

Cuando hayas finalizado con los círculos, el siguiente paso es tensar los músculos del ano y elevarlos —o contráelos como si quisieras aguantar la orina—; cuenta hasta diez manteniendo la contracción. Relaja los músculos contando hasta diez y repite la contracción. Haz tres rondas de contracciones y relajaciones.

Variante: hazlo con tu pareja. Tu pareja puede ponerte la mano en los testículos.

Haz las contracciones siempre que dispongas de un par de minutos. (¡No te pongas la mano en los testículos si estás fuera de casa!).

Masaje en el pecho

En nuestra sociedad, el pecho es una parte de nuestro cuerpo a la que se concede una importancia excesiva por una parte, y, por otra, lo descuidamos. A pesar de la obsesión de los medios de comunicación respecto a su tamaño y forma, lo cierto es que normalmente el pecho está escondido, atrapado en un ceñido sujetador la mayor parte del día. Esto obstaculiza la circulación y crea estancamiento. Por si fuera poco, tenemos tendencia a meternos con nuestro pecho cuando no es grande, no rebota, no es espléndido o carece de cualquier otra característica digna de aparecer en una valla publicitaria de Times Square. Y ¡no me tires de la lengua respecto al histerismo que se genera muchas veces acerca de amamantar en un lugar público! (Alimentar a bebes hambrientos... ¡el gran horror!).

Luego, una vez al mes, los *dejamos* al descubierto... y los examinamos para ver si tienen algún defecto que pueda constituir un peligro; o pensamos que deberíamos hacerlo, pero no lo hacemos porque les tenemos miedo.

Te voy a sugerir que cambies a un plan nuevo. El masaje regular en el pecho ayuda a *prevenir* enfermedades, da resistencia y elasticidad a los tejidos de las mamas, rompe el tejido fibroquístico y de cicatrización y ayuda a que la linfa circule adecuadamente por nuestro cuerpo. Al igual que cualquier otra parte del cuerpo, los senos necesitan movimiento y circulación para estar sanos.

El masaje en el pecho nos presenta de nuevo a esta parte de nuestro cuerpo en un entorno totalmente positivo. Es una forma agradable de intimar con nuestro cuerpo, y también con una pareja, si elegimos compartir esta experiencia con ella. Otro de los grandes beneficios del masaje en el pecho es la forma en que activa los receptores nerviosos en las mamas, que nos hará sentir más placer cuando sean estimuladas. Por último, si te das masaje regularmente en el pecho, te acostumbrarás a cómo es cuando está sano, así como a las variaciones normales que se producen a lo largo del ciclo (para las mujeres que no tienen la menopausia). Por consiguiente, notarás si se ha producido algún cambio que creas que debas consultar con el especialista.

Este ejercicio no sólo es bueno para la salud de tu pecho, sino también una excelente forma de estimular la energía sexual. Lo puedes realizar directamente sobre la piel o por encima de una prenda holgada y fina o una sabana. Puedes usar una loción o aceites naturales, como aceite de oliva, de almendras dulces, mantequilla de karité, aceite de coco o de jojoba, preferiblemente orgánicos. Evita los aceites minerales (que son derivados del petróleo, difíciles de absorber y suelen obstruir los poros). Si utilizas aceite, mejor que pongas una toalla debajo para evitar manchas.

Puedes hacerlo en una silla o tumbada; lo que importa es que estés cómoda. Si tienes mucho pecho, quizá te convenga colocar cojines a los lados para que descansen sobre ellos. Frótate las manos con fuerza, para calentarlas y generar chi. Coloca las manos sobre tu corazón, respira lenta y profundamente varias veces. Deja que el chi tranquilice y caliente tu corazón; luego amplía tu consciencia a tus senos. Visualiza una luz pura y blanca. Deja que esta luz invada toda la parte superior de tu cuerpo. Si esta visualización no te funciona, no te preocupes; elije otro color, otra imagen, u olvídate de ello y sigue respirando.

Coloca las palmas de las manos en los costados, formando una ele, con los pulgares apuntando hacia las axilas y el resto de los dedos hacia la otra mano, en línea con tus pezones. Desplaza suavemente las manos sobre tus senos hasta que se encuentren en el centro del pecho. Regresa a los costados para el siguiente pase. Mueve las manos hacia arriba sobre las costillas poco más de un centímetro cada vez, y repítelo hasta llegar justo debajo de las clavículas, que se sitúan horizontalmente justo encima de los senos. Repite todo el proceso tres veces.

Lleva una mano encima de la cabeza y déjala allí relajada. Coloca la otra mano por encima del pecho en la axila opuesta (mano derecha sobre seno izquierdo). Empieza realizando un movimiento circular suave con la palma de la mano en la cara externa del pecho, avanzando hacia dentro hasta justo antes de llegar al pezón. De momento, no hagas nada sobre el pezón. Vuelve a realizar el movimiento en sentido opuesto hasta regresar al punto de partida en la axila. Repite esto tres veces en un seno y pasa al otro, repitiendo el proceso tres veces más.

A continuación, repite los mismos movimientos, pero ahora usando sólo dos o tres dedos y aumentando ligeramente la presión (todavía ha de seguir siendo suave). Hazlo tres veces en cada lado. Recuerda que nunca has de notar molestias con ninguna de estas técnicas; si es así, hazlas con más suavidad.

Ahora utiliza ambas manos, dibuja delicadamente un ocho alrededor de tus senos, realiza un movimiento amplio. Un ocho lateral, es decir, el símbolo del infinito.

A continuación, inclínate hacia delante con los pechos mirando hacia el suelo. Toma un pecho con cada mano, o, si son muy grandes, haz cada uno por separado y utiliza ambas manos para sostenerlos, y sacúdelos con suavidad realizando un movimiento ondulatorio. Hazlo durante al menos un minuto.

En la misma posición inclinada hacia delante, toma suavemente los pezones y sacúdelos. Si no te resulta agradable, sáltate este paso, o repite todo el movimiento ondulatorio.

Para concluir, vuelve a sentarte y coloca de nuevo las manos en tus senos, siente tu corazón y tu respiración. Concéntrate unos momentos para reconocer que has dedicado un tiempo a amar y tonificar tu cuerpo y a toda tu persona.

Bol para mezclar

Este masaje está destinado a mejorar la circulación en la pelvis. La circulación —de sangre y de chi— es la clave para la salud de esta zona y de todo tu cuerpo; y es absolutamente necesario para el desarrollo y la transmisión del deseo sexual.

El Bol para mezclar al que hace referencia este ejercicio se refiere al *bol* que hay en el interior de tu pelvis, delimitado por los huesos de las caderas, el pubis y el sacro (el hueso más amplio situado en la base de tu columna vertebral, justo hacia donde se dirigen las manos cuando dices: «¡Ay, que me duele la espalda!»). En este bol se encuentran el útero, los ovarios, la vejiga, los intestinos, arterias, venas, nervios y los vasos linfáticos de la pelvis. Por tanto, ¡vale la pena asegurarnos de que está bien construido! Bueno, como supondrás, no vas a construirlo literalmente. Lo que vas a construir es un sentimiento de conexión de toda tu pelvis como una estructura sólida y fuerte, en lugar de considerarla un puñado de partes inconexas (o anónimas).

Con un movimiento amplio, imagina que estás pintando todo tu bajo vientre de un hermoso color.

Antes de empezar, vacía tu vejiga; así podrás relajar completamente la pelvis. Puedes realizar este masaje de pie o en la postura yóguica del niño (arrodíllate en el suelo y siéntate sobre los tobillos, inclina el tronco hacia delante apoyando la frente en el suelo), si conoces o estás cómoda en ella.

Coloca las manos en tu espalda y busca el sacro, entre los huesos de tus caderas. Con las manos medio cerradas o los puños relajados, con los nudillos hacia abajo, golpetea directamente sobre el sacro. Emplea la misma fuerza que utilizarías para el palmoteo y con el mismo movimiento rítmico, con uno o dos segundos de diferencia entre cada mano, lo que permite que el impacto de cada golpeteo se expanda hacia fuera antes de que llegue el siguiente. Hazlo uno o dos minutos.

¡Tiene que resultar agradable! Si notas alguna molestia, reduce la intensidad del golpeteo. Si es necesario, descansa, respira y empieza otra tanda con más suavidad. Si sigues notando molestias, deja reposar las palmas de las manos calientes sobre la zona durante un minuto, y vuelve a esta parte del ejercicio otro día.

Para el resto de este masaje, puedes usar aceite o una loción para la piel o bien hacerlo sobre una sábana o camiseta fina.

Frótate las manos con fuerza para calentarlas y llevar el chi a las mismas. Coloca las palmas en tu zona lumbar y date masaje en círculos a ambos lados de tu columna en dirección al sacro. Sube y baja por tu columna hasta donde te alcancen las manos cómodamente. No es necesario que ejerzas mucha presión. No te olvides de respirar. Hazte masaje de este modo al menos tres minutos. El masaje debe ser cálido y relajante.

Ahora, túmbate boca arriba. Coloca un cojín debajo de las rodillas o flexiónalas y apoya los pies en la superficie sobre la que estés tumbada. Vuelve a frotarte las manos y colócalas sobre tu pelvis. Haz unas cuantas respiraciones profundas y visualiza el chi irradiando desde tus manos hasta tu pelvis, hacia la cara anterior del bol. Respira en dirección a tus manos; siente cómo se elevan cada vez que inspiras.

Utiliza las palmas de las manos para dibujar un gran círculo sobre tu pelvis. Empieza a la altura del ombligo con un movimiento amplio. Imagina que estás pintando todo tu bajo vientre de un hermoso color, quizá de un color hasta el pubis y de otro cuando asciendes de nuevo al ombligo. Cubre por completo la zona, de lado a lado, incluso hacia las caderas. Sigue respirando. Practícalo cinco minutos aproximadamente.

Para terminar, deja las manos sobre tu pelvis y obsérvate. ¿Cómo notas ahora esta zona? Quizá la notes más caliente y agradable. Tal vez te sientas más conectada con toda tu pelvis, de delante hacia atrás y de lado a lado. Quizá notes todo el bol, o que todas las partes de ese bol han recibido la misma cantidad de energía. Lo que sientas exactamente no es tan importante como el hecho de dedicar un momento a observar lo que está pasando en esa zona de tu cuerpo.

Explora

Se trata de buscar tus zonas erógenas: las zonas de tu cuerpo que son muy sensibles al tacto, donde hasta el más mínimo roce te provoca excitación sexual. Estas zonas son diferentes para cada persona. La única forma de encontrar —o *recordar*— la tuya es explorar el amplio territorio conocido como piel. Conocer qué zonas te excitan —y compartirlas con tu pareja— no sólo aumenta tu placer, sino tu participación y la de tu pareja. Probablemente, también aumentará el placer de tu pareja: una forma de sentirte de fábula es hacer que otro se sienta de maravilla.

Esto funciona mejor si primero exploras por tu cuenta y luego compartes tus descubrimientos con tu pareja, como se describe en la variante que sigue al ejercicio.

Haz este ejercicio desnuda, pero cubierta con una sábana fina, y *sin* loción ni aceite. Túmbate y ponte cómoda. Empieza respirando lento y profundo, pero sin forzar, para que puedas seguir respirando de este modo durante todo el ejercicio.

Utiliza tus manos con suavidad, solo las yemas o bien la base de las manos. También puedes usar una pluma de ave. Dirige tus movimientos hacia el corazón. Se trata de que llegues a todas las zonas de tu piel que estén a tu alcance.

Empieza por la cabeza, cepíllate o acaricia tu cráneo; observa cómo te sientes. Observa si notas alguna sensación en otras partes de tu cuerpo. ¿Es esta zona muy sensible al tacto? ¿Te excita acariciarla? ¿Es relajante? ¿Te vienen imágenes agradables a la mente?

Pasa a la frente: acaríciala con suavidad o date golpecitos suaves por toda la cara. Sigue observando todas las sensaciones, dónde se producen y cómo las sientes. Sigue recorriendo todas las zonas de tu cuerpo a las que puedas llegar sin dificultad, utilizando las mismas técnicas y reflexiones en cada área. Asegúrate de revisar todas las zonas erógenas más comunes: cuello, pecho, cara interna de los muslos, nalgas y labios. No te olvides de otras zonas calientes habituales: muñecas, dedos, pies y dedos de los pies, cara interna de los codos, debajo de la barbilla, alrededor de las orejas, a lo largo de la columna y por detrás de la rodilla.

Tu objetivo es descubrir zonas erógenas desconocidas (o recientemente olvidadas). Estos puntos no serán los mismos para todas las mujeres; de lo que se trata es de encontrar los que te van bien a ti.

Tu objetivo es descubrir zonas erógenas desconocidas (o recientemente olvidadas), por lo que es mejor que pases de los genitales al realizar este inventario. Cuanto más obvias son las sensaciones sexuales, más pueden ocultar las señales erógenas que recibes; por ejemplo, de los lóbulos de tus orejas. No obstante, tampoco te alejes demasiado porque quizá descubras algunos vecinos cercanos que te encantará conocer.

Estos puntos no serán los mismos para todas las mujeres; de lo que se trata es de encontrar los que te van bien a *ti*. Toma nota de las zonas donde sientes mayor placer, para volver a ellas y explorarlas más a fondo por tu cuenta o con tu pareja.

Para finalizar el ejercicio, túmbate unos minutos y observa tu estado general de bienestar.

Variante 1: cambia tu forma de tocarte. La forma en que acaricias una zona puede influir mucho en cómo será tu experiencia: agradable, estimulante, cosquillosa o neutra. Cuando hayas realizado las primeras investigaciones, vuelve a los puntos calientes que has identificado y experimenta con distintas formas de acariciarlos. Prueba caricias suaves, golpecitos, pellizcos, masaje suave y masaje profundo. Ejerce una presión ligera y más firme. Puedes usar una pluma, un trozo de tela. Soplar. Prueba a lamer o succionar las zonas a las que puedes llegar.

Variante 2: explora con tu pareja. Seguro que querrás compartir con ella lo que has descubierto, y no es mala idea hacerlo en los momentos en que no estáis en plena ebullición (hacerlo puede acabar provocando ese acalorado momento, pero el único efecto secundario que se me ocurre es que tengáis que hacer el ejercicio juntos otra vez —y otra— ¡hasta que podáis acabar la lista juntos!).

Empezad abrazándoos con todos vuestros sentidos. Absorbe el aroma de tu pareja, la respiración, el latido de su corazón y la textura de su cuerpo contra el tuyo. Procura mantener la atención en el presente.

¡Hace cosquillas!

Si las caricias te hacen cosquillas, no abandones enseguida. El cosquilleo es un indicativo del tipo de sensibilidad del que estamos hablando, por lo que procura ver si puedes esquivar esa maniobra de defensa. ¡Puede valer la pena! Así que, si notas cosquillas, respira profundamente a ver si se neutralizan. Dile que ejerza un poco *más* de presión. Colocar tu mano sobre tu cuerpo cerca de la de tu pareja es otra forma de dominar las cosquillas. Si el cosquilleo persiste y ahora no te apetece reírte un rato, pasa a otra parte de tu cuerpo. Pero ésa será una zona a la que tendrás que regresar y explorar más por tu cuenta, y luego, otro día, otra vez con tu pareja.

Cuando estés lista, túmbate y ponte cómoda. Luego, guía a tu pareja a través de tu cuerpo como lo has explorado antes con tus manos. Dirige a tu pareja hacia las zonas que te han resultado más agradables; enséñale a tu pareja sobre *su* cuerpo dónde y cómo quieres que *te* toque. Mientras tu pareja te obedece, respira profundamente y observa tus sensaciones. Si en algún momento deseas cambiar algo, *díselo a tu pareja.* Y si tu pareja no se siente cómoda con algo que le estás pidiendo, pídele otra cosa. Esto ha de ser agradable para ambos. Tu principal misión es relajarte y disfrutar, y recibir el regalo de sus caricias.

Una vez hayáis cubierto todo el territorio, cambiad y deja que sea tu pareja la que te descubra sus zonas que te enseñe en tu cuerpo dónde y cómo quiere que le toques. Los dos tenéis que recibir caricias durante al menos dos o tres minutos. Pero si quieres pasar más tiempo en algunas zonas, adelante. Solo debéis procurar dedicar, más o menos, el mismo tiempo a dar y a recibir.

Masaje en pareja

El masaje en pareja es estupendo como juego previo, además de que es muy agradable, abre los canales de energía de todo el cuerpo y nos proporciona un sexo más placentero.

Pero sólo por que estés desnuda y tocándote —o que te estén tocando— por todas partes no significa que tengas que tener sexo. El masaje en pareja es una actividad exquisita para realizarla por sí misma; te aconsejo que procures que no sea sexual, al menos al principio.

El masaje en pareja es una buena forma de practicar el tipo de comunicación sobre el sexo que necesitas practicar —«me gusta esto», «ésa no es una buena zona», «¿te importaría...?»— en un terreno más neutral.

También es una buena forma de mezclar las cosas, físicamente, con tu pareja, que es una solución excelente para el aburrimiento que produce haberse quedado estancado. ¡Todavía he de conocer a la persona que se haya aburrido recibiendo un masaje! Como actividad que hacéis en pareja, concentrarse en dar y recibir es una buena opción para abordar casi cualquier tema que os preocupe en vuestra relación.

Lo primero es poneros manos a la obra cuando dispongáis del espacio y el tiempo suficiente para gozar con este ejercicio. Luego, decidid quién va a ser el primero en dar y el primero en recibir. Cuando hayáis terminado el ejercicio tal como lo describo aquí, cambiad los papeles. Algunas parejas prefieren guardarse la *recompensa* para otro día; a veces dependerá del tiempo del que dispongáis.

Receptor, tu parte es así de sencilla: desnúdate, túmbate, cúbrete con una sábana o una manta finas. Respira profundamente y relájate; prepárate a recibir las caricias y la atención de tu pareja. Y eso es todo lo que tienes que *hacer* tú, salvo darte la vuelta a la mitad, recordar que le has de indicar cuando algo de lo que te hace te gusta mucho, decirle cuándo quieres que se detenga o darle otra sugerencia para otra zona o método.

Dador, lo que tienes que hacer también es muy sencillo: concéntrate en tu pareja y en dar.

Ahora ya estáis listos para empezar: masajea suavemente, desde la cabeza hacia abajo (o desde los pies hacia arriba) para asegurarte de que no te descuidas ninguna zona del cuerpo. Utiliza aceite de masaje o loción si a tu pareja le gusta. Hazlo lentamente y asegúrate de cubrir todo el cuerpo: piernas, pies, manos, brazos, cara, cabeza, pecho, abdomen, espalda, nalgas (*casi* todo el territorio: sáltate los genitales y los senos. Sí, tu pareja está desnuda en la cama, pero la finalidad aquí no es la excitación sexual. Si sucede, sucede, y estoy segura de que sabréis qué hacer si se produce. No obstante, mi consejo es que primero terminéis con el masaje).

Probad con diferentes tipos de caricias y movimientos para descubrir lo que más os gusta a los dos. Utilizad diferentes partes de vuestras manos (yemas de los dedos, nudillos, puños, lados de las manos, base de las manos, etc.) y experimentad con diferentes intensidades de presión. Un poco de amasamiento. Unos cuantos golpecitos de *karate* (suave). Frotamiento en las zonas extensas. *Percusión* sobre tu pareja (de nuevo, con suavidad) con las manos huecas en forma de ventosa. Estrujamientos, palmaditas, barridos, cepillado, apoyarse con presión.

Profundiza un poco en los músculos y sé más superficial sobre las zonas óseas o muy sensibles (aunque a veces las zonas sensibles necesitan un toque más firme para evitar el cosquilleo). Las diferentes escuelas de masaje aconsejan distintas técnicas; si te apetece investigar sobre el tema, adelante. Pero para relajarte, intercambiar energía y conectar con tu pareja, no necesitas ninguna destreza o técnica específica para que el masaje funcione. Algunas personas, por ejemplo, te dirán que siempre muevas las manos hacia fuera, lejos del corazón, y si tu finalidad es puramente terapéutica, para drenar la linfa o lo que sea, puede que sea realmente la forma correcta de proceder. Pero en este caso se trata sobre todo de hacer que tu pareja se sienta bien, así que tu estrategia es la del ensayo y el error para descubrir ¡qué es lo que funciona y lo que no!

Algunas zonas estarán más tensas que otras, y tal vez quieras concentrarte un poco más en ellas. Recuerda que lo que pretendes es que tu pareja se relaje —y siga relajada— , así que trabaja esas zonas tensas sólo en la medida que notes que se están relajando. Si notas que tu pareja se tensa todavía más, será mejor que pases a otra zona. ¡No te puedes equivocar centrándote en lo que resulta agradable!

Este masaje ha de durar al menos treinta minutos. Cuando haya terminado, los dos reconoceréis que ha sido un excelente juego previo y podéis pasar al sexo, o no. Este ejercicio os beneficiará en ambos casos.

8

A veces es sólo cosa de uno

Sexo contigo mismo

Para conseguir el máximo placer sexual es importante entender cómo responde nuestro cuerpo y a qué. Explorar es la única forma de descubrirlo. Y es una buena idea explorar por ti misma, concentrándote en *ti*, antes de hacerlo con tu pareja.

La masturbación puede ser una forma estupenda de conectar con tu propia sexualidad, perfeccionar tus habilidades y generar autoconfianza. Te ayuda a aprender a controlar tu respuesta sexual. Te enseñará cosas sobre tu cuerpo y cómo satisfacerlo, y a enseñárselo a tu pareja. Te ayudará a sintonizar con tu propio flujo de energía. Para muchas mujeres, la masturbación es la mejor forma de aprender a tener un orgasmo o de aprender a llegar al mismo con más facilidad o intensidad.

También obtienes beneficios de la masturbación. Por lo que si sentirte bien no es suficiente, también puedes añadirle: «Es bueno para mí». La masturbación alivia el estrés, te ayuda a dormir y calma los dolores de la menstruación. ¡Y es mucho más divertido que enviarle a tu hígado otro ibuprofeno que metabolizar!

La masturbación es una forma estupenda de practicar mucho de lo que has aprendido en este libro antes de probarlo con tu pareja. Para las personas que no tienen pareja, o que no pueden tener contacto físico con su pareja por la razón que sea, es una de las principales formas de expresión sexual (y con la pareja, la masturbación mutua es una buena manera de hacer que cambien las cosas). A veces, necesitas una vía de escape rápida, y la masturbación es la mejor opción.

Sin embargo, la masturbación también te puede desconectar y agotar. Algunas personas prefieren masturbarse en vez de tener sexo con sus parejas. Pueden coexistir las dos vías sexuales, sin lugar a duda, pero si las maniobras en solitario empiezan a sustituir las actividades conjuntas, eso indica que va a haber un problema. También he visto efectos negativos en pacientes obsesionados con la pornografía por Internet; es increíble la cantidad de energía que se malgasta masturbándose con la imagen de personas desconocidas. Eso es una clara señal de falta de vitalidad. La medicina china nos explica este efecto: masturbarse de este modo estimula el yang sin que haya yin que lo compense. No es el uso de la pornografía per se, sino la falta de una energía compensadora entrante para sustituir la energía que se gasta. (Véase página 201 para más información sobre el uso y abuso de la pornografía). Cualquier tipo de masturbación en exceso puede causar problemas similares, como cualquier situación en que sigues mandando energía hacia fuera sin que regrese nunca. ¡Hola, desequilibrio!

Todo esto es para que sepas que debes utilizar la consciencia de tu cuerpo y de tu energía que estás desarrollando con este programa para revisar cómo estás utilizando la masturbación, a fin de que esta se convierta en una parte saludable de tu vida. La clave está en la moderación.

Para las mujeres, sin embargo, la *moderación* puede suponer mucho. Según la medicina china, las mujeres tenemos mucho más chi sexual que los hombres —y perdemos menos con el orgasmo—, por lo que contamos con mucha más libertad de acción en lo que a frecuencia para masturbarnos se refiere. Para las mujeres, la *moderación* no depende tanto de la frecuencia sino de cómo la utilizamos: para conectar con nuestra pareja y nuestra sexualidad, en vez de para eludir ambas cosas, y para generar energía en vez de consumirla.

Los pros y los contras

No existe un manual para la masturbación. Si algo te gusta, hazlo. Aparte de esto, hay unas pocas directrices que te ayudarán a tener una experiencia óptima.

- *No vayas con prisas.* Permítete recorrer todas las etapas de la excitación sexual y saboréalas por sí mismas. Algunas mujeres se sienten culpables, o raras, por masturbarse, pero esos sentimientos son injustificados, así que no dejes que te afecten para que vayas más deprisa para terminar el trabajo.

- *No te concentres en el orgasmo.* El orgasmo no es la finalidad ni el final de la masturbación, del mismo modo que no debe serlo cuando haces el amor con tu pareja. Esforzarte demasiado en llegar al orgasmo —sola o con tu pareja— es un signo de que intentas acelerar las cosas. La medicina china considera que, cuando intentas forzarlo, estás utilizando los músculos para llevar el chi a tu pelvis a fin de compensar el poco chi que hay en tus genitales, por lo que sacas el chi de otras partes de tu cuerpo. Lo hacemos porque suele funcionar, pero también reduce la calidad del orgasmo. Irónicamente, olvidarte del orgasmo como objetivo principal hace que sea más probable que llegues al mismo, que te resulte más fácil llegar y que sea más intenso.

- *No pases por alto zonas erógenas menos obvias.* Estoy segura de que ya sabes que es agradable estimularte los pechos y los genitales, pero no te olvides de tus lóbulos, nuca, zona sacro-lumbar, nalgas, parte posterior de las rodillas, interior de los muslos, e incluso las palmas de tus manos, ombligo, orejas, pies y dedos de los pies. Busca todos tus puntos calientes y utilízalos.

- *Implica a todo tu cuerpo y a todas las partes de tus genitales.* Muchas mujeres suelen centrarlo todo en el clítoris excluyendo todo lo demás, y, aunque sea eficaz, puede que te estés privando de una experiencia más profunda.

- *Cambia de vez en cuando*, igual que haces cuando tienes sexo con tu pareja. No confíes en lo acostumbrado, en lo que sabes que te conduce al orgasmo. Si siempre confías en lo que sabes que funciona, ¿cómo vas a descubrir *qué* más funciona? ¿O qué funciona mejor? Cuesta un poco más sorprenderte a ti misma que sorprender a tu pareja, pero a pesar de todo apreciarás la variedad.

- *Recuerda lo que has aprendido al masturbarte* y aplícalo cuando estés con tu pareja. La masturbación es un buen medio para probar cosas nuevas o perfeccionar habilidades. No tienes por qué compartirlo todo, pero lo más probable es que no quieras guardártelo todo para ti.

Más sexo en la vida real: Amanda

Estoy bastante segura de que para Amanda era la primera vez en su vida que un profesional le recomendaba que se masturbara. Amanda acudió a mi consulta para que la ayudara a recuperar su deseo sexual, aunque no tardó en explicarme que a *ella* no le importaba no volver a tener sexo en su vida, pero le preocupaba que su marido, Stuart, tuviera un romance si no cambiaba algo en su alcoba. Me dijo que su hijo de un año la mantenía muy ocupada —y *muy* cansada por tener que atenderle— y le hacía sentirse bastante realizada como madre. Era casi como si ya no necesitara la conexión sexual con su marido, como si no hubiera sitio para tenerla. En general, Amanda estaba bastante cerrada, al menos en lo que a la vida sexual se refería. También tenía un problema específico: todavía estaba amamantando a su hijo, sus pechos estaban muy sensibles y ya no le gustaba cómo se los acariciaba Stuart.

Le dije que las hierbas y la acupuntura podían ayudarla con su cansancio y el estancamiento que (entre otras cosas) le provocaba esa sensibilidad mamaria. Pero lo que realmente quería que contemplara era su falta de interés en el sexo. La sexualidad es parte de nuestra condición humana, por lo que dudaba que su deseo hubiera desaparecido realmente. Lo más probable es que estuviera relegado. Su papel como madre la absorbía de tal manera que ya no se veía como una mujer sexual. Yo estaba segura de que era una condición reversible. Pensé que primero tendría que volver a conectar con esa parte de sí misma, antes de poder volver a conectar con su esposo en ese aspecto.

Le asigné unos deberes bastante básicos: masturbarse al menos día sí día no, durante la semana siguiente. Estaba indecisa. Le expliqué algunas técnicas básicas —como las que expongo en este capítulo— para facilitar su comienzo. Le recordé que el sexo es placer y que pensara en su importancia para su salud física y mental, para su relación y para ella *misma*. Volver a sentir placer —creárselo ella— sería la forma más poderosa de recordárselo a sí misma y a su cuerpo. De ahí los deberes, que al final accedió a hacer.

En la siguiente visita, Amanda había conseguido masturbarse hasta llegar al orgasmo, pero sólo una vez. No obstante, me dijo entusiasmada que eso había bastado para empezar a tener un poco de ganas. Siguió explorando su sexualidad durante un par de semanas más hasta que se animó a invitar a Stuart a la fiesta. Cuando lo hizo, pudo enseñarle unas cuantas cosas que había aprendido sobre su cuerpo y guiarle para que le diera placer. ¡A lo cual accedió encantado! No tardó en darse cuenta —un poco sorprendida— de que empezaba a estar a la altura del entusiasmo de su marido.

PARA LOS HOMBRES: la masturbación

Creo que podría decir con bastante seguridad que los hombres tenemos bastante experiencia en esto de masturbarnos, ¿me equivoco? La ciencia me respalda: los estudios demuestran que el 99 por ciento de los hombres nos masturbamos. El tema del *método* lo tenemos bastante resuelto.

No obstante, los hombres solemos cometer algunos errores. Uno de ellos es el de excedernos. Eso agota nuestra energía sexual y puede cansar (en particular, en las últimas horas del día) y debilitar nuestros orgasmos.

O hacemos mal uso de la misma, que significa utilizarla de forma que nos desconecte o consuma nuestra energía, como masturbarnos en vez de tener relaciones sexuales con nuestra pareja (no me refiero a cuando estáis separados o cuando tu pareja no tiene ganas).

Otro gran error es ir deprisa, como si recibieras un premio por ser el primero en correrte. No es así; por tanto, tómate tu tiempo. Correrse no equivale a cultivar tu energía sexual, que es lo que ha de ser tu objetivo. Es lo que te dará mayores recompensas.

El otro error común es hacer exclusivamente lo de siempre, siempre lo mismo.

Así que te animo a que varíes un poco. Cambiar la rutina es bueno para la libido, como lo es cuando tienes sexo con tu pareja. También te da la oportunidad de descubrir todas las demás cosas que funcionan para ti, y lo que mejor te va. Experimenta variando la presión regularmente; variando regularmente el ritmo; haciendo hincapié en el movimiento hacia abajo y hacia arriba; con lubricante y sin él. Procura concentrarte en estimular el glande con una mano y el pene con la otra. O utilizar una mano para presionar la raíz del pene y la otra para acariciar el pene hacia arriba y hacia abajo. Acaríciate o tira de los testículos, estimula los pezones o el ano a la vez que te acaricias el pene. Tócate en otras zonas que *no* sean los genitales. Estimula otras zonas erógenas. Prueba otras posiciones. Utiliza la pornografía o la fantasía u opta por estar presente contigo mismo en el momento en que lo haces. Quizás aprendas uno o dos buenos trucos al diversificarte de tanto en tanto.

No comparto exactamente los métodos de masturbación de los antiguos taoístas: ellos aconsejaban que *sólo* te corrieras dentro del cuerpo de la mujer porque de lo contrario te arriesgabas a perder una valiosa energía sexual con cada eyaculación. Por el contrario, los sabios eran grandes forofos de aprender a tener el orgasmo *sin* eyacular. El resto de los mortales que no estamos comprometidos con una seria búsqueda espiritual de llegar al orgasmo sin eyacular también podemos conservar esta energía cuando nos masturbamos y tenemos un orgasmo, protegiendo la libido y nuestra potencia para el futuro. Una de las formas de hacerlo es cubrir o sostener tu pene y los testículos con ambas manos cuando llegas al orgasmo y mantenerlas ahí uno o dos segundos.

Otra forma es hacer el Circuito durante el orgasmo o después, haciendo circular el chi dentro de ti en vez de expulsarlo. Concéntrate en medio Circuito: cuando lo practiques durante la masturbación, lo que necesitas es mover la energía hacia arriba sin que regrese a los genitales, donde podría perderse o estancarse. También puedes hacer una respiración profunda o simplemente centrar tu atención en la parte superior de tu cabeza para llevar el chi hacia esa zona. Otra buena estrategia sólo para después de la eyaculación es frotarte las manos hasta que se calienten y colocarlas en tu bajo vientre, dejando que irradien su calor hacia tu pelvis.

El abc de la masturbación: masaje en el clítoris

Tras haberte recomendado que no te centres exclusivamente en el clítoris, voy a cambiar de enfoque y explicarte *cómo te has de centrar en el clítoris*. Es esencial para el orgasmo, por lo que merece un trato justo. Tienes que concederte tiempo para un buen calentamiento y muchas excursiones alternativas, pero, cuando te pongas en faena, hay muchas otras opciones que querrás explorar. Aquí tienes ideas que puedes poner en práctica para estimular tu clítoris durante la masturbación.

- Frótate el clítoris directamente con un dedo, varios dedos o con toda la mano.
- Juega con toda una gama de caricias: de suaves a intensas, de lentas a rápidas, hacia arriba y hacia abajo, circulares en un sentido y en el otro...
- Masajéalo indirectamente frotando la piel superior y la que lo rodea (los labios o la capucha del clítoris).
- Presiónalo con un objeto, como una almohada.
- Prueba con un vibrador sobre o alrededor del mismo.
- Prueba el agua para estimularlo, como con la alcachofa de la ducha.

Esto es lo básico, pero todavía queda mucho por explorar antes, durante y/o después de la estimulación del clítoris. Prueba lo siguiente:

- Masajéate el perineo (el área entre el ano y la vagina), la zona periuretral (¡alrededor del orificio de la orina!) y/o la vulva.

- Penetra tu vagina con un dedo, varios dedos, un consolador o un vibrador.

- Estimula otras zonas erógenas (pezones, cara interna de los muslos, nalgas, ano, senos...).

- Posiciones distintas, sentada, en cuclillas o de pie.

También puedes ampliar tu gama de escenarios. Masturbarse no es sólo cuestión de genitales, ni siquiera de todo tu cuerpo. Prueba hacerlo en:

- Diferentes zonas de tu casa

- En la bañera o en la ducha

- Leyendo algo erótico

- Fantaseando

- Mirándote en el espejo

- Vestida

No todo esto es para todas las mujeres, pero has de probarlo todo para descubrir qué es lo que a ti te va; no siempre puedes predecirlo sin probarlo.

Haz la Contracción

Primero, has de practicar la versión más sencilla de la Contracción. Pero, cuando ya tengas un poco de experiencia, prueba a hacerla mientras te masturbas, especialmente la contracción. Es bueno para tonificar tus músculos e intensificar tu orgasmo, y también es una buena práctica para utilizarla con tu pareja.

El punto G

El controvertido punto G está situado a unos 4 o 6 centímetros en la pared frontal de la vagina. Eso es justo detrás del clítoris, detrás del pubis. Se nota más cuando ya estás excitada y lubricada porque se hincha un poco. Entonces, puedes localizarlo insertando el dedo índice en la vagina, curvándolo un poco para que se aloje detrás del pubis. Si lo introduces un poco más hasta la altura de tu segundo nudillo, encontrarás la zona general. Busca una pequeña prominencia de tejido esponjoso, de una textura ligeramente distinta al tejido que lo rodea, un poco más dura o más rugosa, del tamaño de una moneda pequeña. El punto G es extraordinariamente sensible al tacto, por lo que cuando llegues a esa zona te darás cuenta enseguida (siempre que estés bastante excitada).

Vale la pena entretenerse un poco en su búsqueda, si es necesario, porque los orgasmos del punto G son muy profundos e intensos. Si todavía no lo has descubierto, quizá lo mejor sea que primero intentes encontrarlo tú sola. Explorarlo luego con tu pareja te resultará divertido.

De cualquier modo, aquí tienes algunos consejos: orina antes de empezar. Parte de tu experiencia se parecerá a tener ganas de orinar, y, si estás preocupada porque tienes miedo de mojarte, te garantizo que no estarás relajada para el orgasmo. Prevenir puede ser muy útil en este caso. Si ya has vaciado la vejiga, cuando sientas ganas de orinar sabrás que puedes seguir este consejo sin riesgo: persevera. No te contengas, ni te rindas. Esa sensación pasará y no te harás nada encima.

El punto G es extraordinariamente sensible al tacto, por lo que cuando llegues a esa zona te darás cuenta enseguida.

Este sexoejercicio es para ayudarte a encontrar y aprender a *trabajarte* tu punto G. Empieza estimulando el punto G con el índice, curvándolo para ejercer un poco de presión sobre la pared vaginal, en dirección al vientre. Empieza suavemente y ve aumentando la presión. A algunas mujeres les gusta sólo un poco de presión, mientras que otras prefieren un estímulo más fuerte. Experimenta para saber qué es lo que te gusta a ti. Ve cambiando la velocidad y la presión. Desliza tu dedo arriba y abajo por la zona. Empieza por encima del mismo, cerca del cuello uterino, y deslízalo hacia abajo horizontalmente. Repítelo, o prueba a masajear la zona en sentido circular, incrementando la presión gradualmente. Puedes probar también con dos dedos.

Cuando ya conozcas bien la zona, puedes enseñarle a tu pareja su localización y cómo masajearla. Normalmente, hace falta un poco de práctica para estimularla, pero puede que descubras que te gusta la estimulación conjunta del punto G y del clítoris.

Los textos chinos sobre el sexo no hablan del punto G (ni del punto A de la sección siguiente), pero las posturas recomendadas para el coito que resultan más satisfactorias a las mujeres son las que estimulan el punto G. Éstas son: 1) la mujer apoyada sobre las manos y las rodillas (postura del perro), con su pareja penetrándola por detrás (véase, postura del tigre, página 242), y 2) la mujer boca arriba con las piernas levantadas y abiertas (véase postura del mono, página 242).

El punto A

El punto A, también conocido (aunque no por muchas) como el fórnix anterior, es una zona de tejido extra sensible al final del saco vaginal, una zona donde se crea un pequeño rincón delante del cuello uterino. Según algunas explicaciones, es el equivalente femenino de la próstata. Como quiera que lo llames, puede proporcionar orgasmos intensos cuando es estimulado.

Te insto a que lo busques, lo estimules y a ver qué pasa. El punto A está demasiado arriba para que llegues al mismo con los dedos, por lo que la mejor forma de acceder al mismo suele ser durante el coito en la postura del misionero, donde las penetraciones van dirigidas hacia esa zona. También puedes estimularlo con un consolador o un vibrador, que quizá sea la mejor forma de empezar a descubrir cómo actúa el punto A en tu cuerpo y conocer su poder. Cuando lo hayas hecho por tu cuenta, te será mucho más fácil compartirlo con tu pareja.

El punto A es algo así como «lo sabrás cuando lo encuentres». Durante el acto sexual, tal vez tengas que adaptar la postura de tus caderas colocándote un cojín debajo hasta que notes que tu pareja empuja lo bastante arriba en la pared frontal de tu vagina.

PARA LOS HOMBRES: el masaje de próstata

La medicina china y la occidental están de acuerdo en los múltiples beneficios de estimular la próstata, entre los que se encuentran reforzar las erecciones, aliviar la inflamación y ayudar a prevenir el cáncer, la hiperplasia, el endurecimiento y dolor de próstata tan comunes después de los cincuenta. Los taoístas añaden unos cuantos beneficios a la lista que no es probable que tu urólogo te mencione: estimular la próstata refuerza y mueve el chi sexual y ayuda a conseguir el equilibrio entre el yin y el yang. Y, para los que estén especialmente interesados, el masaje de próstata es muy útil para desarrollar la habilidad de experimentar orgasmos sin eyacular (véase página 260, para más información sobre *retenerlo*). El masaje de próstata también favorece orgasmos más intensos.

Te recomiendo encarecidamente que lo pruebes con una mentalidad abierta. *Es* una recomendación avanzada, por lo que no quiero presionarte a que sea lo primero que pruebes de este libro o este capítulo. Quizá quieras hacerlo en uno de los días que te sientas más aventurero.

Ahora viene la parte que no todo el mundo está dispuesto a probar enseguida: la forma directa de estimular tu próstata es introduciendo un dedo en tu ano hasta llegar a frotarla suavemente. Básicamente, así es cómo inspecciona un médico la próstata, pero te garantizo que hacerlo como te indico a continuación es mucho más excitante.

Puedes hacerte el masaje de próstata tú mismo, y te ha de resultar muy agradable. Probablemente, lo mejor será que lo experimentes tú solo primero, antes de compartirlo con tu pareja. Pero has de saber que te resultará más placentero cuando te lo haga tu pareja. Puedes hacer el masaje de próstata durante el coito o el sexo oral para intensificar tus orgasmos. (El sexo anal, cuando eres quien lo recibe, es una forma de masaje prostático en sí mismo).

Así es como puedes darle masaje a tu próstata:

Introdúcete un dedo en el ano y dirígelo hacia atrás y hacia arriba, curvándolo un poco hacia tu ombligo, hasta que notes la próstata. Utiliza un poco de lubricante para que te resulte más fácil la inserción (busca algún lubricante con ingredientes naturales). Si no estás acostumbrado al juego anal, introdúcete el dedo gradualmente, haciendo pausas con frecuencia, respirando profundamente y relajándote. Es normal que el ano se contraiga en cuanto se le introduce algo, pero se relajará en cuanto se acostumbre a la sensación. No lo fuerces. Tal vez descubras que acariciarte el vientre, las nalgas o los genitales son una distracción lo bastante agradable como para que te puedas relajar con la experiencia.

Procede con suavidad hasta que notes la superficie suave y redondeada de la próstata. Ejerce una ligera presión; al principio quizá te bastará con dejar el dedo. Cuando estés preparado, prosigue con más masaje: haz un poco de vibración con tu dedo o deslízalo hacia atrás y hacia delante. Sigue respirando profundamente, y disfruta de la sensación. No tiene que doler; si te duele, hazlo con más suavidad o para.

Los juguetes sexuales

Los juguetes sexuales eran habituales para los antiguos sexólogos chinos. De hecho, ¡fueron ellos quienes los inventaron! Los consoladores, por ejemplo: reproducción del pene del esposo tallado en marfil, con su imagen tallada en la punta; se entregaban a las mujeres cuando el marido se ausentaba porque tenía que ir a la guerra. Los chinos han utilizado anillos para el pene para mantener la erección —algunos con pequeñas prominencias para estimular el clítoris— durante miles de años. Las mujeres también se introducían bolitas en la vagina para estimular el punto G... La lista de toda esta parafernalia es muy extensa. Y hay mucha más de lo que podemos imaginar para facilitar la masturbación de las mujeres, para que pudieran estimular todas las partes de su vagina y vulva, incluso cuando lo hacían ellas solas. Los sabios que dispensaban consejos sobre el uso de los diferentes artículos no eran precisamente un colectivo a favor de feminismo. Ellos lo consideran del siguiente modo: las mujeres debían fortalecer sus músculos y desarrollar sus habilidades sexuales, lo cual podía ser bastante increíble, para el hombre. En realidad, no puedo rebatirles nada en ese aspecto, porque resulta que también es bastante increíble para las mujeres.

Los juguetes sexuales suelen ser el salvoconducto para combinar cosas que nos rediman del aburrimiento. Probablemente, los más comunes sean los vibradores y consoladores, y ambos tienen gran cantidad de presentaciones. No puedo aconsejarte sobre cuál debes usar —solo tienes que jugar con ellos y descubrir lo que te gusta—, pero deberías empezar por algo muy básico. Más adelante, si quieres diversificarte o recibir vítores y aplausos,

El Circuito remix

Cuando ya hayas practicado el Circuito (véase páginas 80 y 137) el suficiente número de veces como para dominarlo, puedes intentar hacerlo mientras te masturbas. Esta combinación tiene muchos beneficios, pero uno de ellos es que consigas una experiencia más energética que sólo el orgasmo.

Te recomiendo que empieces con unos minutos de Circuito antes de pasar a la masturbación, o bien prueba a masturbarte primero durante un rato y luego, con la energía sexual que has generado, hazla circular como sueles hacer con el Circuito.

Sea lo que sea lo que elijas, adelante, e incluye también la Contracción cuando te sientas preparada.

El Circuito también es muy recomendable realizarlo después del orgasmo. Puedes hacer circular el chi que has generado dentro de tu cuerpo en vez de perderlo. Lleva tu energía hacia arriba, hacia la parte superior de tu cabeza. Mientras lo haces, frótate las manos hasta que se hayan calentado un poco y colócalas encima de tu bajo vientre (*dan tien*) para recargar de energía esa zona.

tienes vía libre. Recuerda que no tienes por qué comprar un juguete sexual a través de Internet para que sea divertido. Estoy segura de que, si pruebas, puedes encontrar formas de que un sencillo foulard de seda sea erótico.

Sea como fuere, de lo que se trata es de utilizar los juguetes para crear una conexión. De lo contrario, te llevarán por la vía rápida a tener menos sexo, menos sexo con tu pareja o sexo menos satisfactorio; o las tres cosas.

Cuando tengas sexo sin tu pareja y estés utilizando algún juguete, lo que has de preguntarte es: ¿estoy usando el juguete para conectar con mi cuerpo y mi sexualidad o lo estoy usando para evitar sentir o explorar algunos aspectos de mí?

Que los juguetes sexuales sirvan para conectarnos o para desconectarnos dependerá de lo que pase por tu cabeza; tu chi —tu energía— irá detrás. Cuando usas los juguetes con tu pareja, si te estás concentrando en tu experiencia con ella, todo va bien. Pero las personas que utilizan los juguetes para evitar una conexión, o en lugar de tener sexo con sus parejas, tendrán problemas si siguen por ese camino.

Renya, una de mis pacientes, y su pareja tuvieron una buena experiencia con la elección de su juguete después de que un amigo criticara los anillos vibradores para el pene. Renya le sugirió a su marido que se pusiera uno de esos aparatitos durante el coito, y en cuanto lo probaron ambos se convirtieron en grandes fans del mismo. El anillo le ayudó a él a mantener la erección más tiempo y, al mismo tiempo, estimuló a Renya de un modo tan espectacular que cambió su experiencia sexual de «rara vez llego al orgasmo». El sexo se volvió mucho más placentero para ambos, y también lo practicaban con más frecuencia.

El experimento de Renya valió la pena en parte porque este juguete se lleva durante el coito (es decir, que no interfirió en el coito), en parte porque les benefició a los dos, y en gran medida porque lo usaron juntos. Renya y su marido lo utilizaron para crear conexión, en vez de evitarla o interferir en ella.

9

Hazlo tú misma

Todo junto

El plan que presentamos en este capítulo está diseñado para que llegues a realizar con soltura una serie de ejercicios básicos para hacer circular el chi y equilibrar el yin y el yang dentro de ti. El resultado debería ser: 1) superar el estancamiento y equilibrarte y 2) conseguir que adquieras toda la práctica que necesitas para dominar estas técnicas hasta el punto en que puedas recurrir a las mismas cuándo y dónde quieras sin necesitar chuletas.

Porque, seamos claros, una cosa es leer o incluso aprender todas estas formas de recargar tu libido, y otra bien distinta es integrarlas en tu vida. Pero, para que éstas funcionen como deseas, es evidente que has de practicarlas. Y con bastante regularidad, al menos durante un breve periodo de tiempo, hasta que hayas vuelto a recargarte y muchas de ellas se vuelvan casi espontáneas para ti. Más adelante viene el programa oficial de Sexo en Seis Semanas, para ti y para tu pareja, pero solo funcionará si te preparas como corresponde. Ahora es cuando has de practicar hacer el pino por tu cuenta, para poder actuar con otra persona cuando sea el momento.

Como el plan que presentamos en este capítulo está focalizado en un puñado de ejercicios, aborda muchos aspectos importantes —y todos ellos habilidades cruciales—, pero no todas las estrategias del libro. No obstante, tengo la esperanza de que pruebes por ti misma la mayoría si no todas las estrategias de un modo más informal. Probablemente, ya habrás hecho algo por tu cuenta, a medida que has ido leyendo los capítulos anteriores. Y te recomiendo que sigas haciéndolo, a fin de descubrir toda la gama de ejercicios que son los más útiles para ti. Con un poco de práctica, descubrirás cuáles son los que te sirven, los que te gustan y los querrás repetir cuando lo necesites, y cuáles quieres seguir haciendo incluso cuando ya no los necesites. Algunas cosas las aprenderás tan bien que ya no necesitarás *practicarlas*, porque las harás espontáneamente. Por ejemplo, muchas de mis pacientes hacen el Circuito tan a menudo y tan bien que, al final, sencillamente *saben* cómo hacer circular la energía y lo hacen casi de forma automática cuando hacen el amor o cuando notan que lo necesitan. Ya no tienen que ponerse intencionadamente a practicar el Circuito o a encontrar un momento para coordinar su práctica con su pareja. Aunque, si tienen mucho estrés, tal vez se sienten unos minutos y se concentren en el Circuito para superar lo que les está pasando.

Cómo hacerlo tú misma

No existe un contexto específico para completar esta parte del programa de *Volver al sexo*. Pero has de planificar hacer todas las fases, hacerlas en el orden indicado y **dedicarles un mínimo de una semana a cada una**. Has de estar preparada para **dedicarles cada día un poco de tu tiempo**. (La mayor parte de los ejercicios diarios se pueden hacer en veinte minutos o menos; muchos días solo necesitarás cinco minutos). Si trabajas el programa de este modo, estarás lo suficientemente inmersa en estas técnicas que estás aprendiendo como para hacerlas *tuyas* y podrás experimentar los resultados por ti misma.

Dicho esto, si te saltas un día, dos o tres, no te preocupes. Limítate a volver adonde lo dejaste y sigue avanzando. Siempre y cuando no suceda muy a menudo, no tiene por qué afectar a tus resultados, aunque estresarte por hacerlos *bien* sí que afecta.

Si tu pareja también tiene interés, puede hacer su parte del programa, pero no es necesario que lo haga para que tú te beneficies de los resultados.

Desde luego, no es necesario que lo haga cuando lo haces tú, aunque hay ejercicios que si queréis podéis practicarlos juntos.

También puedes trabajar esta parte de *Volver al sexo* al mismo tiempo que realizas el programa Sexo en Seis Semanas que viene más adelante (capítulo 15). Aunque eso supondrá un mayor compromiso de tiempo, y para muchas personas eso puede suponer querer abarcar más de lo que realmente pueden. Pero, si estás dispuesta a ello, verás los resultados mucho antes.

FASE 1

Piensa en ello (página 49)
Respira (página 39)

Dedica unos minutos cada día a hacer cada uno de estos ejercicios.

FASE 2

Circuito (página 80)
Contracción (página 106)
Circuito y Contracción (página 119)

Sigue con dosis diarias de Piensa en ello y Respira.

Añade la práctica del Circuito y la Contracción completa, una vez al día; y el elemento más básico de este último (sólo la contracción) tres veces al día. Si no tienes demasiado tiempo, puedes alternar un día con el Circuito y otro con la Contracción completa. Pero haz al menos las contracciones pubococcígeas cada día.

FASE 3

Ejercicio para movilizar el chi y/o
Ejercicio para tonificar el yin y/o
Ejercicio para tonificar el yang

Añade un quinto ejercicio cada día. Eso significa que seguirás con Respira, Piensa en ello, el Circuito y la Contracción, y añade uno más de elección propia, según lo que más necesites trabajar: tu yin, tu yang o tu chi. Si tienes más de un área problemática, es más que probable que padezcas estancamiento de chi, y deberás darle prioridad a eso antes que a equilibrar el yin y el yang cuando tengas que elegir un ejercicio. O, si estás dispuesta a afrontar el reto, puedes escoger más de un ejercicio y alternar cada día con uno. En el apéndice 2 hay toda una lista de ejercicios, pero aquí tienes las opciones para cuando trabajes en solitario.

Para mover el chi
Tres cierres (página 130)
Bol para mezclar (página 150)
Masaje en el pecho (página 147)
Punto G (página 166)
Punto A (página 167)
Engaña y relaja (página 224)

Para tonificar el yin
Tres cierres (página 130)
Sonrisa interior (página 134)
Relajación progresiva (página 129)
Masaje en el pecho (página 147)
Punto G (página 166)
Punto A (página 167)
Engaña y relaja (página 224)

Para tonificar el yang
Respiración abdominal (página 116)
Tres cierres (página 130)
Meditación de la energía (página 136)
Bol para mezclar (página 150)
Engaña y relaja (página 224)
Hasta el límite y retención (página 256)

FASE 4

Vientre de Buda (página 98)
Abre tus sentidos (página 72)

Sustituye el ejercicio que elegiste la semana pasada por el Vientre de Buda y Abre tus sentidos. Sigue haciendo Respira, Piensa en ello, el Circuito y la Contracción diariamente, pero alterna unos días con el Vientre de Buda y otros con Abre tus sentidos. Esto favorece el equilibrio, estimulando el yang un día y tonificando el yin al siguiente.

FASE 5

Relajación progresiva (página 129)
Explora (página 152)

Haz una pausa de tu práctica del Vientre de Buda y Abre tus sentidos y añade la Relajación progresiva y Explora. Sigue haciendo diariamente Respira, Piensa en ello, el Circuito y la Contracción. Haz la Relajación progresiva y Explora al menos una vez cada una.

FASE 6

Mastúrbate... (capítulo 8)
...con la Contracción (página 165)
...con el Circuito (página 176)
...con Hasta el límite y retención (página 256)

Deja por el momento la Relajación Progresiva y Explora, pero sigue a diario con Respira y Piensa en ello. También vas a seguir con el Circuito y la Contracción, pero con un cambio: practícalas masturbándote. Esto intensificará tu experiencia y te dispondrá a que puedas utilizar esas técnicas cuando tengas sexo con tu pareja. Cuando estés preparada para otro reto, añade Hasta el límite y retención. Puedes hacer las tres en una misma sesión mientras te masturbas, pero, si es demasiado para ti, hazlas de una en una antes de combinarlas. Si no estás acostumbrada a masturbarte en general, quizá te convenga empezar por algunos de los consejos del capítulo 8 antes de pasar a otras técnicas. Ésta es la fase que es más probable que te exija más de una semana, según la cantidad de veces que puedas masturbarte, que desees hacerlo y de cuánto lo necesites. Es bastante fácil *llegar* Hasta el límite y retención, así que no necesitarás más de un intento para familiarizarte con esta práctica (¡y comprender su poder!). Y tal vez seas tan hábil en el Circuito y la Contracción que no te cueste nada aplicarlas en el contexto sexual, pero has de ampliar esta fase final hasta que todas estas variantes también te resulten fáciles de hacer —y fáciles de recordar cómo hacerlas— cuando estés llegando al orgasmo. Has te tener todos los orgasmos que sean necesarios para conseguirlo. Ése es el precio que has de pagar.

PARA LOS HOMBRES: mejora el yin o el yang, sólo para hombres

Casi todos los ejercicios mueven el chi, tonifican el yin o el chi de la misma forma para hombres que para mujeres. La única excepción para los hombres es el masaje de próstata. Está indicado para la deficiencia de yin y de yang. (Otra excepción: el masaje en el pecho tampoco les sirve de mucho a los hombres).

TERCERA PARTE

EQUILIBRIO Y CONEXIÓN

10

El yin, el yang y vosotros dos

Encuentra el equilibrio con la otra persona

Encontrar o crear un equilibrio dinámico entre dos personas es algo muy hermoso. Es el pilar para una conexión profunda, sólida y duradera, y, con algo de tiempo, para una libido fuerte y una vida sexual activa. Es el escenario para el buen sexo, para un sexo realmente bueno. Es decir, una sexualidad que no sólo exprese ese equilibrio y conexión sino que la refuerce. El tipo de sexualidad que hace que quieras más.

Del mismo modo que cada miembro de una pareja tiene su propio equilibrio yin-yang, también lo tiene la relación. Y, del mismo modo que el equilibrio ideal de una persona suele verse afectado con un poco más de uno que del otro, las dos personas alcanzan un equilibrio óptimo cuando una es ligeramente más yin y la otra ligeramente más yang. Ya lo sabes por tus experimentos en el balancín cuando ibas a los columpios de pequeña: para usarlo tiene que haber una persona a cada lado. Si las dos personas están en el mismo lado, no van a ninguna parte salvo al suelo.

Aun a riesgo de llevar hasta el límite el ejemplo, seguiré con el mismo: si una persona está en un extremo y la otra está más cerca del centro, tampoco vas a poder mantener el equilibrio. Y luego está esto: el que está en un extremo del columpio necesita más peso para equilibrarse que quien está más cerca del centro.

Asimismo, es bueno que una persona sea más yang, pero sólo un poco, mientras que la otra debería ser un poco más yin. Cuanto más centrada estés en ti misma, más fácil te será equilibrarte.

Una relación sólida necesita yin y yang. La energía yang crea pasión, que es lo que atrae a una pareja al principio, pero la energía yin es la que crea intimidad, para que con el tiempo exista una conexión. La energía yang ofrece a la pareja lo que necesita; la energía yin acepta lo que ofrece la pareja. La energía yang toma la iniciativa; la energía yin aprovecha los recursos para ejecutar la misión. Así funciona en la relación en general, y también en el aspecto sexual. Ninguna relación —ni vida sexual— puede medrar sólo con yin o sólo con yang.

Equilibrarse mutuamente

Encontrar tu propio equilibrio te beneficiará en todos los aspectos de tu vida. Entre sus beneficios, está nada menos que el de prepararte para conectar con otra persona de un modo más intenso y profundo, para encontrar el equilibrio con ella, y para lo que tenga que venir. Estar equilibrada y saber cómo conservar tu equilibrio te permite afrontar cualquier cosa. Incluso puede prevenir, evitar o eliminar los problemas antes de que surjan. Pero ninguna pareja puede eludir todos los problemas, así que es esencial tener la armonía y la capacidad para sobrellevarlos cuando aparecen.

Ésta es una de las grandes ventajas de tener una relación: no tienes que hacerlo todo tú sola.

Empieza por la estabilidad individual. Eso es lo que hace posible que puedas hallar el equilibrio con otra persona. Cuando estás centrada en ti misma, puedes crear fuertes vínculos emocionales y energéticos sin olvidarte de ti misma. Puedes seguir siendo fiel a tus ideas y valores, aunque estés con otra persona. Puedes aceptar algo sin perderte a ti misma, y no estar de acuerdo sin sentirte excluida. Puedes sentir empatía y apoyar a tu pareja cuando está pasando por momentos difíciles sin verte arrastrada hacia ese torbellino. Puedes abrirte a la protección y apoyo que te brinda tu pareja sin caer en la dependencia. Puedes compartir con todo tu ser.

Y puedes ayudar a tu amante a hacer lo mismo. Éste es el distintivo de una relación saludable y el fundamento para una vida sexual sana. Idealmente, una relación es la unión de dos personas que están equilibradas, y que, por tanto, pueden equilibrarse la una a la otra. Entonces, cuando una o las dos personas se desequilibran, o se desequilibra su relación, uno puede encauzar al otro. Nadie logra un equilibrio perfecto y lo conserva eternamente. Siempre estamos alejándonos un poco en exceso de uno u otro extremo (¡a veces demasiado lejos!) y volviendo a encontrar el equilibrio. Tener una relación significa que estás con otra persona que puede reequilibrarse contigo. Es como los equilibristas que he mencionado antes: si el saltimbanqui se desequilibra un poco, la persona que hace de base se moverá para recobrar el equilibrio.

No hace mucho, atravesé una temporada en el trabajo en la que tenía graves problemas administrativos todos los días, por lo que estuve en el extremo yang del continuo. Durante ese tiempo, mi esposo tuvo que soportar mucho descontrol en casa, en particular a la hora de preparar la cena, que hizo que él fuera más yin. En un momento en que, probablemente, yo no tenía suficiente yin, mi pareja pudo apoyarme y evitar que me decantara por completo hacia el otro extremo.

Ésta es una de las grandes ventajas de tener una relación: no *tienes que* hacerlo todo tú sola. Tu pareja puede ayudarte a equilibrarte, y, cuando encuentras respaldo en ella, también encuentras el equilibrio en otros aspectos de tu vida.

Quizá lo hayas perdido momentáneamente, pero en cualquier relación que valga la pena conservar puedes recuperarlo. Puedes conseguirlo en el ámbito sexual con el programa Sexo en Seis Semanas, y notarás los efectos en todas las demás áreas de tu vida.

PRUEBA ESTO ESTA NOCHE: Sincronizad
vuestras respiraciones

Este ejercicio hace hincapié en la conexión, así que, cuando haya, o si hay, algún tropiezo en tu relación, es un gran remedio para que las cosas vuelvan a su cauce. Es útil sobre todo cuando tienes un conflicto; es un medio para concentraros en trabajar juntos. Es una forma muy literal de sintonizar mutuamente o de experimentar en qué grado estáis sintonizados. Es una buena forma de concentrar vuestra atención en el otro, de sintonizar con el cuerpo de tu pareja, a la vez que regulas lo que sucede en el tuyo: una buena base para el sexo con conexión. Está destinado a crear y reforzar la intimidad, a preparar el terreno para la intimidad sexual. De modo que es una buena forma de iniciar el acto sexual, pero también es un excelente ejercicio por sí solo. Los antiguos textos taoístas dicen que esta práctica armoniza tu chi. El intercambio de energía durante el acto sexual empieza aquí, con la respiración. Así es cómo empezáis a crear ese sentido de unión. Cuando dominéis esta versión más casta, probad las variantes.

Sentaos el uno frente al otro mirándoos directamente a los ojos. Colocad las manos sobre vuestras rodillas con las palmas hacia arriba. Haz respiraciones profundas pero suaves a través de la nariz o la boca, inspira y espira al unísono con tu pareja. Cuando empecéis no iréis al mismo ritmo, pero lo conseguiréis cuando os concentréis en el ritmo de vuestra pareja. Empezad acortando o alargando las respiraciones para adaptarlas al ritmo de vuestra pareja. Tenéis que encontrar un ritmo que sea cómodo para los dos. Si uno de los dos se desvía de ese ritmo, el otro ha de volver a adaptarse. Respirad juntos de este modo durante cinco minutos (tal vez prefiráis empezar haciendo una sesión más corta e ir aumentando gradualmente).

También podéis hacer este ejercicio con los ojos cerrados. Esto os ayudará a sintonizar de otro modo, sin apoyo visual. Quizás os resulte útil colocar una mano en el pecho de vuestro compañero o compañera o hacer un pequeño suspiro al espirar para que os podáis oír el uno al otro. Al principio, os sentiréis incómodos al tener contacto visual continuado con vuestra pareja; luego, será una buena forma de facilitar el ejercicio. También podéis empezar con los ojos cerrados y abrirlos a mitad para miraros mutuamente.

Variante 1: haced este ejercicio en la cama, mirándoos. Con los ojos abiertos o cerrados; vestidos o desnudos; tocándoos o sin tocaros. Debéis estar cómodos.

Variante 2: haced el ejercicio tumbados en forma de *cuchara*, uno de espaldas al otro y el que está detrás curvado. Es otra buena forma de acoplarse si al principio el contacto ocular resulta demasiado intenso. Pero la *cuchara* también os pone en contacto de una forma muy directa: podréis sentir fácilmente vuestras mutuas respiraciones hasta sentir el latido de vuestros corazones. Tenéis que respirar al unísono durante tres minutos aproximadamente o el tiempo suficiente como para que os resulte cómodo y natural respirar así durante un rato; luego, cambiad las posiciones y volved a sintonizar unos minutos más.

Variante 3: retened vuestra respiración unos segundos después de cada inspiración y cada espiración, manteniéndoos al unísono observando siempre la respiración del otro. Esto exige un poco más de concentración, así que esperad a ponerlo en práctica hasta que tengáis más experiencia en las anteriores.

Variante 4: esto se conoce como el Circuito Cerrado. Postura, tiempo y contacto visual igual que en las anteriores, pero ahora vais a espirar cuando vuestra pareja inspire e inspirar cuando ésta espire. En la medicina china, la respiración está cargada de energía, de modo que ésta es una forma de experimentar físicamente el intercambio de energía entre vosotros. El circuito que estáis creando, la conexión entre los dos, es una forma de armonizar el chi y de equilibrar el yin y el yang entre vosotros.

No obstante, conseguir el equilibrio entre dos personas es una de esas cosas engañosas sobre las relaciones. Por regla general, cuando una persona consigue equilibrar a la otra, hay el mismo riesgo de que exista un desequilibrio en esa persona, lo que a su vez aumentaría el desequilibrio en la otra o en la relación.

Cuando en una relación existe un desequilibrio, es fácil que haya problemas en la relación (y, cuando hay problemas, es fácil que haya desequilibrio). Los conflictos en la relación suelen ser la causa de los problemas con la libido, ya sean porque existe tensión en la pareja, por una falta general de intimidad (no solo sexual), como simplemente por el aburrimiento de tener sexo siempre con la misma persona durante mucho tiempo. Restaurar el equilibrio suele ser la clave para sanar la relación, sexualmente y en general.

La falta de libido puede indicar no sólo un desequilibrio sino también que la energía no se está moviendo entre la pareja como debiera en los momentos en que *tienen* sexo. También puede ser un síntoma de que la energía no fluye adecuadamente dentro de uno de los dos (o de ambos), e, igual que sucede con el desequilibrio, el problema no existe sólo en la vida cotidiana, sino también en el dormitorio.

Una buena sexualidad anima a la pareja a ser vulnerable y receptiva con el otro, lo que a su vez fomenta la ternura y la compasión en todas las áreas de su vida en común. Y, si esa relación sexual hace años que perdura, es que

---

❗ PRUEBA ESTO ESTA NOCHE: la Contracción *y* el Circuito para dos

Para equilibrar el yin y el yang como pareja, probad la combinación de la Contracción y el Circuito (véase página 119). Empezad haciéndolo sentados en silencio, como una práctica meditativa (todavía no sexual), hasta que os coordinéis. Luego, haced la combinación tumbados, y luego desnudos. Entonces estaréis preparados para utilizarlas en vuestra vida sexual. Es una gran forma de empezar o de generar energía durante el acto sexual.

se ha invertido mucha energía en ella. Cuanta más energía va a ese vínculo, más profundo se vuelve.

El yin y el yang del sexo

Cualquier experiencia sexual —como cualquier relación— necesita yin y yang para prosperar. El coito es una manifestación física de la relación yin y yang, el yang entrando en el yin, para volver a transformarse en yang. Pocas cosas son más yang que una erección preparándose para introducirse o más yin que una vagina receptiva (lubricada). Esto desde una perspectiva heterosexual, por supuesto. Pero el buen sexo, hetero u homosexual, consta de dos participantes que van pasando de dar a recibir y viceversa, una y otra vez. El sexo combina e intercambia yin y yang a medida que entre la pareja se produce el acto de dar y recibir.

Cuando se hace bien. Las dos personas necesitan acceder tanto al yang (dar) como al yin (recibir). Si uno de los dos o los dos están en un extremo yin o yang, o si los dos tienen un nivel de yin o de yang parecido, el sexo no va a funcionar demasiado bien, ya sea física o emocionalmente. Cuando *está* equilibrado, el sexo es más placentero y significativo. Por no decir que es más satisfactorio y duradero.

En un nivel muy básico, es necesaria la interacción del yin y el yang para que las cosas funcionen. La energía yang es la que inicia el sexo, pero sin la energía yin para recibir y responder a la invitación, nadie va a ninguna parte. Otras características distintas del yin y del yang en su aplicación al sexo demuestran por qué son necesarias ambas energías en una pareja —y las dos dentro de ti— para una experiencia sexual satisfactoria.

Para los que se encuentran en el lado yang de la balanza, el sexo es una forma de entablar una conexión emocional con otra persona. Para los que se decantan hacia el yin, una conexión emocional es la vía hacia la excitación sexual.

Por ejemplo, la energía yang tiende a ascender y la yin a descender. En el sexo, esto significa que las personas que son más yang (en una relación heterosexual, normalmente es el hombre) suelen excitarse mediante estimulación directa de los genitales —su respuesta fluye desde allí hacia arriba hasta el corazón y la cabeza—, mientras que las personas más yin (generalmente, las mujeres) necesitan que antes les toquen el corazón y la cabeza, y su respuesta descenderá desde esas partes hasta sus genitales. Esto no es solo para un intercambio sexual puntual, sino para la función que desempeña el sexo dentro de una relación. Para los que se encuentran en el lado yang de la balanza, el sexo es una forma de entablar una conexión emocional con otra persona. Para los que se decantan hacia el yin, una conexión emocional es la vía hacia la excitación sexual.

El yin es lento y el yang es rápido. Las personas con más yang se excitan más deprisa, mientras que las que tienen más yin se excitan más despacio. Una persona más yang se consumirá antes en una explosión de energía sexual, mientras que otra más yin tardará más.

Para alimentar una sólida conexión sexual, los dos miembros de una pareja han de jugar con el aspecto que domina en el otro. Eso puede suponer conectar aunque sea un poco con tu aspecto no dominante, hasta que encuentres ese exquisito equilibrio entre tú y la otra persona. Sólo has de procurar no ir demasiado lejos y demasiado rápido en otra dirección; has de darle tiempo a tu pareja para que se una a ti en el viaje. Si tu pareja suele ser la que inicia, y un día eres tú quien decide invertir los papeles, por ejemplo, seguramente ambos disfrutaréis mucho de esa iniciativa, pero ten presente que quizás a tu pareja le cueste un poco hacerse a la idea.

El sexo como medio para sintonizar el yin y el yang

El sexo es una forma estupenda de equilibrar el yin y el yang, dentro de ti y entre tu pareja y tú. En parte, porque es una excelente forma de mover el chi, y un chi que se mueve libremente es un requisito previo básico para equilibrar el yin y el yang.

Pero el sexo también tiene otro efecto directo en el equilibrio del yin y el yang, tanto en el momento como al cabo de un tiempo. El sexo puede ayudar al yin a transformarse en yang y al yang a transformarse en yin, restaurando así el equilibrio. Cuando una pareja no *sintoniza* de forma periódica su yin y su yang, individualmente y entre ellos, es más fácil que se produzca semejante desequilibrio que pueda llegar a crear problemas. Por el contrario,

---

❗ PRUEBA ESTO ESTA NOCHE: Meditación para la mañana y la noche

A mis pacientes les encanta este ejercicio, que está pensado para fomentar la conexión fuera del coito. También se centra en la proximidad, la armonía con uno mismo, la relajación, la intimidad y el sentimiento de unidad con la otra persona. Mueve el chi y tonifica el yin. Es un momento de silencio en tu día: una forma de meditación. Por la mañana te despierta y por la noche te relaja.

Así es cómo tenéis que hacerlo:

Empezad con algunos preliminares de calentamiento para producir suficiente lubricación para una penetración. Utiliza lubricante si es necesario. Abrazaros en la postura del misionero (el dragón, véase página 241). El hombre debe penetrar haciendo el mínimo movimiento posible para mantener la erección, pero no el suficiente como para eyacular. De hecho, ni siquiera importa si mantienes la erección o no; una vez estés dentro, los dos podéis estar quietos. Simplemente, experimenta estar ahí.

Y eso es todo. Continuad todo el tiempo que deseéis —unos minutos bastan—, compartid y disfrutad de la inmovilidad entre ambos. A veces, una pareja convierte esta práctica en sexo, y está bien, siempre que sea eso lo que queráis los dos, pero está diseñada para que concluya sin coito. Lo que no debéis hacer es empezar con el ejercicio y luego saltaros la parte lenta y apresuraros a practicar el coito. Si queréis obtener todos los beneficios, os aconsejo un poco de paciencia.

---

cuando dos personas restauran su yin y su yang, es fácil que se genere algún desequilibrio y que evolucione hasta crear problemas. Por otra parte, cuando dos personas restauran su yin y su yang, individualmente y entre ellos, también restauran sus libidos.

Asimismo, el sexo *une* el yin y el yang. El intercambio de energía entre una pareja, y la unión del yin y el yang, crea una poderosa experiencia de unión entre dos personas, donde la totalidad es mayor a la suma de sus partes. En los primeros tiempos de una relación, el sexo es una parte muy importante para *crear* el vínculo entre los dos. Con el tiempo, ya no necesitamos el sexo para *crear* el vínculo entre nosotros, pero lo necesitamos para que ese vínculo siga siendo fuerte. Cuando dejamos que se desvanezca, cometemos un gran error. El sexo une a dos personas —y sus energías— literal y físicamente; nada afianza una relación como el sexo.

Existe un peligro potencial en este intercambio de energía: no toda la energía que compartimos va a ser positiva. Incluso en la mejor de las relaciones corres el riesgo de compartir cualquier energía negativa que pueda tener tu pareja. Y todos tenemos alguna, al menos a veces. Y, según sea nuestro nivel de energía, negativa o positiva, nunca somos más vulnerables a la misma —o estamos más receptivas— que en el acto sexual. Cuando la energía es negativa, una inyección de la misma de ese modo puede despertar o intensificar tus aspectos negativos. O bien tendrás que emplear tu energía positiva para protegerte de la negatividad que te está entrando, cuando estoy segura de que tenías mejores planes para ella.

Las personas con un gran equilibrio interior pueden absorber la energía sin su toxicidad. Hasta pueden aceptar esa energía en su cuerpo y transformarla en positiva y reenviársela a su pareja. El sexo es una de las mejores formas de hacerlo. ¡Añádelo a la lista de razones por las que quieres mantener una libido saludable!

Más sexo en la vida real: Jess y Mike

Jess tenía deficiencia de yang y siempre estaba cansada, el sexo era lo último que se le pasaba por la cabeza. Cuando tenía relaciones sexuales, pocas veces llegaba al orgasmo y, en general, toda la experiencia le parecía bastante insatisfactoria. Tenía sexo de vez en cuando, pero me confesó que lo hacía sólo para hacer feliz a Mike, su marido.

Sólo pensar en el sexo la agotaba. Pero me dijo que notaba que se estaba perdiendo la proximidad física entre ellos y le preocupaba que su relación con Mike se viera perjudicada. Le sugerí la Meditación para la mañana y la noche. A Jess le gustó eso de una intimidad tranquila, supuso que Mike estaría al menos dispuesto a probarlo y me dijo que lo intentaría al menos una vez la semana siguiente. Cuando volvió a la consulta, estaba tan entusiasmada que casi no me podía explicar lo maravilloso que había sido. De algún modo, la idea de que se trataba de una meditación en lugar de sexo hizo que estuviera mucho más desinhibida, sintió que no tenía que esforzarse. Al final, consiguió sentir la conexión entre ambos: en realidad, a los pocos minutos se sintieron tan unidos y atraídos el uno hacia el otro que el sexo fluyó de un modo natural. Jess me contó que no tardó mucho en notar que su cuerpo respondía cuando Mike empezó a moverse dentro de ella. Me dijo orgullosa que, al no sentirse presionada, pudo sentir el orgasmo sin pensar en él.

 ## PARA LOS HOMBRES: ¿Que quieres que haga *qué* pero que no tengamos sexo?

Parece que los motivos para practicar la Meditación para la mañana y la noche son más obvios para las mujeres que para los hombres. Es una actividad muy yin, que significa que para algunos hombres puede resultar un tanto incómoda. ¡Ésos son los hombres para los que será más beneficiosa! Voy a darte la misma pista que les doy a mis pacientes, porque he escuchado infinidad de veces lo rápido que cambian de opinión sobre este ejercicio cuando lo prueban.

En primer lugar, se trata de una meditación, y pensar en él de este modo (en lugar de «no tener sexo») es la primera clave para entenderlo.

Puede que tengas que ser paciente con este proceso. Si al principio no te resulta muy gratificante, dale un poco de tiempo. Se trata de crear y reforzar la conexión, y eso no se produce al instante en todas las personas. No obstante, a muchos hombres les basta una experiencia de la Meditación para la mañana y la noche para tener claro por qué les atrae. Si no eres uno de ellos, recuerda: ya tendrás tiempo para otras cosas más tarde. Hacer el esfuerzo ahora, aunque ésta no hubiera sido tu primera elección, crea una fuerte conexión energética y consolida la relación, y por consiguiente mejora el sexo. Y luego está lo siguiente: retrasar el placer genera expectación, y, al final, crea más placer.

Los opuestos se atraen versus lo semejante atrae a lo semejante

Si quieres observar la naturaleza complementaria del yin y el yang, pasa algún tiempo en una relación de los *opuestos se atraen*. Dos personas pueden ser (o aparentar ser) opuestas en todo tipo de formas, pero, a menudo, esa oposición subyacente reside entre el yin y el yang. Habitualmente, se traduce en una mujer con dominancia de yin y un hombre con dominancia de yang, pero también puede ser al contrario. Y ocurre exactamente de la misma manera tanto si es entre personas del mismo sexo como de sexos contrarios.

En las buenas relaciones, los dos miembros se sienten cómodos en sus papeles de yin y yang. ¿De qué otro modo van a equilibrarse mutuamente en toda la gama de situaciones con las que se van a encontrar en su convivencia? Las relaciones en las que los opuestos se atraen (en el sentido del yin-yang) funcionan cuando los dos respetan sus aptitudes mutuas y cada uno puede recurrir a las del otro para compensar sus propias debilidades.

No obstante, hay zonas de riesgo en este contexto de los opuestos se atraen. Si uno o los dos componentes de la pareja tienen un exceso de yin o de yang, el acto de intentar equilibrarse mutuamente será precario en el mejor de los casos. También habrá problemas si uno de los dos está frustrado porque busca en su pareja que se parezca más a él, o si uno de los dos depende de la fortaleza del otro y nunca es capaz de utilizar sus propios recursos.

Ésta es la razón por la que, en algunos casos, las que funcionan son las relaciones en las que los dos son tal para cual. Las parejas en las que los dos son predominantemente yin o predominantemente yang suelen tener mucho en común desde el principio, y eso es bueno para crear vínculos. Aun así, esas relaciones pueden tener problemas con el tiempo, salvo que los dos puedan conectar con sus diferencias mutuas para compensar sus debilidades y reforzar sus aptitudes. Los dos han de tener todavía más desarrollada la facultad de acceder a su rasgo no dominante que en las relaciones de los opuestos se atraen. Sin eso, no podrán ayudarse el uno al otro cuando las cosas se pongan feas.

> *Las relaciones en las que los opuestos se atraen (en el sentido del yin-yang) funcionan cuando los dos respetan sus aptitudes mutuas y cada uno puede recurrir a las del otro para compensar sus propias debilidades.*

Más sexo en la vida real: Laura y Adrian

Laura y Adrian pidieron sus respectivas horas de visita en nuestra clínica para tratarse una serie de problemas de salud: síndrome premenstrual, menstruaciones dolorosas y migrañas en el caso de ella; y fatiga y dolor en las cervicales y en el hombro en el de él. Ambos tenían una larga lista de quejas respecto a su matrimonio. ¡No era casualidad!

Laura se quejaba de que Adrian no tenía iniciativa, y Adrian de que ella siempre le regañaba. Laura sentía que la pasividad de su esposo la ponía entre la espada y la pared; es decir, que siempre *tenía* que ser ella la que iniciara cualquier tipo de acción o, de lo contrario, «nunca pasaría nada en nuestras vidas». Adrian, por su parte, sentía que Laura le quitaba su poder, y su reacción era encerrarse más en sí mismo.

No es de extrañar que esta dinámica se contagiara a su vida sexual. Rara vez tenían relaciones sexuales y ambos estaban más que dispuestos a citar las razones: «Adrian no tiene suficiente paciencia para que yo llegue al orgasmo». «De todos modos, él nunca toma la iniciativa». «Siempre hay que tener sexo cuando ella quiere». «Es muy difícil de complacer, la mayoría de las veces prefiero masturbarme».

Para mí el patrón estaba claro: a medida que Laura se volvía cada vez más yang (extrovertida, agresiva, iniciadora), Adrian se volvía cada vez más yin (introvertido, pasivo, receptivo). Al estar los dos en los extremos, Adrian y Laura *habían* creado una especie de equilibrio entre ellos, pero de carácter precario, porque se había creado entre dos personas desequilibradas. Les expliqué que su estado actual de equilibrio era lo contrario de lo que debía ser: estaban encontrando el equilibrio yéndose cada vez más hacia los extremos, en vez de acercarse hacia el centro.

Para encontrar un equilibrio saludable, tanto Laura como Adrian primero tenían que empezar por concentrarse en ellos mismos (eso sucede en todas las relaciones, pero en su caso también era una forma de asumir la responsabilidad de sus propios problemas. Los dos le achacaban la culpa al otro de lo que les sucedía y de lo que sucedía en su relación). Les dije que observaran cómo los cambios que realizaban en ellos mismos favorecían el cambio en su pareja.

Les receté hierbas a los dos, para movilizar su chi y favorecer el equilibrio yin-yang, y también para tratar sus problemas de salud. Hablamos de las otras formas en que podían trabajarse su equilibrio interior. Laura decidió intentar ser más receptiva en su día a día, y no sólo en casa. Adrian optó por poner en práctica ser asertivo, también en todas las áreas de su vida.

Al cabo de unas semanas, Adrian y Laura empezaron a reencontrar su equilibrio físico y emocional, sus síntomas empezaron a desaparecer y pudieron empezar a ayudarse mutuamente a equilibrarse de formas más positivas. Laura ya no tenía tantos dolores de cabeza y los espasmos musculares de Adrian mejoraron. Adrian planificó algunas actividades y proyectos para los dos, y Laura había intentado acoplarse a ellos, *incluso* había dejado algunas tareas por hacer.

Al mejorar su salud y su relación, también mejoró su vida sexual. Adrian tomaba la iniciativa en el sexo por primera vez en *años*; a medida que se fortalecía su yang, le resultaba más fácil. Y Laura, con su nueva actitud de ser receptiva, respondía con gusto. Me explicó que intentaba ver la experiencia como un intercambio de energía entre ellos, en vez de pretender que Adrian hiciera las cosas a su manera. Y que se dio cuenta de que, al fluir de este modo, llegaba al orgasmo casi sin intentarlo: «Siempre había pensado que tenía que esforzarme mucho para llegar, o que Adrian tenía que esforzarse. Así que me sorprendió mucho cuando me vino tan fácilmente al *dejar* de intentarlo». Con su yin y su yang equilibrados internamente, Laura y Adrian pudieron cambiar la dinámica de su equilibrio de forma que fuera un apoyo para ambos en vez de debilitarlos cada vez más.

Cuando se pusieron al día con su vida sexual y ésta se volvió más satisfactoria, se acabaron de resolver todos sus síntomas. Mover su estancamiento para equilibrar el yin y el yang no sólo había despertado su deseo sexual, sino que su deseo sexual también había movido su estancamiento, mejorado su equilibrio y había mejorado su salud.

Signos de desequilibrio

Las relaciones, igual que las personas, muestran signos de desequilibrio. Cuando en una pareja uno es demasiado yin o demasiado yang, su desequilibrio creará desequilibrio en la relación, y el desequilibrio en la relación tiende a crear desequilibrio en el otro, pues esa persona está quemando su energía al intentar corregir el desequilibrio extremo del otro. La otra opción es que, cuando uno de los dos se descontrola, el otro se calla como respuesta para compensar la situación. De modo que, si bien a continuación he listado los *síntomas* del resultado del desequilibrio de una persona, en realidad se trata del patrón que se crea por la subsiguiente cadena de reacciones.

No los verás *todos* en ninguna relación (¡eso espero!), pero es probable que sí encuentres varios de ellos.

Cuando uno de los dos tiene poco yin (es decir, demasiado yang), en el sexo suele haber:

• Desconexión

• Desincronización en la rapidez (o lentitud) en que se excita la pareja

- Precipitación
- Desincronización en las ganas que tienen cada uno
- Insatisfacción o falta de apoyo emocional

Y en la relación y/o la pareja puede haber:

- Falta de intimidad
- Muchos conflictos
- Dominancia de uno de los dos
- Falta de apoyo
- Mucha ansiedad, resentimiento, insensibilidad, frustración, irritabilidad y/o necesidad
- Inflexibilidad o falta de compromiso
- Desorganización
- Carencia en saber escuchar
- Incompetencia en expresar las emociones
- Descuido por parte de uno de los dos en satisfacer sus propias necesidades, perderse en la relación, dar más de lo que puede dar y que el otro se sienta insatisfecho
- Aprovechamiento por parte de uno de los dos respecto al otro (o que uno de los dos se *sienta* utilizado)
- Falta de empatía
- Dificultad para comprometerse
- Agresividad o incluso violencia
- Falta de flexibilidad

Cuando uno de los dos tiene muy poco yang (es decir, demasiado yin), el sexo suele ser:

- Escaso por la falta de iniciativa de uno de ellos
- Escaso por la falta de interés

- Escaso debido al cansancio
- Lento para activarse
- Excesivamente dependiente

Y en la relación y/o la pareja puede haber:

- Aburrimiento o falta de excitación
- Ir a la deriva
- Falta de energía
- Resistencia al cambio
- Resistencia a adaptarse al cambio
- Falta de apoyo
- Falta de expresión de las emociones
- Inquietud, pesimismo, desesperanza, pasividad-agresividad, preocupación, obsesión, introversión, secretismo, distancia, frialdad y rechazo
- Falta de creatividad
- Falta de motivación o de ambición
- Falta de liderazgo, o que sólo uno de los dos lleve las riendas
- Dominancia por parte de uno de los dos
- Problemas cuando uno de los dos se centra demasiado en sus propias necesidades y el otro se siente utilizado
- Agotamiento
- Introversión
- Demasiado cansancio para hacer nada al respecto
- Problemas para marcar unos límites
- Demasiada afición a estar en casa, o falta de acuerdo respecto a cuántas ganas de salir de casa tiene uno de ellos
- Descuido del aspecto físico
- Desviación de la energía; en lugar de orientarla hacia la relación, hacerlo en otras cosas, como la profesión o una afición

¿Está estancada tu relación?

El estancamiento de chi se puede producir tanto individualmente como entre dos personas. Y —no debería extrañarnos— el estancamiento de chi en una pareja afectará a su equilibrio yin-yang. Esto es lo que suele suceder:

- Falta de comunicación
- Falta de conexión
- Conducta inestable, alternar entre ser el receptor y el dador
- Periodos de encerrarse en sí mismos
- Tremendas discusiones
- Emociones reprimidas
- Periodos de estallidos emocionales

PARA LOS HOMBRES: saca lo mejor de ti

El equilibrio no se encuentra sacando a relucir las debilidades de tu pareja. Tampoco se trata solo de reforzar las debilidades. A veces, las parejas se inspiran el uno al otro para sacar lo mejor que tienen. A veces, simplemente te das cuenta de que eres mejor persona cuando estás con tu pareja. Esto es un poderoso vínculo. ¿Quién no quiere estar con una persona que saca lo mejor de uno mismo? ¿Quién te hace sentirte (y actuar) como la persona que quieres ser? O ¿quién te despierta el deseo de ser esa persona?

Este sentimiento es una manifestación del equilibrio entre el yin y el yang entre dos personas. Estar con otra persona que tiene una energía que te complementa puede hacer que te sientas un poco incómodo, pero eso no significa que no estés bien. De hecho, puede ser una especie de revelación; tú sabes ciertas cosas respecto a ti, y de pronto, ¡bam!, con otra persona en tu vida puedes descubrir otro de tus aspectos y darte cuenta de que eres más dinámico de lo que suponías. Y todo esto tal vez hubiera permanecido oculto si vuestros caminos no se hubieran cruzado.

Esto sucede en cualquier tipo de relación, pero creo que a veces es más evidente para los hombres, especialmente para los hombres que son muy yang y que con una pareja encuentran la forma de sintonizar con su yin. Tener un respiro de tanto yang, de la emisora fija, puede suponer un alivio. Ese momento en que miras a la otra persona y te das cuenta de que *esa persona hace que tengas ganas de ser mejor...*, bueno, no hay muchas cosas que se puedan equiparar a ese vínculo emocional *y* que sirvan para que la conexión sexual se vuelva más profunda.

Así es; si tu vida sexual está de capa caída, para volver a reanudarla no es necesaria ropa interior sexi, unas caras vacaciones o cualquier cosa externa a vosotros dos. No hay nada de malo en hacer una visita a Victoria's Secret, Turks o Caicos, si te sales con la tuya, pero lo que *realmente* es excitante es utilizar tu vínculo con tu pareja para compartir e intercambiar vuestra energía, apoyaros e inspiraros mutuamente para lograr nuevos objetivos, dentro y fuera de la cama.

El conflicto entre el yin y el yang

Uno de los grandes beneficios de equilibrar el yin y el yang en tu relación es cómo te prepara para manejar el conflicto. En todas las relaciones hay conflictos. Y pueden ser la causa de que se apague la pasión, a corto y a largo plazo, pero no tiene por qué ser así. Las parejas que saben manejar sus conflictos de manera constructiva y con compasión estrechan su vínculo.

El conflicto es inherente e inevitable en el yin y el yang (como lo es estar juntos). No obstante, también despierta emociones fuertes. Quizá te consuele saber que es otra forma de mover la energía entre dos personas, y, como sucede cuando hay energía en movimiento, ésta se puede transformar. El conflicto es una forma de hacer sitio para que surja algo nuevo. Puede que no siempre nos lo parezca, pero el conflicto es una oportunidad de crecimiento, en tu interior y en tu relación.

La mayoría de las personas tienen algún tipo de respuesta al conflicto. Las personas con tendencia a la deficiencia de yin se agitan, mientras que las que tienen tendencia a la deficiencia de yang se encierran en sí mismas. Las personas con estancamiento de chi o se lo guardan todo o explotan.

Cuando una pareja está en armonía, cada uno individualmente y entre ellos, pueden afrontar los conflictos con calma, estar cómodos con sus emociones (y con las de su pareja) y respetar la postura de la otra persona. Para ellas es más importante encontrar una solución que *tener razón*. Se comprometen, y, cuando el conflicto se ha acabado, pasan página, perdonan y olvidan. Tal vez no te sientas muy atractiva cuando te estás peleando, pero superar juntos la crisis puede que sí te encamine hacia ese estado. Ya sabes, sexo para hacer las paces.

El sexo no es aburrido, pero quizá tú estés haciendo cosas aburridas

Ahora es un buen momento para recordar que tu yin y tu yang están en un equilibrio *dinámico*, siempre cambiante: hoy será diferente de ayer y diferente de mañana; probablemente, a diferencia del sexo con una pareja estable. Para muchas de mis pacientes, el aburrimiento es una de las grandes razones por las que creen que no están interesadas en el sexo. Muchas dicen que están aburridas de sus parejas, pero lo que en realidad les sucede es que están aburridas de su rutina sexual. Es el aburrimiento de las parejas que han caído en la monotonía en su relación sexual sin centrarse en su conexión emocional (y energética). Es muy probable que exista estancamiento de chi, un estancamiento muy literal. También he observado esto en pacientes con deficiencia de yin o con exceso de yang (o en relaciones que son así): el yang está estructurado y es relativamente rígido. Si tu vida sexual también lo es, puede ser un signo de deficiencia de yin y un atajo hacia el aburrimiento.

Afortunadamente, no se trata de un asunto sobre la relación o sobre la persona con la que mantienes esa relación, sino de hacer siempre lo mismo, sin innovar nada. Esto tiene una solución muy simple: *cámbialo*.

También te alegrará saber que el yang es el responsable de los cambios. De modo que, si hasta ahora te ha conducido a quedarte estancada, también puedes usarlo para salir de ese estado, a través de conectar con tu energía natural de un modo ligeramente distinto. Puedes usarlo para que se te ocurra algo innovador. Porque, seamos claros: hasta las *técnicas* más eficaces se gastan con el tiempo.

Por favor, no pienses que te estoy sugiriendo sexo acrobático ni nada que se le parezca; hay infinidad de formas en que nosotras, las simples mortales, podemos ponerle sal al asunto, sin tener que fingir que somos estrellas del porno o gimnastas. No obstante, si estás dispuesta a ello, adelante, no te cortes: nata montada, vendar los ojos, lo que sea. Pero es muy probable que lo que necesites sea un cambio de rutina. Practicad el sexo por la mañana si siempre lo hacéis por la noche. Prueba a ponerte encima, si es tu pareja la que está siempre en esa posición. Besa una parte del cuerpo de tu pareja que sueles descuidar. Probablemente, en las primeras etapas de vuestra relación, probasteis muchas cosas mientras estabais conociendo vuestros cuerpos. No podéis volver a ese exquisito sentimiento de *nuevo y diferente* que se tiene al iniciar una relación, pero hacer lo que hacen las parejas que se acaban de conocer puede ayudar mucho a mantener el interés.

Añadiré que el sexo *no* es una buena manera de huir del aburrimiento en la relación (aparte de tu vida sexual). Evitar un problema nunca es una buena idea a largo plazo; lo mejor es afrontarlo para poder resolverlo. Sea como fuere, el sexo cuya finalidad es evitar el aburrimiento es fácil que se vuelva frío y que agote tu energía en vez de aumentarla.

 PARA LOS HOMBRES: la pornografía

Una de las sorprendentes causas —y sorprendentemente común— de la pérdida de la libido en los hombres es la pornografía. Y no sólo de la pérdida de la libido: las últimas investigaciones revelan que abusar de la pornografía, y en particular por Internet, puede provocar disfunción eréctil, incluso (*especialmente*) en hombres jóvenes a los que les faltan *décadas* para que les suceda eso.

La pornografía no es un problema en y por sí mismo. El problema suele *estar* en cómo se usa. Cuando se usa la pornografía para crear más conexión entre la pareja, entonces está bien, puede incluso ser positiva. No obstante, lo más habitual es que te distraiga y te impida entablar esa conexión energética.

El problema de ver pornografía es que no recibes nada a cambio. Sin embargo, la energía sexual sale de la persona que la está viendo. Y la mayoría de las veces no hay nadie a tu lado para recibirla y devolvértela. Ver pornografía juntos —siempre dependiendo del uso exacto que hagamos de ella— puede encender la llama en una pareja, y eso es bueno. Pero, si entonces no hacéis la transición a estar juntos, en vez de relacionaros con una pantalla o con imágenes irreales, el sexo no podrá generar esa conexión. De hecho, los dos *perderéis* vuestra energía sexual. No pasa nada si sólo sucede de vez en cuando, pero si se convierte en una rutina, tendréis problemas.

Ver pornografía en solitario puede ayudarte a equilibrar una relación, si uno de los dos tiene más ganas de sexo que el otro, o cuando tenéis que estar separados durante un tiempo o ayudarte a canalizar tu energía si no tienes pareja. Pero la línea divisoria entre eso y el uso de la pornografía de modo que cree distanciamiento entre dos personas más que conexión es muy delgada.

Por otra parte, la pornografía es en gran medida la responsable de las exageradas expectativas sexuales que hay actualmente en nuestra sociedad. El grueso de la pornografía presenta sólo sexo entre gente joven escultural en todos los escenarios posibles menos los que se utilizan a diario en los hogares del común de las personas. Creo que vídeos como *Vamos a practicar sexo si conseguimos que los niños se vayan a la cama, Tareas domésticas como preliminares* o *Vamos a probar una postura nueva, con ésta me duele la espalda*, no serían muy comerciales. Es fácil insensibilizarse a la verdadera sexualidad humana con las versiones adulteradas de la realidad que nos presenta el porno. Hay hombres que me han dicho que veían mucha pornografía y eran incapaces de excitarse con su pareja real; lo cual se agravaba por la aversión a los intentos de su pareja de imitar la pornografía. Compaginar sin excederse la vida real con la pornografía es todo un reto.

Pregúntate: ¿qué es lo que esperas conseguir con la pornografía? ¿Consigues lo que realmente deseas? ¿Es una buena forma de conseguirlo? Si tu objetivo es sólo aliviarte, la pornografía puede cumplir su función si eso es lo único que deseas. Pero los pacientes me suelen decir que ven pornografía para conectar con sus parejas o para mitigar el aburrimiento. Y reconocen que, por satisfactoria que sea al momento, la pornografía es muy repetitiva, y, por tanto, tampoco es un gran antídoto contra el aburrimiento.

Si crees que estás usando la pornografía de forma que interfiere en tu vida sexual, prueba esto: apárcala durante dos semanas y observa el efecto sobre tu libido y tu satisfacción sexual. Entretanto, haz algo para conectar (en los capítulos siguientes proponemos muchas opciones), *especialmente*, si sientes que te falta algo mientras ayunas de porno.

Descifrar la *falta de atracción*

Algunas personas que están aburridas de sus experiencias sexuales interpretan erróneamente ese sentimiento como falta de atracción hacia sus parejas. Pero la falta de atracción es en realidad un problema distinto, con una solución distinta. Eso no lo vas a resolver probando un ingenioso truco nuevo en la cama (y, si es así, entonces es que no era falta de atracción, sino aburrimiento).

La *falta de atracción* tampoco es siempre lo que parece. A veces, la causa subyacente es la ira o el resentimiento, y, en esos casos, el estancamiento de chi. También puede ser más una falta de *motivación* (y una deficiencia de yang) o falta de receptividad (y deficiencia de yin). En todos estos casos, no es que haya desaparecido la atracción, sino más bien que hay algo que la está ocultando o bloqueando. La mayoría de las veces, volver a movilizar el chi, recuperar el equilibrio y concentrarte en tus sentimientos de ternura y compasión por tu pareja te permitirán desenterrar y volver a conectar con la atracción subyacente.

Considera este proceso como si fuera la búsqueda de un tesoro. Ninguna de nosotras podemos reivindicar los mismos encantos visuales que teníamos cuando éramos más jóvenes, delgadas y menos arrugadas. Debemos ir más allá del fijarnos solo en el aspecto superficial, para llegar al aspecto más profundo e importante. En una relación madura, el vínculo sexual —y la atracción— se basan en la intimidad, el cariño, la seguridad, el afecto, la experiencia compartida y el apoyo mutuo... con una pizca de «¡qué bien estás!». Por tanto, si alguno de estos aspectos se pierde por el camino —si, por ejemplo, hay varios kilos de más de «qué bien estás»—, todavía quedan otros factores de unión.

Sin embargo, puede haber temas que valga la pena comentar con tu pareja. Piensa en las cosas en que consideras que tu pareja se ha abandonado y que más llaman tu atención. ¿Está conforme con eso o no se da cuenta? ¿Está deprimido, le falta motivación o no está contento con su vida? Piensa también en tu interior. ¿Estás preocupada con razón por la salud de tu pareja? ¿Estás proyectando cosas sobre tu propio cuerpo? ¿Se trata de tu propia autoestima? ¿Necesitas que tu pareja tenga cierto aspecto para sentirte bien contigo misma? Háblalo con ella. Ve al grano y no critiques: «Te quiero y quiero sentirme atraída hacia ti, pero tu dejadez respecto a tu aspecto físico está afectando a nuestra relación y quisiera que habláramos del tema».

Hacer juntos algo físico que *no* sea sexual es muy útil. Id juntos al gimnasio, a clases de yoga, haced un cursillo de kayak, trabajad en el jardín, salid a pasear. Seguramente descubriréis que os sentís mejor —y más atractivos— por el mero hecho de realizar alguna actividad positiva y *compartir* algo nuevo, que sea un reto para vosotros, os dé energía o os relaje, aunque no cambie el aspecto físico de ninguno de los dos. También podéis tener una experiencia parecida cocinando juntos comidas saludables o haciendo cualquier otra cosa que os tonifique físicamente.

Manejar la atracción exterior

La otra forma en que la atracción causa problemas entre dos personas es, por supuesto, cuando una de ellas se siente atraída hacia otra. *Ceder* a la atracción por una persona nueva cuando estás comprometido con otra es un signo alarmante de desequilibrio dentro de tu relación (y probablemen-

El sexo y la oleada de emociones

El sexo a veces puede provocar una oleada de emociones (de hecho, cualquier caricia íntima puede hacerlo). Esto suele suceder cuando el sexo es bueno, cuando hay conexión, un espacio íntimo para que las emociones fuertes fluyan sin riesgo.

Los sentimientos que surgen pueden ser sobre tu pareja, sobre tu relación, sobre el sexo en general, o puede que nada tengan que ver con lo que está sucediendo en ese momento. La explosión puede estar relacionada con sentimientos del pasado o puede ser una respuesta a acontecimientos actuales. A veces, sólo es una explosión de emoción pura y dura, sin ningún motivo específico. Puede que no te sorprenda si en esos momentos estás atravesando una etapa de emociones fuertes. Pero también puede presentarse sin previo aviso. Si piensas en ello, tampoco es tan extraño que una experiencia que puede llegar a ser tan intensa, vulnerable y emotiva pueda despertar por sí misma sentimientos de profundidad similar.

Si experimentas una explosión emotiva de esta índole, haz una breve pausa y respira profundamente dejando que se vayan esos sentimientos como si fueran nubes. Si hay alguna zona o técnica que te parece que puede haber sido la causante de los mismos, déjala aparcada por el momento (pero no dejes de regresar a la misma en otra ocasión). No aporta ningún beneficio intentar *forzar* nada que no nos ayuda a sentirnos bien, tanto física como emocionalmente. Respeta las respuestas de tu cuerpo siendo amable contigo misma.

Si lo prefieres, puedes comentarle a un terapeuta por qué, cómo y cuándo afloran estas cosas. La explicación de la medicina china es que, cuando la energía sexual hace circular el chi estancado, libera emociones enterradas. Sea como fuera, hablarlo con *alguien* probablemente sea la mejor respuesta. Tu pareja queda nominada a ser el primer oyente. Lo importante es seguir adelante y permitirte esos sentimientos. Experiméntalos, exprésalos.

Si eres la pareja de alguien que ha tenido una de estas respuestas emocionales intensas al sexo, esto es lo que has de hacer: escuchar, sentir empatía, animarla, reafirmarla, prestarle atención, demostrar tu preocupación por ella. En cuanto a las emociones en concreto, mejor que estén fuera que dentro. Además, ¡está bastante claro que nadie va a seguir con el sexo hasta que se haya calmado todo! Y así es cómo debe ser, este tipo de sentimientos tan fuertes se han de procesar antes de seguir. Cuando ya lo hayáis hecho, retomad el tema donde lo habíais dejado.

te en tu interior). Pero el mero hecho de sentir atracción no lo es, o no tiene por qué serlo. Comprometerte con una persona no significa que siempre te vayas a sentir atraída/o sólo hacia ella, pero sí has de saber lo que debes hacer al respecto —lo que quieres hacer al respecto— cuando se produzca. Ése es un aspecto importante en una relación sana.

Hay mucho en juego. Toda tu relación peligra. Y, si crees que *sólo* se trata de sexo, deberías saber que, cuando el sexo *embauca*, siempre te agota en lugar de revitalizarte. Despilfarras tu energía cuando la dispersas por todas partes. Eso merma tu relación primaria: tienes menos energía para dar, así como menos energía para ti. El sexo con la persona nueva tampoco será como debería ser, por la misma razón: parte de tu energía está excluida de la misma.

Querer tener más de una relación a la vez suele ser un intento de disfrazar un verdadero miedo a la intimidad con otra persona, a la verdadera conexión, o incluso miedo a conocerte a ti mismo. ¿Sabes una cosa? Ceder a la atracción externa no arreglará el desequilibrio o el miedo, solo creará más problemas y/o agudizará los que ya existen.

Así que pregúntate: ¿qué necesidades estoy intentando satisfacer al buscar otra relación? Sé sincera contigo misma si hay algo que intentas evitar. ¿Supone la atracción externa liberarte de la rutina y de la responsabilidad, por ejemplo? Eso es bastante habitual, pero las personas que hacen esta asociación no suelen tenerlo demasiado claro. Vale la pena considerarlo con detenimiento. La fase siguiente es pensar las maneras en que puedes satisfacer tus propias necesidades, y las de tu pareja, y trazar un plan para conseguirlo.

Si ya has dado algún paso hacia esa persona externa —o si eres tú la engañada—, las preguntas básicas son las mismas: ¿se ha acabado esta relación o es más fuerte que este incidente? ¿Podemos seguir adelante? ¿Quiero hacerlo? ¿Qué es lo que pretendo? ¿Qué puedo hacer para reparar el daño que he hecho? ¿Estoy haciendo una tontería? Engañar es romper un contrato, e, igual que en los negocios, cuando eso sucede, o se ha acabado todo o se vuelve a negociar.

Para *renegociar* puede hacer falta la ayuda de un terapeuta o de una tercera parte. La terapia puede consistir en aprender a procesar los sentimientos de traición y decidir si quieres perdonar. Sea como fuere, no sólo tendrás que sentir tu dolor, sino también escuchar a tu pareja, aunque sea ella la que te ha engañado. Tendrás que averiguar qué es lo que él pensaba e intentaba conseguir con el engaño. Si quieres salvar la relación, tendrás que hacer un plan para restablecer la conexión entre tu pareja y tú, y aprender a confiar de nuevo en ella. El engaño interrumpe la conexión energética gravemente, y los dos tendréis que trabajar mucho para recuperarla. Se puede hacer, pero ni es fácil, ni fortuito ni se puede hacer en solitario.

 PARA LOS HOMBRES: nunca es una sola cosa

En el caso de los hombres, se solapan muchas cosas y entre ellas el aburrimiento, la falta de atracción, la atracción externa e incluso el propio engaño.

En general, somos más proclives a querer conocer nuevos horizontes. Eso no quiere decir que lo hagamos, ni que todos lo hagamos. Pero, en general, los hombres tenemos más energía yang, y la energía yang se mueve hacia fuera. Negar esto es un error, como lo es dejarse llevar por esta tendencia. Hemos de reconocerlo y hacer algo al respecto. Tal vez sientas el impulso, pero has de decidir conscientemente lo que vas a hacer.

A menudo, el aburrimiento es la causa del engaño y de la falta de atracción. Lo que te estoy diciendo es esto: si te aburre tu relación sexual, tendrás que hacer algo. Algo *con tu pareja*. Sé proactivo. Descubre cosas nuevas que podáis hacer juntos. Sorprende a tu pareja (no con algo muy diferente, los grandes cambios merecen una charla). Reconoce tus puntos fuertes, pero no te duermas en los laureles.

Si te ocupas del aburrimiento que sientes, lo que pensabas que era falta de atracción puede desaparecer. Puede que también veas a tu pareja con nuevos ojos, con tus ojos *antiguos*, con los que la mirabas cuando la conociste. Si estás comprometido con todos los demás aspectos de esta persona y de tu relación, y sigues concentrándote en tu amor, tras reflexionar sobre ello quizá te parezca que la *falta de atracción* no sea problema. Has de tener una visión general y asignarle a la atracción física la importancia que se merece.

No me malinterpretes: la atracción física es importante. Probablemente, fue muy importante al principio para que estuvierais juntos, y no cabe duda de que puede subir el voltaje de vuestra relación fuera y dentro del dormitorio. Pero la atracción física no viene *sólo* del aspecto externo. Y algunas arrugas o el mal humor no pueden echarlo todo a perder en una relación que se precie.

No obstante, estamos bajo el bombardeo constante de imágenes sexuales que no se parecen mucho a nuestras parejas en la vida real. Por este motivo, no es improbable que se distorsionen nuestras ideas sobre el atractivo de una mujer, pero no te dejes influenciar. Luego piensa: ¿vas a obsesionarte con su barriga cuando la tuya no es precisamente un ejemplo de tableta de chocolate? Lo que es aún más importante, ¿vas a obsesionarte con su barriga cuando en unos minutos se te ocurren tantas cosas buenas sobre ella?

Sentir que puedes llegar a engañarla, o que te gustaría hacerlo, no significa que lo hagas, pero sí que debes ir con cuidado. Si estás tentado de engañarla, rápido, antes de abrir la boca o bajarte la cremallera, plantéate: ¿por qué? Averiguar qué es lo que está pasando y cómo puedes solventarlo antes de que vayas demasiado lejos es una deuda que tienes contigo mismo y con tu pareja. *Antes de hacer nada, piensa en lo que te juegas.* Ésa es tu responsabilidad con tu relación. ¿Por qué lo haces (piensas en ello)? ¿Qué es lo que buscas? ¿Vale la pena?

En la mayoría de mis pacientes, casi todas las respuestas están relacionadas con algún desequilibrio que les ha conducido a una falta de conexión con su pareja. O con un desequilibrio interno que les ha conducido a buscar una experiencia externa para sentirse completos, huir del sufrimiento o recuperar la autoestima.

El estancamiento de chi suele estar presente en la mayoría de los casos de engaño (o posibilidad de engaño), la energía no fluye lo bastante bien entre la pareja como para mantener una conexión sólida. Es bastante habitual que la ira y el resentimiento que se han almacenado con el chi se utilicen para justificar el engaño. Esto es más fuerte en los hombres que tienen más tendencia al estancamiento, el estrés y la frustración. Los hombres que tienden a la deficiencia de yang, suelen responder a la tentación de engañar reprimiéndose. Los que tienden al exceso de yang es más probable que expresen esos sentimientos de alguna manera.

Lo que suelo escuchar más a menudo de los hombres que están luchando contra la tentación del engaño es que, aunque tengan muchas opciones ahí fuera, y muchas tentaciones, la mayoría prefiere quedarse con su pareja, con la pareja que les ha apoyado, con la que han llegado tan lejos. Aunque no sea eso lo que pienses, el engaño no será nunca el Camino Correcto. Sin embargo, no puedes equivocarte si decides hacer algo para restablecer tu conexión con tu pareja, por mejorar la comunicación, por hacer frente al aburrimiento o a la falta de atracción y concentrarte en lo que en realidad es importante. Probablemente, eso apartará cualquier pensamiento de engaño de tu mente o impedirá que lleguen a instaurarse. Esto nunca lo lamentarás.

Siempre que te acechen los sentimientos de aburrimiento, falta de atracción, atracción externa o engaño, así es cómo puedes concentrarte en cuidar tu relación:

Obsérvate tú primero. Sé sincero contigo mismo respecto a la finalidad de tus pensamientos, de cualquier índole. No puedes cambiar a tu pareja, pero puedes cambiar tú (cuando lo hagas, es muy probable que tu pareja cambie su respuesta).

Identifica tu desequilibrio. Evalúa el yin y el yang de tu relación y todo lo que puede que no esté en orden.

***Hazte responsable* de tus opiniones**. Responsabilízate de tus opiniones y expectativas de una situación y cámbialas, si es necesario, para que sean respecto a ti. Por ejemplo, si piensas: «Mi marido es un holgazán», cambia a: «No me gusta el desorden en el dormitorio». Una forma de mantener el equilibrio es asegurarte de que no lo estás poniendo todo en el mismo lado de la balanza.

Concéntrate en lo que te gusta de tu pareja. Enumera tres cosas que te gusten de ella y concéntrate en ellas. Practica albergar sentimientos tiernos, sin críticas y compasivos hacia los *defectos* de tu pareja, como te gustaría que él los tuviera hacia ti. Resuelve todo lo que puedas y olvídate del resto.

Comunícate. Habla con tu pareja de lo que necesitas —y de lo que él necesita— y ved juntos de qué forma podéis satisfacerlo. Busca el equilibrio entre satisfacer las necesidades de otra persona y obtener el amor que deseas.

Confía en que tu relación cambiará cuando sea necesario. La única razón por la que merece la pena crear un vínculo energético entre dos personas es que puedas confiar en el mismo cuando lo necesites.

Sé una caja de resonancia para tu pareja, en los dos sentidos de la palabra. Sé receptiva a sus pensamientos y emociones y ayúdale a probarlos y entenderlos. Pero sé también el reflector que sirva para proyectar lo mejor de tu pareja al mundo en su forma más potente. Los dos roles exigen la combinación del yin y el yang. Cuando tu pareja haga lo mismo por ti, habrás encontrado el equilibrio.

No aceptes cualquier energía de tu pareja. Si es positiva, adelante. Pero ten cuidado con cualquier energía negativa, salvo que estés en una situación en que seas capaz de neutralizarla o incluso de transformarla en algo positivo. Eso requiere un equilibrio excelente por tu parte, pero sólo puedes aceptarla si sabes que podrás manejarla.

Ponte manos a la obra. Las cosas no se resuelven por sí solas. En todas las relaciones, se ha de trabajar algo, y has de estar dispuesta a hacerlo si quieres resolver los problemas. Tú formas parte de crear la solución.

Buscad un punto medio. Existe un lugar neutro entre los límites que tú has establecido y el territorio que regenta tu pareja que es aceptable para ambos. Encontraos allí. En el taoísmo, esto se denomina Camino Intermedio, y este tipo de equilibrio es esencial en la filosofía china.

Confiad en vosotros mismos para resolver los conflictos en vuestra relación: ahora sabéis que vuestra relación puede sobrevivir a las dificultades y a los desacuerdos. Resolver conflictos juntos genera confianza.

Descarga tensión cuando las cosas se ponen difíciles. Haz alguna actividad física. Hablad entre vosotros. Habla con algún amigo o amiga, o lleva un diario personal. Corta un poco con la rutina para ver las cosas desde otra perspectiva y quizá para respirar aire fresco. Algunas o todas estas cosas os ayudarán a mover el chi para que podáis recobrar el equilibrio.

Pregúntate si realmente es un conflicto o una calamidad. El *catastrofismo* mental de un hecho sólo empeora las cosas y hace que la situación dure más. No tengas reacciones exageradas con tu pareja. No dejes que ningún pensamiento negativo se consolide en tu interior. Reconoce la gravedad de lo que está sucediendo y afróntalo para que una pequeñez no degenere en algo grande. Si es pequeño, no hagas que sea grande. Pero dedica a las cosas la atención que merecen.

LISTA PARA HACER(LO): conecta y armonízate con tu pareja

Hay algunos consejos y trucos rápidos que puedes usar para equilibrar e intercambiar tu energía con tu pareja ahora, y, cuando hayas recopilado suficientes de ellos, podrás construir algo duradero. Tener sexo es uno de ellos, que a estas alturas ya no debe extrañarte. Tened relaciones sexuales y moveréis el chi y armonizaréis de nuevo el yin y el yang entre vosotros, reforzando vuestra conexión. La experiencia de intimidad es especialmente poderosa cuando las circunstancias conspiran para separaros, así que no hay mejor momento para el sexo que cuando las cosas se ponen feas. (Advertencia: el sexo no puede sustituir el trabajo conjunto que tenéis que hacer para resolver algo. Además, no es una buena idea tener sexo cuando tú, tu pareja o ambos estáis en estados emocionales muy extremos). Si todavía no estáis preparados para el «simplemente hazlo», lo que sugerimos a continuación os ayudará a prepararos o aumentará los beneficios que hayáis acumulado cuando estéis dispuestos para ello.

➜ **Haz un esfuerzo** en lo que respecta a tu vida sexual. No tienes que hacer todas las virguerías que hiciste cuando no sabías que ibas a compartir lecho todos los días con esa persona. ¡No tener que hacer eso es uno de los principales placeres y privilegios de una relación estable! Pero procura que los dos os sintáis satisfechos con lo que os condujo a la cama, tanto mental como físicamente.

➜ **Cambia las cosas** en tu rutina sexual. Cualquier cosa. Si no habéis cambiado nada las últimas veces que lo habéis hecho, hacedlo ahora. Si siempre cambiáis algo cuando tenéis sexo, no lo hagáis y observad adónde os conduce esa actitud. Quizá podéis probar alguna postura nueva del capítulo 13.

➜ **Sorprende a tu pareja**. A muchas de mis pacientes les da miedo hacer el ridículo o les da vergüenza protagonizar una sorpresa sexual, pero a sus parejas suele encantarles.

→ **Practica cualquiera de las respiraciones, meditación o ejercicios de masaje** que has aprendido a hacer en solitario, pero ahora hazlo con tu pareja (véase capítulos 6 y 7). Todo ello te ayudará a equilibrar e intercambiar energía. Sincronizar vuestras respiraciones (página 184) es una elección especialmente indicada para conectar y equilibraros.

→ **Besaros**. Cuando las personas se aburren en su relación, ésta suele ser una de las primeras cosas que desaparecen. O ¿quizá nos aburramos porque hemos dejado de besarnos? Bueno, eso no importa: en el capítulo 11 hay muchos consejos para que volváis a besaros.

→ **Probad un polvo *rápido***. Muchas veces, lo que nos parece falta de atracción es un tipo de bloqueo sexual. Un polvo rápido puede ser una buena forma de que las cosas vuelvan a su cauce. Y, en el supuesto de que un polvo rápido suponga un cambio de ritmo para ti, también puede ser una forma de combatir el aburrimiento. Probadlo en un sitio que no sea el dormitorio, si es vuestro lugar habitual para el sexo. (Véase En defensa de los polvos *rápidos*, página 225.)

→ **Probad la Meditación para la mañana y la noche** (página 189) para reforzar vuestra conexión. Es especialmente indicada después de un conflicto.

11

Volver a besarse y mucho más

El arte perdido de los juegos preliminares

Hagas lo que hagas, no te saltes este capítulo. ¡Si quieres saltarte algo, que sea el resto del libro, pero no este capítulo! Si lo haces así, te diría que todavía tienes unas posibilidades razonables de restaurar tu libido con sólo el contenido de este capítulo. (Aunque, por supuesto, estarás mejor —y serás más feliz— haciendo lo que exponemos en este capítulo, ¡cuando hayas comprendido las reflexiones y estrategias del resto del libro!). No podemos subestimar la importancia de los juegos previos, ni el número de parejas que sufren problemas sexuales por la carencia de los mismos. Con los besos sucede algo muy parecido. Los besos por sí solos y como parte del juego previo.

Besar

Besar es una de las formas de conectar sexualmente. Provoca intensas reacciones físicas y emocionales en el cuerpo. Reduce los niveles de cortisol, la hormona del estrés, y aumenta los de la oxitocina, la hormona que fomenta la unión. Así es como, en términos químicos, besarse induce a la relajación y genera conexión.

Besarnos nos acerca, literal y emocionalmente. Es casi lo más íntimo que puedes hacer. Los labios y la lengua tienen una gran sensibilidad. La piel de los labios, por ejemplo, es la más fina de casi todo el cuerpo, y debajo de la misma, hay más neuronas sensitivas que casi en ninguna otra parte. Besarse es un activador sensual y sexual: besar nos calienta para el sexo.

Besar nos excita porque básicamente estimula la energía yin, que desciende desde la boca hasta los genitales. Besar, en particular con la lengua, no sólo produce placer, sino apego. Lo que la medicina occidental atribuye a la oxitocina, la medicina china lo atribuye a que la boca y la lengua están conectadas con el corazón.

Los taoístas de antaño enfatizaban el beso como medio para que dos personas conectaran energéticamente y como forma de intercambiar chi. Besar estimula el yang y el yin, armoniza el yin y el yang facilitando la conexión entre las dos personas. La única forma de mejorar esto es en el coito.

Sin embargo, aunque la mayoría de las relaciones íntimas empiezan por los besos, y con muchos, es bastante habitual que con el tiempo los besos queden excluidos del repertorio. No creo que sea una coincidencia que las relaciones se vuelvan menos apasionadas cuando empiezan a faltar los besos. La relación ya no es tan vibrante ni tan completa. El estado de tu *actividad besuquil* es un indicador bastante fiel del estado de tu vida sexual.

No creo que sea una coincidencia que las relaciones se vuelvan menos apasionadas cuando empiezan a faltar los besos. Por eso volvemos a introducir el beso.

Por eso volvemos a introducir el beso. A continuación, viene una lista de consejos para ayudarte a intensificar tu juego, y luego unos cuantos ejercicios para que tengas más formas de practicar. Pero realmente no necesitas mis instrucciones para empezar a hacer esto, ¿verdad? La próxima vez que estés junto a tu pareja, ¿quizás ahora mismo?, no te cortes y dale uno.

Te recomiendo que le des unos cuantos besos, sólo por besar. Es decir, que esos besos no supongan necesariamente un juego previo. Eso abarca besos románticos, afectivos, de consuelo y todo el resto. Pero también incluye besos profundos y apasionados. De hecho, unos minutos besando es una de las cosas que recomiendo a mis pacientes con problemas sexuales por una razón u otra, especialmente a las personas que están demasiado cansadas u ocupadas para tener sexo.

Aunque no te encuentres en esta categoría, besarse por besarse puede ser una forma muy agradable de pasar el rato. ¿Te acuerdas de cuando empezabas a *enrollarte* con alguien? Para muchas, pero que muchas personas, los recuerdos más apasionados son los besos, no el sexo. Esos recuerdos suelen ser anteriores al inicio de la vida sexual, o antes de haberse acostado con su pareja. Aunque haya pasado mucho tiempo, intentar rescatar parte de ese sentimiento es una meta excelente. Para una pareja, es bueno disfrutar de vez en cuando de besarse apasionadamente, *sin* que tenga que haber sexo, aunque sientas que te gustaría que lo hubiera. Cuando lo hagas, de hecho, notarás un poco de aquel anhelo que probablemente solía formar parte de vuestra relación pero que desapareció. ¡Genera calor! Cuando besarse sin que haya sexo despierta tu deseo sexual, también te ayuda a apreciar un poco más el sexo cuando lo haces.

Te recomiendo que beses no sólo durante los preliminares, sino también durante todo el acto sexual. Las parejas que llevan mucho tiempo juntas suelen olvidarse de besarse durante el acto sexual, del mismo modo que se olvidan en su vida cotidiana. ¡Vuelve a incluirlo en el menú!

Tanto si besar es el aperitivo como si se trata del plato principal, aquí tienes varias formas de mejorar la experiencia:

- **Utiliza las manos**. Crea una conexión física además de la que estás creando con tus labios. No importa el sitio donde le pongas las manos a tu pareja; haz lo que te surja espontáneamente, lo que te guste. Prueba en los hombros, en el cuello, en la cintura, en la cara. No es una lista completa, y de cualquier modo puede variar de vez en cuando. Y si esas manos se desplazan un poco mientras los labios están en acción... bueno, ¡feliz trayecto!
- **Establece contacto visual**. Imagina que tuvieras que comunicar lo que sientes sólo con los ojos. Mirar a otra persona a los ojos puede ser

más un preludio para el beso que cualquier otra cosa que haces durante todo un morreo. La medicina china considera el gran potencial erótico del beso de esta forma: los ojos se relacionan con el canal energético que atraviesa los genitales. En Occidente, decimos que los ojos son la ventana del alma. Sea como fuere, es un contacto que no puedes pasar por alto.

- **Corazón a corazón**. Aquí tenéis algo en lo que quizá no habéis pensado mucho: ¿a qué lado inclinas la cabeza cuando besas a tu pareja? Si los dos la inclináis hacia la izquierda, y os inclináis un poco al besaros, vuestros corazones se tocarán. Esto es más que un simbolismo bonito o una cursilería. Es una forma sutil pero clara de experimentar una conexión profunda entre vosotros, sobre todo cuando observáis los latidos de vuestros corazones. Que, por cierto, aumentarán al besaros ¡si lo hacéis correctamente! (los estudios revelan que la mayoría de las personas inclinan la cabeza hacia la derecha; por tanto, tal vez tengáis que corregir un hábito).

- **Relaja tu lengua y tu boca**. *Utilizarás* los músculos importantes, pero no los tensarás. De este modo, aumentarás su sensibilidad. Y ¿no es relajación lo que quieres encontrar en tu pareja? En medicina china, la tensión crea estancamiento, y, como ya hemos dicho, el estancamiento limita tu deseo sexual, empezando por tu placer de besar.

- **Varía la presión, la velocidad y la técnica**. Una de las cosas que *no* quieres encontrar en los besos es que sean aburridos. Afortunadamente, lo único que hace falta es un poco de variedad. Presta atención a la respuesta de tu pareja y sabrás qué es lo que tienes que hacer en cada momento.

- **Sé consciente de lo que estás haciendo con la lengua**. Pasa suavemente la lengua por la boca de tu pareja, luego introdúcela un poco más. Además de activar las múltiples terminaciones nerviosas de la boca, estimulas las glándulas salivares, que están situadas debajo de la lengua, cerca de la parte posterior de los dientes. La saliva contiene testosterona, y la testosterona despierta la libido, de modo que intercambiar saliva en realidad es la clave para activar el impulso sexual.

Tal vez intercambio de saliva no sea la forma más atractiva de describir el beso, pero los taoístas eran muy hábiles, y eso que no sabían lo de la testosterona. Podemos dejar a un lado la palabra *saliva*, pero sí nos gusta un beso agradable y jugoso. Cuanto más húmedo, mejor, y eso se consigue utilizando bien la lengua.

PARA LOS HOMBRES: bésala

Sé que hay muchos hombres que no están tan interesados en besar como su pareja femenina. No obstante, es un error descuidar este aspecto, y te diré por qué: si quieres tener sexo con una mujer, lo primero que necesitas es que ella quiera tenerlo contigo. Un beso apasionado es casi un método infalible para excitarla. Para la medicina occidental, la explicación puede ser la presencia de testosterona en la saliva que compartís durante el beso, y la testosterona activa la libido femenina. También puedes verlo de la siguiente forma: besar mueve sobre todo energía yin. Y la energía yin es descendente. Al besar, esa energía va directamente desde la boca hasta los genitales. Por tanto, besar excitará sexualmente a cualquier persona predominantemente yin, lo que incluye a la mayoría de las mujeres.

Los hombres somos más yang, estamos más centrados en lograr nuestro objetivo y nos interesan menos lo que nos parecen preliminares. Pero tómate tu tiempo: besar provoca la liberación de la hormona oxitocina, que fomenta la unión, incluso más en los hombres que en las mujeres. Al tonificar el yin y calmar el yang, besar hace que los dos estéis más receptivos el uno con el otro. Me estoy refiriendo a la conexión, y eso mejora la sexualidad.

Probablemente, descubrirás que tu interés por besar aumenta cuando ya has entrado en acción. Los hombres suelen no *necesitar* besar para excitarse, como les sucede a muchas mujeres, pero les gusta cuando están excitados. La medicina china lo atribuye al hecho de que besar también estimula el yang, y la energía yang nos impulsa a besar.

Besar no es solo un interruptor en *on* para el sexo. Puedes besar de muchas otras formas y aportar cosas positivas a la relación con cada uno de ellas, como intimidad, conexión y equilibrio del yin y el yang. Pero si los besos, desde los más pequeños y dulces hasta los más profundos y apasionados, te conducen al sexo, todos salen ganando.

Procura retomar los besos en tu relación. No tienen por qué ser siempre sexuales, pero cuantos más des, más natural te resultará besar sexualmente. Introduce los besos en tu día a día, en todo lo que hagas desde los besos de «buenos días» hasta los de «vamos a desnudarnos». Muchos.

BESOS A DIARIO

Besa antes de salir de casa por la mañana. Besa cuando regreses a casa por la tarde. Besa antes de acostarte. ¡Y eso son sólo los requisitos diarios mínimos! Besa de *verdad* al menos una vez al día. Besa con ganas, y que dure más de lo que dura un *estornudo*. No es necesario que te pases todo el día con ese beso, pero disfrutad unos momentos de lo que estáis compartiendo. Todos tenemos tiempo para eso, por muy ocupados que estemos.

BESOS INESPERADOS

Besa a tu pareja cuando y donde menos se lo espere. Mientras estás fregando los platos, viendo una película, esperando a que cambie el semáforo. Bésala en el cuello o en la cara interna del codo. El elemento sorpresa despierta el interés. También deja de manifiesto que piensas a menudo en tu pareja. La acumulación de estas chispas entre vosotros ayuda a que las brasas sigan encendidas para que, cuando sea el momento, no haya que aventarlas mucho para que prendan en llamas.

BESOS DE CHOCOLATE

Besar y el chocolate estimulan la mente y el cuerpo de forma similar; besar con chocolate produce una respuesta más intensa y duradera. Tanto besar como el chocolate inducen a estados mentales de alerta y relajación y a una reducción de la ansiedad. Los dos aceleran los latidos del corazón de forma positiva. El chocolate tiene algunas ventajas injustas, del mismo modo que los estimulantes mentales como la cafeína, la teobromina y el ayudante de la serotonina, el triptófano. El chocolate aporta un *subidón natural* gracias a la liberación de dopamina en el cerebro que desencadena su azúcar y su grasa.

Pero la característica del chocolate de la que ahora quiero que te beneficies es la sugerente forma en que se funde con la temperatura del cuerpo. Prueba dar un mordisco de chocolate y besar mientras se te deshace en la boca. Disfruta de la sedosa suavidad, así como del estímulo extrasensorial; o bien probad a pasaros un trocito de chocolate de boca a boca mientras os besáis. ¡No se me ocurre nada mejor que hacer con un Kiss!*

BESA COMO QUIERES QUE TE BESEN

Turnaos besándoos de la forma en que queréis que os besen. Probad con besos suaves y delicados, luego más profundos y agresivos, y así sucesivamente. Aprende lo que te gusta ¡y enseña a tu pareja!

QUIERO BESARTE POR TODAS PARTES

No te puedes equivocar besando en los labios, pero procura aventurarte en zonas nuevas. Mordisquear el lóbulo y deslizar los labios por el cuello son de las iniciativas más populares. ¿Recuerdas todas las zonas erógenas que localizaste con el masaje de Explora? Es muy probable que todavía respondan mejor a los labios y a la lengua. Reservad un tiempo para probar juntos esta hipótesis.

Juegos preliminares

Los juegos preliminares tonifican el chi, que a su vez incrementa la energía sexual y genera el deseo. También es el aspecto más común que suele faltar

---

* En Estados Unidos, son muy populares unas chocolatinas en forma de pequeños conos llamadas Kiss, que en inglés significa «beso». De ahí que la autora también juegue con el título de este apartado. (*N. de la T.*)

en la vida sexual de una pareja. Si tuvieras que solucionar una cosa, seguramente ésta sería la que te ayudaría a resolver todo tu problema. Es decir, si sólo trabajáis juntos un ejercicio, que sea éste.

Muchas personas se apresuran en los preliminares, o pasan sin ellos, lo que conduce directamente a problemas sexuales específicos, como coito molesto o incluso doloroso. También hace que las parejas se pierden muchos de los beneficios del sexo. Sin unos buenos preliminares, el sexo nunca va a ser tan placentero o satisfactorio como podría (debería) ser. La falta de preliminares también es un indicador bastante fiable de que hay ciertos problemas de comunicación entre la pareja. Y estas dos cosas hacen que sea más probable que se apague la libido; las experiencias sexuales mediocres no inspiran precisamente a querer más de lo mismo.

Unos buenos preliminares hacen que el sexo se convierta en una experiencia más completa y profunda. Aporta variedad, fomenta la intimidad, la sensibilidad y la receptividad. Unos buenos preliminares garantizan el orgasmo de los dos —y más intenso— y alivian la tensión que genera el miedo escénico sexual y el subsiguiente miedo escénico. Los juegos preliminares hacen que incluyamos la mente y la emoción en un acto que, de lo contrario, sería meramente físico. Por supuesto, otro de los grandes beneficios de los preliminares es que preparan al cuerpo para el coito; en particular, el de la mujer, que es probable que *necesite* preliminares para excitarse por completo.

Los taoístas alababan los preliminares porque generan chi y armonizan el yin y el yang, individualmente y entre la pareja. Los preliminares calman el yang (que se excita con rapidez y que puede generar el sentimiento de querer pasar directamente al coito) y tonifican el yin (que le cuesta más excitarse). El yin tarda más en llegar a la zona pélvica que el yang. El yin es lo que hace que los dos miembros de la pareja reciban la energía que se intercambia durante el acto sexual; sin yin no habría conexión en el sexo. En otras palabras, no sería *buen* sexo. Un coito que empieza demasiado

> *La clave es implicar a todo el cuerpo en los preliminares y utilizar todos nuestros sentidos.*

pronto hará circular poco yin. Y las personas predominantemente yin no es probable que encuentren mucha satisfacción bajo tales circunstancias. Y sus parejas tampoco obtendrán el máximo beneficio del sexo, porque las personas en las que domine el yin tendrán menos yin que ofrecer.

Todo va mejor cuando todo va más despaaaaaacio. El yin se toma su tiempo para manifestarse plenamente, y el yang no irá a ninguna parte. Esperará, créeme.

En la medicina china, los canales de energía, o meridianos, recorren todo el cuerpo, de modo que la clave para que la energía sexual se distribuya por todas las partes a las que tiene que ir es implicar a todo el cuerpo en los preliminares. También es la forma recomendable de desobstruir el bloqueo de chi, lo que a su vez facilitará que disfrutemos más del sexo y que las mujeres lleguemos al orgasmo. Lo mejor es besar y acariciar todo el cuerpo para que el chi fluya mejor. Deteneos en los pechos porque no es sólo uno, ni son dos, sino *tres* los meridianos que pasan por ellos, tanto en los hombres como en las mujeres. Eso es bueno para los dos: el receptor de la atención extraordinaria y el dador; son un lugar de fácil acceso para estimular la energía y también un lugar fácil para absorberla.

Lo que ya sabes de los preliminares

Besar suele ser la primera forma en que conectas con tu pareja. Aunque besar no necesariamente conduce al sexo, el sexo muchas veces empieza por los besos. Besar durante el sexo, y los preliminares, completa el circuito energético entre dos personas. Para sacar el máximo partido durante los juegos preliminares, tendrás que pulir tu técnica siguiendo las instrucciones que hemos dado en este capítulo.

Muchos de los ejercicios de masaje, cuando se realizan con una pareja, se pueden usar como preliminares o como parte de los mismos. Concretamente puedes probar:

Explora (página 152). **Masaje en pareja** (página 155).

La medicina china también nos dice que utilicemos todos nuestros sentidos cuando estamos canalizando el chi de nuestra pareja. En los preliminares de calidad se incluyen los ojos, las orejas, la nariz, la lengua, los labios y las manos. Despertar todos tus sentidos despierta todo tu cuerpo.

Ya conoces las dos reglas más importantes del compromiso: los preliminares han de ser una experiencia corporal completa y que incluya los cinco sentidos. Éstas son el resto de las cosas que has de recordar:

- La regla de oro de los preliminares: házselo a tu pareja como a ella le gustaría que se los hicieras. Es decir, *no* le hagas lo que te gustaría que te hicieran a *ti*.

- Dedica mucho tiempo a los preliminares. No esperes hasta el último momento para el acto sexual, cuando ya estés demasiado cansado.

- Busca la variedad; cultiva la sorpresa.

- Haz lo que funciona, pero diversifícate con técnicas relacionadas con lo que sabes que funciona. Así añadirás cosas a tu repertorio.

- ¡Comunícate! El buen preliminar, como el buen sexo, dependen de ello.

- Retrasa la penetración todo lo que puedas.

- Disfruta del preliminar por sí mismo. Puede ser un aperitivo (aunque no tiene por qué serlo), pero aún así saboréalo.

Las instrucciones de estos ejercicios son bastante específicas, pero quiero mencionar que, si sientes la necesidad de ir de por libre, adelante. Si sigues las directrices que hemos expuesto, concentrarás tus intentos en los meridianos de energía de tu pareja, que será un beneficio extra para ambos. Pero lo más importante es lo que siente tu pareja, lo que te está indicando y lo que tú te sientes inspirado a hacerle. Si alegra a tu pareja, ¡probablemente estás acariciando los lugares correctos! No te obsesiones con qué vas a hacer exactamente, cuándo y cómo. Por otra parte, si no te sobran las ideas sobre qué hacer para iniciar el intercambio sexual, no te puedes equivocar siguiendo estas instrucciones de buen principio.

Más sexo en la vida real: Allie

Allie vino a mi consulta porque le costaba llegar al orgasmo, y sus intentos para conseguirlo eran cada vez menos frecuentes. Tras escuchar los detalles de su relato de penurias, llegué a la conclusión de que tenía estancamiento de chi. Según ella misma decía, se sentía bastante desconectada de su pareja, Joel, y su frustración con esa situación le generaba todavía más estancamiento de chi, que a su vez dificultaba que siguiera activa sexualmente.

Le sugerí que dedicaran más tiempo a los preliminares. Le aconsejé que le dijera a Joel que no pasaran al coito hasta estar seguros de que ella estaba lo bastante excitada. Me aseguró que nunca habían dejado de lado los preliminares, pero también admitió que se centraban sobre todo en los genitales. La animé a que estuvieran juntos más tiempo antes de involucrar a los genitales de ninguno de los dos.

Me pidió consejos para inspirar a Joel a que se diversificara por otras zonas para conseguir una excitación corporal integral y activar completamente su energía sexual. Le enseñé Engaña y relaja (véase a continuación) —que incluye algunas técnicas adicionales a la estimulación genital que ya estaban usando— y se marchó con la intención de solicitar la participación de Joel.

Allie quedó encantada con los resultados, me dijo que la primera vez que lo probaron llegó rápidamente al orgasmo. Pero lo que más le fascinaba era lo que había disfrutado en toda la experiencia sexual, y me dijo que volvía a sentir un deseo sexual como hacía mucho tiempo que no sentía. Mejor aún, Joel estaba entusiasmado al verla disfrutar: «¡Tengo la sensación de que *ninguno de los dos* podemos esperar a volver a hacerlo!».

ENGAÑA Y RELAJA

Ésta es una buena forma de calentar el cuerpo, y, como se diría en medicina china, de hacer que el chi circule por todos los meridianos energéticos.

En primer lugar, imagina tres niveles de zonas erógenas en el cuerpo. Las primarias: labios, senos, pezones, genitales y labios genitales. Las secundarias: lóbulos de las orejas, nuca, zona lumbar, nalgas, parte posterior de las rodillas y cara interna de los muslos. Las terciarias: palmas, ombligo, borde del meñique, orificios nasales, ano, orificios de las orejas, plantas de los pies y el dedo gordo del pie. Si todavía no lo has hecho, ahora es el momento de hacer el ejercicio Explora (página 152). Con lo que hayáis aprendido en el mismo, sabrás —y tu pareja también— cuáles son las que más te excitan, y luego os podréis concentrar en otras zonas más placenteras.

Empezarás estimulando las zonas secundarias, luego pasaréis a las primarias y, por último, a las terciarias. Esto garantiza que los preliminares empiezan en otro lugar que no son los genitales, tal como insistían los taoís-

En defensa de los polvos *rápidos*

A veces, el sexo sin preliminares, o con los mínimos preliminares, es lo que necesitas. Vale, vale, sé que estoy diciendo esto en medio de un capítulo dedicado a aportar montones de recursos para los preliminares. Pero uno *rápido* puede ser una forma de conexión que nos ayude a aliviar la tensión. Ésta es la razón por la que a veces se lo recomiendo a mis pacientes que creen que no tienen tiempo o energía para el sexo. Uno *rapidito* de vez en cuando es una forma de variar un poco y quizá de añadir el elemento sorpresa a tu vida sexual, especialmente en una relación estable. Puede ser un tipo de excitación diferente.

Por supuesto, hace falta la colaboración de ambos. Uno de ellos dispuesto a todo y el otro tratando de complacerle sin ningún entusiasmo *no* es en absoluto lo que estoy recomendando. Lo mejor puede ser sugerir un polvo rápido en algún momento en que estéis de humor para ello; quizá ya estabais excitados, por lo que la lubricación ya no es un problema; o bien intenta sorprender a tu pareja con la oferta de uno rápido. Prepararlo puede implicar que para *ti* le falte cierta espontaneidad, pero también te puede servir para excitarte.

El problema surge cuando lo único que practicas son polvos rápidos. Si es así, entonces no es que estés teniendo un sexo divertido, espontáneo o porque estás especialmente caliente; simplemente, tienes mal sexo.

tas. Una vez más, ¡esos taoístas de la antigüedad sabían lo que hacían! Esto activa gradualmente las zonas erógenas para conseguir una experiencia corporal completa. Proporciona una excitación gradual engañando a la energía sexual sin conseguir sexo explícito de entrada. Luego se relaja a través del contacto sexual directo. Luego se la vuelve a engañar. Según lo veían los taoístas, esta práctica despierta la energía sexual lentamente (yin), luego libera un poco (yang) y luego despierta más.

A medida que vas recorriendo cada zona, empieza con una caricia o un beso, luego respira o sopla sobre la misma, luego lámela. Las caricias suaves son las más apropiadas para la cara interna de los muslos. Probad las caricias circulares sobre las palmas y el ombligo. No te fijes demasiado en los detalles de estas técnicas; de lo que se trata es de conseguir variedad de estímulos y de que utilices lo que más te gusta.

Turnaos en *dar* y *recibir* y completad todo el ejercicio antes de cambiar de papel. Si uno de los dos es yin, puede que necesite o quiera recibir más preliminares, eso es normal. El tiempo y la atención que se dedica a cada persona no tiene por qué ser igual, aunque eso dependerá de vosotros.

PARA LOS HOMBRES: por qué los hombres (deberían) preocuparse de los preliminares

Capto cierto tono de aburrimiento e incredulidad acerca de este tema de los preliminares. Nosotros somos hombres y tenemos una profunda capacidad primaria y genética para ir directos al grano en el sexo que poco tiene que ver con los besos, el contacto visual o la *conexión* que no sea del tipo más básico. ¡Desde luego, no incluye quince minutos de calentamiento!

Te he oído. Te recuerdo que también tienes el instinto natural de machacar a palos a tus enemigos hasta dejarlos irreconocibles, pero rara es la vez que lo pones en práctica. Sabes que hay otra forma mejor.

Por tanto, no es que el sexo nunca pueda ser rápido y lujurioso (véase En defensa de los polvos *rápidos*). De hecho, a veces, incluso debe ser así. Un sexo donde no haya tanta conexión puede ser divertido. Sólo que no ha de ser siempre así, o no debería. Se ha de encontrar el equilibrio entre el sexo con sentido y el sexo sin sentido. No se excluyen mutuamente. Pero nunca debes confundirlos.

La diferencia suele empezar en los preliminares. Hay un estereotipo y es que los hombres *fingen* en los preliminares, como las mujeres fingen el orgasmo. Déjame decirte que no soy un fan de ninguno de las dos cosas. Unos buenos preliminares casi siempre son inseparables de un buen sexo (con conexión). Y los preliminares pueden y deben ser placenteros en y por sí mismos, para *ti*, no sólo para tu pareja.

No obstante, no vas a disfrutarlo si tu única intención es «de *algún* modo, he de conseguir que ella lubrique». Tienes razón en que, si quieres tener sexo con una mujer, mejor que practiques unos cuantos preliminares. Pero te los estarás perdiendo si lo haces a regañadientes, considerando que es algo sólo para mujeres. No te equivoques: si dejas de fingir en los preliminares, ella no *tendrá* que fingir en el orgasmo.

Aparte de eso, debes saber que los preliminares pueden reforzar las erecciones y aumentar la resistencia. Eso se debe a la forma en que los preliminares estimulan la energía yin para respaldar la energía yang de la excitación; el yang puede ir muy rápido en prestar atención, pero también puede tener problemas para mantenerse si no tiene el apoyo del yin. El equilibrio entre el yin y el yang es uno de los grandes beneficios de los preliminares. Invertir ese tiempo al principio es muy yin, al contrario que su opuesto el yang, que apunta directamente hacia el orgasmo lo más rápido posible. La conexión se produce en el equilibrio.

También debes tener en cuenta que, cuando las mujeres se plantean quién es bueno en la cama, *esto es en lo que están pensando*. No les preocupa demasiado el tamaño, la resistencia, ni cualquier otra técnica sofisticada de penetración con la que creas que vas a impresionarla. No es que las mujeres no aprecien estas cosas. Sólo que son los preliminares lo que excita a las mujeres, así de simple.

Los preliminares te ayudan a vivir el presente y a crear ese sentimiento de conexión, tanto cuando eres tú quien juega, como cuando eres quien recibe. Ha de resultar muy agradable. (Si no está a la altura en esta área, de ti depende enseñarle a tu pareja qué es lo que realmente te *gustaría*, y, si es necesario, investigar más por tu cuenta). A veces, las mujeres llegan al orgasmo durante los preliminares, y eso es muy bueno. Pero los hombres deben procurar *no* llegar.

Dicho esto, los preliminares son dar y recibir, y a veces recibir es más común entre las mujeres que entre los hombres. De modo que, si bien el sexo debe siempre contar con mucho tiempo para los preliminares en el caso de las mujeres, tu *turno* no tiene por qué ser tan largo (salvo cuando tú lo desees).

Creo que con esto ya te he hablado bastante de la importancia de los preliminares. Si necesitas o quieres algunas ideas sobre cómo proceder a partir de aquí, tendrás que consultar las directrices y los ejercicios de este capítulo. ¡Luego puedes improvisar, si te apetece!

Esto es básicamente lo que hizo Gus. Vino a la consulta para recibir tratamiento porque le dolían las costillas. Mientras le estaba escribiendo su historia médica, sacó el tema tímidamente de que no le «entusiasmaba» tanto el sexo como antes. «Mi esposa Julee quería que te lo dijera —añadió—. Tampoco la veo a ella tan puesta en el asunto como antes.» Le pregunté si alguno de los dos tenía alguna queja específica sobre su vida sexual, y me contestó que en realidad no, que su esposa sólo le había dicho que sentía que tenía que ir con prisas. Unas cuantas preguntas más revelaron que Gus y Julee no dedicaban mucho tiempo a los preliminares, y ella no llegaba siempre al orgasmo. Y que, incluso dejando a un lado el sexo, actualmente él no se sentía demasiado conectado en su relación.

Le diagnostiqué estancamiento de chi y deficiencia de yin, que les estaba provocando a ambos una desconexión en su relación y una sexualidad apresurada. Y creo que también su dolor en las costillas. Gus admitió que de vez en cuando se pasaba un poco con el alcohol, que, aunque tal vez fuera para intentar aliviar los síntomas del estancamiento, seguramente estaba contribuyendo a su deficiencia de yin. No solo le recomendé fitoterapia y acupuntura —y moderación con el alcohol—, sino que también bajara el ritmo —en su vida y en el sexo— para mejorar su salud y su relación. Concretamente, le *receté* quince minutos de juegos preliminares cada vez que fuera a hacer el amor con su esposa. Me miró como si yo estuviera loco y me dijo: «¿Qué vamos a hacer durante todo ese tiempo?».

Le animé a preguntar a Julee qué era lo que le gustaba, y creo que en ese momento se sorprendió a sí mismo al darse cuenta de que nunca había hecho eso, al menos no en mucho tiempo. También le expliqué algunas de las estrategias que citamos en este capítulo, que aceptó probar.

Cuando vino a verme al cabo de seis semanas, me contó entusiasmado los cambios en su vida sexual. (Tuve que preguntarle por su dolor en las costillas, a lo que me respondió, como si ya no se acordara, que había desaparecido). Me dijo que al principio se sentía un poco raro con los preliminares, pero que pronto se aficionó a los mismos cuando vio los resultados. Por una parte, ahora su esposa tenía orgasmos cada vez. Y por otra, habían tenido muchas más relaciones sexuales desde que había probado su nuevo plan. Julee estaba mucho más interesada, y el entusiasmo de él creció paralelamente al de ella. Me explicó que al principio los preliminares le resultaban un poco forzados, pero que ahora estaba deseando realizarlos.

No obstante, eso no fue lo que más le sorprendió de todo el experimento. «Todo parece ir mejor entre nosotros —me dijo—, no sólo el sexo.»

Dedicar tiempo a los preliminares les estaba sirviendo para reforzar la conexión entre ambos durante el acto sexual, y eso también se extendía a su vida fuera del dormitorio. El sexo —al haber aumentado en cantidad y calidad— estaba ayudando a Gus a movilizar su estancamiento, físico y emocional. Y eso, a su vez, les estaba garantizando una vida sexual más satisfactoria y completa, y una relación más satisfactoria y completa.

DE LA CABEZA A LOS PIES

Este ejercicio se divide en dos partes. La primera abarca la parte superior del cuerpo y estimula meridianos energéticos importantes. La segunda abarca la parte inferior del cuerpo y estimula otros meridianos importantes en la zona. De modo que, en realidad, vas a trabajar desde la cabeza a las ingles y desde los pies a las ingles. Tiene que ser un proceso tranquilo que puede durar unos veinte minutos en total. A algunas mujeres este proceso las conducirá al orgasmo, aunque pueden tener otro orgasmo más profundo después, durante el coito.

Abraza a tu pareja y con la mano que te quede libre frota y presiona el orificio de la vagina y el clítoris o, en el hombre, el perineo (el área entre el ano y la raíz del pene) con movimientos circulares pequeños. Entretanto, vas a besar, lamer y respirar en diferentes zonas de su cuerpo, recorriendo distintas partes de un costado desde la cabeza a los genitales: ojo, mejilla, oreja, boca, cuello, hombro, etc. En el pecho, besa suavemente el pezón y lámelo en sentido circular. Sigue bajando por el abdomen y los genitales, luego empieza de nuevo por el otro costado y repite el proceso.

En la segunda fase, empieza por un pie y sube gradualmente hasta los genitales, besando, lamiendo y respirando en tu ascenso. Los taoístas describen puntos específicos para estimular (parecidos a los de acupuntura), pero no es necesario conocerlos para que este ejercicio funcione. Si recorres el territorio que he descrito aquí, ¡habrás activado esos puntos! Mientras, recuerda que una mano sigue manipulando los genitales, como he descrito anteriormente.

En este ejercicio se hacen turnos de dar y recibir.

12

La punta de la lengua

Un buen «Me gusta» por ir hacia abajo

Los sexólogos taoístas eran grandes defensores del sexo oral por considerarlo una forma muy poderosa de crear una conexión energética casi equiparable al coito. Normalmente, intensifica el coito al aumentar la intimidad y la confianza. También es especialmente eficaz para equilibrar el yin y el yang; hacer y recibir sexo oral suele potenciar la energía que te falta. El sexo oral también ayuda a llevar la energía sexual y el deseo —cuando ya hay excitación— hacia abajo para concentrarla en los genitales.

En un nivel más básico, el sexo oral es una gran forma de mezclar un poco las cosas. Tener sexo mediante actividades que no sean el coito es esencial para garantizar la variedad en tu vida sexual, es una de las principales formas de mantener tu libido en ebullición. El sexo oral, concretamente, te da la oportunidad de deleitarte en recibir sin la obligación simultánea de dar (a excepción de la postura del 69).

Puedes hacer del sexo oral tu plato principal o incorporarlo en los preliminares. De cualquier modo, es algo bastante sencillo: estimula los genitales de tu pareja con la boca; si entretanto acaricias otras partes de su cuerpo, mejor todavía. Si eres nueva en este deporte, necesitas que te refresquen la memoria o simplemente quieres probar otras cosas, a continuación encontrarás algunas ideas. Si uno de los dos se siente incómodo con el sexo oral, empezad por practicarlo durante poco tiempo, sin la intención de llegar al orgasmo, y alargad paulatinamente las sesiones.

La felación

Felación es una palabra de origen latino (*fellatio*) que significa «sexo oral practicado a un hombre», que procede de la palabra latina que traducimos por «succionar». Sí, ésta es una de esas raras actividades donde tu objetivo principal es succionar. He aquí cómo:

• Ponte cómoda. Prueba arrodillándote sobre él cuando está tumbado, de rodillas sobre un cojín situado entre sus piernas cuando está sentado o de rodillas delante de él cuando está de pie.

• Los hombres suelen responder a las imágenes visuales, de modo que piensa en lo que él está viendo. Despeja el campo de visión para que pueda tener una buena vista. Quizá también puedes pintarte los labios de un tono llamativo si eso le excita.

• Ten a mano agua o una infusión caliente para que puedas mantener la boca húmeda.

• Crea tensión empezando lentamente, quizá besando la cara interna de los muslos y el abdomen para empezar.

• Cuando los dos estéis preparados (¡quizá tú un poco *después* que él!), introdúcete su pene en la boca. Deslízalo hacia arriba y hacia abajo, cambia la intensidad de la presión, la velocidad, el tipo de succión y cualquier otra parte de la técnica que desees. Lámelo como si fuera un chupa-chup. Lámelo como si fuera un cucurucho de helado. Prueba hacer un ronroneo en distintos tonos para generar vibraciones agradables. Experimenta.

• Acaríciale el perineo con la mano, coge sus testículos o acaricia el pene mientras tu boca se centra en el glande. Prueba a girar suavemente la mano mientras tu boca sigue con el movimiento hacia arriba y hacia abajo, o haz presión con la mano. (Tus manos también te servirán para frenar su empuje, así no llegará molestamente lejos).

- Pregunta si le gusta, verbalmente o no. Si lo prefieres (o lo prefiere él), pídele que te guíe los movimientos o te de indicaciones verbales.

- Encuentra el ritmo. Cuando lo encuentres, sigue con él hasta que llegue al orgasmo. Puedes usar tus manos para que tu boca descanse de vez en cuando, pero ¡justo al final no es un buen momento para cambiar de técnica!

PARA LOS HOMBRES: las razones para que te hagan una mamada (¡como si las necesitaras!)

Estoy seguro de que no es necesario que te cuente las maravillas de una mamada. Lo que puede que no sepas es que puede mejorar tu rendimiento sexual. Para muchos hombres, que sea su pareja la que por una vez lleve la iniciativa es un cambio positivo. Es una gran forma de aliviar el miedo escénico sexual.

Así es como Kieran superó su disfunción eréctil. (¡A veces no tienes más remedio que hacer lo que te dicen!). Había empezado a tener problemas en conseguir y mantener la erección durante el coito con su pareja, y, cuanto más le sucedía, más tenía que esforzarse y más se repetía. Kieran tenía tendencia a acelerar las cosas, y el sexo no era una excepción. Sentía mucha carga psicológica por quedar bien. Esta actitud de tener que ir rápido y esa ansiedad eran muy yang, y no tenía suficiente yin para estabilizarlas.

Le aconsejé que nutriera su yin. ¿Qué mejor forma que hacer algo que supone ser totalmente receptivo? Recibir sexo oral, y *sólo* recibirlo. ¡Éste era un *tratamiento* para la disfunción eréctil que realmente creía que podía seguir! Estoy seguro de que su yin hizo grandes avances a raíz del mismo. Pero Kieran también se sintió muy aliviado al no tener que ser solo él quien actuara. Pronto se dio cuenta de que podía mantener mejor la erección durante el sexo oral que durante el coito, y esto le ayudó mucho a recobrar su confianza, aliviando todavía más su miedo escénico sexual. El efecto no tardó mucho en trasladarse a otras actividades sexuales mutuas con su pareja.

Ahora bien, si quieres sexo oral, ésta es tu parte del trato: hazle un favor a tu pareja (¡y conviértete en un blanco atractivo!) manteniendo los requisitos de higiene básicos. Si recibes alguna queja de que tu semen sabe amargo, salado o algún otro sabor desagradable, procura beber menos alcohol durante una semana; el cambio suele ser espectacular. (Y si el olor o sabor persiste, puede ser un signo de infección; en tal caso, ve al médico).

Bueno, y luego devuelve el favor: ése es el secreto.

El cunnilingus

Hay un sorprendente número de mujeres que son reticentes a recibir sexo oral. Deja que te diga algo: es un gran error. Por una parte, a la mayoría de las mujeres que reciben regularmente sexo oral —y bien hecho— les encanta. ¿Por qué perdértelo? El sexo oral suele ser un medio más seguro para que una mujer llegue al orgasmo que el coito, y probablemente la mejor forma de que una mujer anorgásmica sepa lo que es el orgasmo.

Has de aprender a relajarte en la experiencia, y, si no estás acostumbrada a ella, te garantizo que vale la pena adquirir esa habilidad. Tonificar el yin suele ayudarnos a desarrollar nuestra capacidad de recibir, y eso incluye el sexo oral. No tener ningún objetivo durante el acto sexual, incluido el sexo oral, también ayuda. Lo mismo que utilizar cualquier medio para estar presentes o intención de concentrarte en las sensaciones placenteras, como concentrarte en la respiración o liberarte de los pensamientos superfluos que pasan por tu mente. Hacer el Circuito te ayudará a sentir cómo se mueve la energía a través de tu cuerpo, a la vez que te ayudará a estar en el *aquí y ahora*.

Prueba el sexo oral como parte de los preliminares o bien como plato principal. En ninguno de los dos casos, debe ser lo *primero* que te hagan; asegúrate de incluir un poco de calentamiento antes, besos o masaje, por ejemplo.

Hay unos cuantos aspectos logísticos que has de recordar sobre recibir sexo oral. Mejorarás la experiencia de tu pareja —y seguramente también la tuya, puesto que no tendrás que preocuparte por ello— realizándote una buena higiene básica. Y, lo más sorprendente, observando lo que comes (y bebes). No tomes tanto alcohol ni cafeína, bebe mucha agua, come más frutas y verduras: con eso tienes garantizado que los sabores y olores que note tu pareja durante el sexo oral no serán más que las poderosas feromonas que la naturaleza ha creado convenientemente para fomentar la actividad sexual. A pesar de lo que puedas pensar y de lo que te diga la publicidad, las irrigaciones vaginales no te *mantienen fresca*. Las irrigaciones vaginales matan las bacterias protectoras y te harán vulnerable a las infecciones, así como a olores desagradables debidos a las mismas.

Hablando del tema: es interesante que te familiarices con el olor de tus propias secreciones. Probablemente, la mejor forma de averiguarlo sea olerte la mano después de masturbarte. Si percibes un olor raro que no desaparece, puede ser un signo de infección, y debes ir al médico. Igualmente, si percibes un olor raro en tu pareja, encuentra la manera de decírselo con delicadeza. Así podrá ponerle solución si es que tiene algún problema, ¡y tú puedes esperar a una ocasión más propicia!

Más sexo en la vida real: Chloe

Chloe tenía un problema que a algunas mujeres les *gustaría* tener: un marido al que le gustaba practicarle sexo oral. Sin embargo, el encanto se perdía con Chloe. Me dijo que nunca le había gustado ser el centro de atención, y que en el sexo se sentía mejor dando que recibiendo. Esto hacía que el sexo oral se convirtiera en un tema de conflicto entre ella y su marido, Daryl. A ella no le importaba hacérselo (Daryl tampoco tenía ningún problema con ello). Pero cuando se trataba de cambiar los papeles, ella se sentía inquieta y rara estando tumbada mientras su marido se concentraba en darle placer. Sus intentos para evitar esta situación de algún modo se habían transformado en evitar el sexo en general, lo cual ya hacía bastante tiempo que sucedía, y Chloe casi se había acostumbrado a ello, hasta el extremo que me dijo que pensaba que ya no estaba interesada en el sexo.

Ahora bien, Chloe no vino a mi consulta para que la ayudara con sus problemas con el sexo oral. Vino por una serie de razones físicas que me llevaron a un diagnóstico de deficiencia de yin, síntomas como su tendencia a los sofocos y su escaso flujo menstrual. Observé que la deficiencia de yin también se le manifestaba en el aspecto emocional: me dijo que estaba inquieta y ansiosa. Asimismo, me confesó que era reticente al cambio, a probar cosas nuevas, y, a veces, bastante inflexible, todo ello síntomas que pueden indicar deficiencia de yin. Le expliqué que el yin es lo que nos hace receptivas, y que la deficiencia del mismo puede hacer que nos sintamos incómodas al recibir.

Chloe enseguida ató los cabos con su vida sexual, y, concretamente, con el sexo oral. Le dije que intentara disfrutar del sexo oral: para ella sería una excelente forma de tonificar su yin, una gran forma de reactivar su libido y su vida sexual. ¡Buen trabajo si puedes conseguirlo! No obstante, para ella, la cuestión era permitirse realmente recibir.

Al principio, me dijo que no, arguyendo que no tenía la certeza de que a Daryl le gustara realmente hacer el cunnilingus. Pero al final accedió a pedírselo, y, si a él no le importaba, probar a ver qué pasaba. (¡Notición!: Daryl le juró que a él le gustaba hacérselo, le explicó que, entre otras cosas, obtenía placer dándole placer a ella). Le aconsejé que le pidiera a su marido que empezara con unos minutos de sexo oral, sin plantearse si iba a llegar al orgasmo. A Chloe eso le pareció más aceptable, así que se decidió a probarlo, y, aunque Daryl participaba de lleno en el plan, ella seguía sin poder concentrarse en el acto. Le aconsejé que procurara centrarse en el presente cada vez que notará que su mente se dispersaba, sin hacer ningún comentario interno respecto a esa dispersión. Decidió concentrarse en la respiración para conectar de nuevo con su cuerpo y con el ahora.

La siguiente vez que vi a Chloe, a las dos semanas de su anterior visita, estaba impaciente por contarme que por fin se había dejado ir en la experiencia y que incluso había tenido un orgasmo de ese modo. Para su sorpresa, ¡descubrió que estaba deseando seguir probando! A medida que fue pasando el tiempo, se notó más flexible y abierta en general a nuevas experiencias o formas de hacer las cosas. Sintió más conexión e intimidad con Daryl.

PARA LOS HOMBRES: su turno

Al principio, pensé en titular este apartado «Sexo oral: ¿En qué te beneficia a ti?», pero me pareció que sonaba un poco egocéntrico. ¡Esto no implica que no haya muy buenas respuestas a esta pregunta! La primera es: a ella le va a encantar, y tú te llevarás los honores. Es un método garantizado de excitarla, y eso te beneficiará a ti. También le demuestra que te preocupas por lo que siente y por que llegue al orgasmo, lo que mejorará tu reputación. Recibir sexo oral tonifica el yin, en este caso el de ella, igual que te sucede a ti cuando lo recibes. El efecto secundario es que ella tendrá más energía para compartir contigo. El sexo oral es una excelente forma de equilibrar las cosas, cuando es recíproco, por supuesto, pero también es una forma de intercambiar la energía yin y yang en general.

Las *mejores prácticas* para hacerle sexo oral a una mujer las cito más abajo. Sólo voy a añadir un consejo general para los hombres que hemos de tener en cuenta cuando vayamos a dirigirnos a esta área: NO vayáis directamente. Empezad despacio. Explorad. Jugad por la zona. Procurad no tener una idea fija o ir con prisas. Muchos hombres tienen la necesidad de ir directamente al grano y *terminar* el trabajo, pero deja que te diga que, sencillamente, no es eso lo que la mayoría de las mujeres tienen en mente. Como siempre, si tienes alguna duda, pregúntale a ella. De hecho, ¡pregúntale aunque no tengas dudas! Deja que sea ella la que te guíe y te diga lo que más le gusta.

Cunnilingus es la palabra latina para «sexo oral realizado a una mujer»; literalmente, está formado por las palabras «vulva» y «lamer». De modo que las instrucciones están implícitas en el nombre. Pero aquí tienes algunos consejos más específicos:

- **Ponte cómodo.** Encuentra la postura que más la estimule, sin que tú te destroces el cuello.
- **Recuerda los preliminares.** Es mejor empezar cuando ella está relajada y excitada. Aquí tienes una pista de que vas por

el buen camino: tendrá las piernas relajadas y separadas espontáneamente, con las rodillas flexionadas.

- **Crea expectación**. Empieza poco a poco, besándole la cara interna de los muslos y el abdomen, por ejemplo. Incluso cuando llegues a la vulva, tómate tu tiempo antes de centrarte en el clítoris. Bésalo y tócalo dulcemente, lame primero los labios a su alrededor y la entrada de la vagina. Abre los labios con tus dedos.
- **Estimula el clítoris con tu lengua**. En algunas mujeres, la punta es demasiado sensible para un contacto directo, y mejor que estimules la parte más ancha, o utilices una estimulación indirecta. Pregúntaselo: descubre lo que le gusta.
- **Mientras tu boca está ocupada**, dale a tus manos algo que hacer. Algunas sugerencias: acaríciale el perineo, masajéale la vagina, busca el punto G.
- **Varía la velocidad y la presión que ejerces**, así como la zona en la que estás trabajando. También tendrás que echar mano de todas tus herramientas: la punta de la lengua, la parte central, toda la boca, etc. Prueba a dibujar las letras del alfabeto con tu lengua o dibujar ochos o crear succión. Cuando dudes, despacio es mejor que deprisa y suave es mejor que fuerte. Acelera o haz más presión sólo cuando ella te lo indique. Lo que nos conduce a:
- **Comunícate**. Pregúntale qué le parece, y está atento ocular (y auditivamente) a las respuestas no verbales que quizá te dé en el proceso.
- **Sea lo que sea lo que a ella le guste, sigue haciéndoselo**.
- **Ten paciencia**. A veces, a la mujer le cuesta llegar de este modo.
- **Para**. Cuando una mujer llega a un orgasmo clitorial (o dos en algunos casos), su clítoris está muy sensible, parecido a lo que nos sucede a los hombres con el pene después de la eyaculación. Ésa es tu señal de que puedes pasar a otras actividades, como más preliminares o el coito.

13

Adopta una postura

Las Diez Principales: las posturas sexuales más importantes y lo que has de hacer en ellas

Lo más importante del sexo es la forma en que une a dos personas, y lo más importante sobre *cómo* lo practicas puede ser la postura en que lo haces. La posición que eliges influye en la circulación de la energía, dentro de ti y entre los dos.

Los textos de sexología taoísta hablan *sobre* las posturas sexuales hasta la saciedad: sobre cuáles son buenas para ciertos sistemas de órganos, cuáles activan qué meridianos, cuáles bajan tu presión sanguínea, alivian tu dolor de espalda o lo que sea. Me alegra poder decirte que, a menos que sientas un ardiente deseo por conocer los detalles —para los cuales tendrás que consultar otros libros que no sean éste—, podemos reducir esa variedad a tres posturas básicas que te permitirán reactivar tu vida sexual, adaptarlas a tu cuerpo y preferencias (y a los de tu pareja), y, sí, cosechar los beneficios energéticos, curativos e incluso espirituales a los que hacen referencia los antiguos textos.

Las tres posturas básicas son: uno encima del otro, uno detrás del otro y de costado. Todas las demás —incluidas las Diez Principales que vienen a continuación— son variantes de éstas. Los taoístas las concibieron en el contexto de parejas heterosexuales que practicaban el coito, pero básicamente también se pueden aplicar para parejas del mismo sexo, con algunas adaptaciones lógicas en algunos puntos.

Dominar una serie de posturas hace que tu vida sexual sea más divertida e interesante, e incrementa el placer y los beneficios del sexo. Cada postura puede despertarnos un sentimiento diferente. Por ejemplo, la cantidad de contacto entre nuestros cuerpos, si hemos de estar muy abiertas, si podemos mirarnos a los ojos o no o si has de conservar el control o cederlo puede influir en lo que te hace sentir una postura. Unas posturas exigen más energía para llevarlas a la práctica que otras, y otras exigen más energía de uno de los dos. Unas posturas son más indicadas que otras para según qué constituciones o ciertas combinaciones de constituciones o para algunas condiciones físicas. Unas posturas hacen que la penetración sea más superficial o profunda; unas son más apropiadas para que sea la mujer la que llegue al orgasmo; otras son mejores o peores para la disfunción eréctil. Cada postura es apropiada para ciertos movimientos, ángulos, profundidades de penetración. Las diferentes posturas crean diferentes conjuntos de sensaciones. Como de costumbre, utiliza lubricante si es necesario o lo prefieres.

> *No existe la Postura Correcta. Ni siquiera existe la Mejor Postura para ningún acto sexual en concreto, y no hay ningún inconveniente en cambiar de postura a mitad del trabajo.*

Por ejemplo, el coito con el hombre encima de la mujer permite la estimulación del clítoris con el hueso púbico del hombre y la estimulación del punto A con la penetración profunda (especialmente si ella levanta las piernas o se coloca un cojín debajo de las nalgas). La mujer tendrá más control sobre la profundidad y velocidad de la penetración si está encima, y podrá estimular mejor las zonas sensibles. Algunas mujeres sólo llegan al orgasmo en esta posición, y para los hombres es una oportunidad de tumbarse y relajarse un poco. Un hombre que penetra a la mujer por detrás realiza una penetración más profunda y puede estimular el punto G con el pene. De costado (la cuchara), permite que hagamos el amor despacio y con sensualidad manteniendo el contacto con todo el cuerpo.

Dicho esto, no existe la Postura Correcta. Ni siquiera existe la Mejor Postura para ningún acto sexual en concreto, y no hay ningún inconveniente en cambiar de postura a mitad del trabajo. La lista que viene a continuación no es exhaustiva, no son más que sugerencias o puntos de partida. Lo que importa es que explores, experimentes y descubras *qué* es lo que a ti te va bien, *cuándo* y *cómo*. Las Diez Principales son para que te inspires. Elige las posturas en función de tus preferencias. Adáptalas para satisfacer tus necesidades y caprichos (y los de tu pareja). Amplía tu repertorio. Haz que la variedad sea un componente importante de tu vida sexual. Tampoco tienes que hacer todas las posturas de esta sección, de este capítulo o de este libro, y, por supuesto, tampoco es necesario que las domines todas, aunque te recomiendo que pruebes la mayoría. ¿De qué otro modo puedes descubrir cuáles son tus favoritas? Haz lo que tengas que hacer para no quedarte estancada. Asimismo, no te olvides de tus antiguas posturas favoritas con las que sabes que no fallarás.

Las Diez Principales

Los taoístas pusieron nombres de animales a las distintas posturas, y, aunque en la actualidad los motivos no nos parezcan tan obvios (¿qué sabrían ellos sobre el sexo del dragón?, por ejemplo), me gustan porque añaden un toque simpático.

 Postura del dragón

Postura que seguro que ya conoces como la postura del misionero, en la que la mujer está tumbada boca arriba con las piernas separadas y el hombre se coloca encima de ella.

2 Postura del tigre

También conocida como «postura del perrito»; en esta posición, la mujer se apoya sobre sus cuatro extremidades y el hombre la penetra por detrás.

3 Postura del mono

En esta posición, la mujer está tumbada boca arriba con las piernas estiradas en alto y apoyadas sobre los hombros del hombre, mientras él está arrodillado delante de ella para penetrarla. La mayor parte del movimiento deberá realizarlo la mujer.

4 Postura de la cigarra

Aquí la mujer está tumbada boca abajo y el hombre está encima de ella para penetrarla. Esta postura sólo permite una penetración superficial y ayuda a aumentar el deseo. Colocad cojines para estar más cómodos; podéis usarlos para elevar un poco las nalgas de la mujer.

5 Postura de la tortuga

La mujer está tumbada boca arriba con las piernas levantadas y flexionadas por encima de su vientre. El hombre está de rodillas penetrándola por delante. La mujer será la encargada de realizar casi todos los movimientos cuando el hombre ya la haya penetrado. El hombre puede utilizar las piernas de la mujer para frotarle sus pechos. Esta postura exige más flexibilidad y coordinación que algunas de las otras, de modo que no es apta para todos los públicos. Probadla si os apetece; pero si os resulta incómoda... ¡parad! Si no os seduce, saltárosla y elegid otra cosa.

6 Postura del fénix

La mujer está boca arriba con las piernas estiradas en alto, el hombre está de rodillas y la sujeta por las piernas mientras la penetra por delante.

7 Postura del conejo

El hombre está tumbado boca arriba, la mujer está encima apoyada sobre sus cuatro extremidades mirando en dirección a los pies del hombre. La mujer es la que hace casi todos los movimientos.

8 Postura del pez

El hombre está tumbado
boca arriba y la mujer
está encima, cara a cara.
Ella hace casi todos
los movimientos. La
postura del pez lateral es
colocándose lateralmente,
también cara a cara. Ella pone una pierna encima de un costado del hombre,
y éste sostiene esa pierna con su mano cuando se balancean hacia delante y
hacia atrás.

9 Postura de la grulla

El hombre está sentado en
una silla y la mujer se sienta
en su falda, mirándole de
frente. Ella es la encargada de
realizar la mayor parte de los
movimientos, pero él la ayuda a
mover las caderas y las nalgas
con las manos. También se
puede hacer con el hombre
sentado en el suelo o en la
cama.

10 Postura de los patos mandarines unidos

El hombre y la mujer están
tumbados de costado;
el hombre, detrás de la
mujer. Ella flexiona ambas
piernas y levanta la que
tiene encima. Él sostiene la
pierna levantada de ella y
la penetra por detrás.

Semejante y dispar

Las posturas que encajan con partes del cuerpo de la pareja que son semejantes (mano con mano, barriga contra barriga...) son más relajantes y armonizadoras, según la filosofía taoísta, mientras que las que se acoplan y son *dispares* (boca con genitales, espalda con barriga) son más estimulantes y excitantes. Así que puedes elegir (o cambiar) posturas según cuales sean tus objetivos. No obstante, ten presente que el buen sexo suele implicar una combinación de ambas cosas. Quizás ésa sea la razón de la popularidad de la postura del misionero/dragón: incluye simultáneamente los dos aspectos; con el pene en la vagina tenemos el contacto de lo dispar, que es estimulante, y la semejanza de las otras partes del cuerpo de la pareja nos aportan armonía.

Vale, ya estamos en la postura, ¿y ahora qué?

Al elegir una postura, las variantes no han hecho más que empezar. Sea cual fuere la postura, seguirás introduciendo variantes en la velocidad, ángulo, profundidad y estilo de penetración. Todo ello combinado, por supuesto, con una amplia gama de caricias, besos, frotamientos, succiones, lametones, etc.

Muchas mujeres delegan el control de la penetración a su pareja. ¿Cómo te ha funcionado a ti esto? Permíteme que te sugiera algunas estrategias para que aportes variedad al asunto.

La más evidente es ponerte encima. Ahora conduces tú. Tú controlas el ángulo de entrada, la profundidad de la penetración y la velocidad. Tú marcas el ritmo o la síncopa. La mayor parte de las veces la mujer está encima arrodillada, pero, si realmente quieres jugar con el ángulo de entrada, prueba en cuclillas, agachándote sobre tu pareja con los pies planos en la cama, bajando hasta llegar a su pene. Arrodíllate o agáchate, prueba diferentes movimientos, y observa qué es lo que te gusta. Sea cual sea la técnica que desarrolles aquí, puedes usarla en otras posiciones. Aquí tienes algunas cosas que tener en cuenta, en cualquier postura:

- Cambia el ángulo de tu pelvis. Balancéate hacia delante y hacia atrás o gira un poco hacia los lados.

- Varía el ángulo de tus piernas. ¿Flexionadas o estiradas? ¿En el aire o apoyadas en la cama? (Algunos movimientos afectarán al ángulo de tu pelvis).

- Tensa tus músculos vaginales, aumentando y disminuyendo, y emplea la contracción en diferentes etapas de la penetración —cuando está muy adentro, cuando está superficial, al entrar, al ir hacia atrás—. ¡Ahora es el momento de demostrar las habilidades que has adquirido con la Contracción!

- Utiliza las manos para cambiar la profundidad de la penetración: atrae a tu pareja hacia dentro o mantenlo superficial, arrímate a las ingles o caderas de tu compañero o coloca tus puños entre vuestras pelvis.

- Quédate quieta. Cuando tu pareja se dé cuenta, podéis utilizar las pausas para aumentar el deseo, simplemente para descansar o para concentraros un momento en las sensaciones que estáis experimentando.

 PARA LOS HOMBRES: la penetración

Si eres como la mayoría de los hombres, seguramente tendrás el piloto automático de ir rápido y a fondo en casi cualquier posición. Eso supone mucho estímulo e intenso (para ti) y probablemente la vía más rápida de llegar al orgasmo. Pero esto no es una carrera, y los dos conseguiréis más del acto —y, por consiguiente, lo haréis más— si vais despacio (al menos, a veces) y desarrolláis unos cuantos trucos para combinar las cosas. Básicamente, estáis jugando con tres cosas: velocidad, ángulo y profundidad.

Velocidad se explica por sí solo. Tu mejor estrategia es cambiarla de vez en cuando para no ser totalmente predecible. Empieza despacio y ve adquiriendo velocidad de forma gradual. Incluso en el mismo mete-saca puedes variarla: entra deprisa y retira despacio, por ejemplo, o viceversa. También has de considerar hacer una *pausa* de velocidad. Cuando tengas dudas, ve despacio pero sin pausa. La mayoría de los hombres fallan por ir demasiado deprisa, sobre todo al principio. No te preocupes, ¡si ella quiere o cuando ella quiera que aceleres, te lo dirá!

El *ángulo* probablemente sea el aspecto más olvidado de la penetración, pero también el más importante para dar placer a la mujer. Si siempre te diriges únicamente hacia delante, estás reduciendo las posibilidades de estimular el interior de la vagina; si adoptas distintos ángulos, estimularás diferentes áreas, por no mencionar que también estimularás diferentes zonas de tu pene. Inclina tu pene hacia arriba y podrás alcanzar el punto G. Inclínalo hacia abajo y podrás estimular el clítoris. No olvides hacerlo hacia los lados para otro conjunto de sensaciones. No olvides girar tus caderas mientras empujas, para combinar todos los ángulos. O *haz círculos* con tu pene, utilizando tu mano en vez de tus caderas para hacer bien el movimiento. Esto no necesariamente son las sensaciones que os llevarán directos al orgasmo a alguno de los dos, pero al sumar al conjunto de sensaciones estás intensificando toda la experiencia.

La *profundidad* es uno de los temas favoritos de la sexología taoísta, y los distintos sabios tienen diferentes opiniones respecto a la proporción perfecta entre penetraciones superficiales y profundas y sobre en qué patrones se han de desplegar. Hay beneficios específicos para cada profundidad. Las penetraciones superficiales ofrecen más estimulación a las partes más sensibles del pene y de la vagina: el glande y la vulva respectivamente. Generan excitación, en particular en las mujeres. Las penetraciones profundas estimulan la raíz del pene y la parte más interna de la vagina (que es más sensible a la presión, mientras que la parte externa es más sensible al tacto). La profunda es más eficaz cuando la mujer ya está muy excitada.

¿Importa el tamaño?

Aquí es donde estás esperando a que te tranquilice diciéndote que «no, el tamaño del pene no importa». Pero la verdad es que sí importa. Tanto si es demasiado grande como demasiado pequeño (y recordemos que esto es relativo), el tamaño del pene puede interferir en que ambos obtengan el placer máximo.

No obstante, puedo tranquilizarte al decirte que, sea cual sea el tamaño, todo tiene solución.

Si tu pareja tiene el pene demasiado grande:

• Utiliza posturas que hagan que la penetración sea más superficial y donde tú tengas el control.

• Utiliza mucho lubricante. (Lee las etiquetas para escoger uno que tenga ingredientes sanos: nada de petrolato (vaselina), ni fragancia ni parabenos; busca alguno que tenga una base de agua en vez de una base de aceite).

• Tómate tu tiempo, y procura estar totalmente relajada y excitada antes de iniciar el coito.

Si tu pareja tiene el pene demasiado pequeño:

• Haz hincapié en los preliminares.

• Elige posturas que favorezcan la estimulación del clítoris.

• Practica la Contracción —la parte concreta de la contracción— durante el coito.

Con estos trucos bajo la manga, no importará que el tamaño importe.

Ángulo, profundidad y velocidad

Mientras experimentas con tu pareja con las tres variables de la penetración —ángulo, profundidad y velocidad—, aquí tienes algunas técnicas para añadir al combinado:

- *El señor de los muslos*. Para esta técnica, la mujer ha de ofrecer resistencia a la entrada del hombre, manteniendo las piernas cerradas, ejerciendo tensión en los muslos. El hombre separa lentamente las piernas al entrar, pero la mujer sigue oponiendo resistencia, sin soltarlas de golpe, ejerce una presión constante. No pruebes esto hasta que la mujer esté bien lubricada.

- *Sigue balanceándote*. Es una forma de estimular el clítoris durante el coito sin usar las manos. En la postura del misionero, el hombre entra todo lo que puede dejando que su pubis descanse sobre el monte de Venus de su pareja (la zona carnosa ligeramente abultada justo encima del orificio vaginal). Entonces, los dos os balanceáis juntos y permanecéis conectados de este modo.

- *Totalmente abierta*. En esta técnica, uno de los dos colocáis las manos a ambos lados de la vulva y apartáis suavemente los labios cuando el hombre entra. La mujer tendrá que estar con las piernas totalmente abiertas o levantadas para hacer esto.

Como de costumbre, la comunicación es esencial para obtener los máximos resultados en cualquiera de estas variantes. Encuentra la que más te guste, descubre la que más le gusta a tu pareja y procurad encontrar la manera de sacarles el máximo partido. Como sucede con todas las cosas nuevas, la práctica hace al maestro. No esperes que puedas hacerlas enseguida sin esfuerzo, concédete tiempo para desarrollar tu técnica. Algunas quizá tendrás que desarrollarlas gradualmente.

Nueve y nueve

Los textos sexológicos taoístas contienen una amplia gama de instrucciones para alternar los patrones de penetración entre profundos y superficiales, pero hay una versión que creo que te ayudará a hacerte una idea general y que te aportará todos los beneficios. Este matiz en concreto sobre este tema lo aprendí del libro del doctor Stephen T. Chang, *The Tao of Sexology*. Puedes usar esta técnica en muchas de las posturas que he mencionado en este capítulo (o en cualquier otra que puedas inventar), siempre y cuando sea una que permita la penetración profunda y en la que el hombre tenga el suficiente control sobre la profundidad a la que penetra. También puedes combinar Nueve y nueve con la Contracción (la versión durante el coito, véase página 145); la mujer puede aumentar su propio placer y el de su compañero contrayendo cuando su pareja la penetra profundamente. También puede contraer cuando él se retira, lo que incrementará la fricción y la estimulación en esa fase.

La medicina china considera que las penetraciones superficiales son yang, mientras que las profundas son yin, lo que convierte esta técnica en un método especialmente indicado para equilibrar el yin y el yang.

Para empezar, el hombre introducirá sólo el glande en la vagina, nueve veces. Luego introducirá una vez el pene entero. Esto completa una serie de diez penetraciones. Luego, se reduce el número de penetraciones superficiales en uno y aumenta el de penetraciones profundas en uno y continuáis haciendo esto hasta nueve veces. El patrón completo es así:

Nueve superficiales y una profunda

Ocho superficiales y dos profundas

Siete superficiales y tres profundas

Seis superficiales y cuatro profundas

Cinco superficiales y cinco profundas

Cuatro superficiales y seis profundas

Tres superficiales y siete profundas

Dos superficiales y ocho profundas

Una superficial y nueve profundas

El ritmo dependerá de cada pareja, pero, en general, es mejor que sea lento. Muchas parejas prefieren introducciones lentas y retiradas más rápidas.

Empezar por penetraciones superficiales e ir pasando a otras más profundas aumenta el placer, especialmente para las mujeres. Esto te hace alternar entre un sentimiento de invitación y otro de satisfacción, que es una combinación muy agradable para la mayoría de las mujeres y un buen sendero hacia el orgasmo, incluso para las mujeres que anteriormente no conseguían llegar al mismo durante el coito. El Nueve y nueve puede acelerar el orgasmo y/o aumentar la intensidad del mismo en las mujeres.

Esto te hace alternar entre un sentimiento de invitación y otro de satisfacción, que es una combinación muy agradable para la mayoría de las mujeres y un buen sendero hacia el orgasmo.

Mientras alternar la penetración suele crear expectación en la mujer e intensifica su experiencia, a los hombres suele reducirles la intensidad y les ayuda a prolongar el coito retrasando su orgasmo. Esto se debe a que se alterna entre la estimulación del glande y la de todo el pene. El estímulo de todo el pene aumenta el deseo de eyacular; el estímulo del glande reduce el deseo de eyacular.

Dicho esto, hacer todo este ejercicio una vez supone noventa penetraciones, y, por más que disperses el área de estímulo, esto puede ser mucho para muchos hombres. Si has completado una serie de nueve sin haber llegado al orgasmo, puedes volver a repetirlo. Pero, si no te sientes seguro de poder repetir toda la hazaña, hazlo más corto, al menos al principio. Haz tandas de cinco o cuatro, por ejemplo. Encuentra tu propia fórmula.

Independientemente del número de veces, procura no hacer esto de una forma muy mecánica o ser demasiado estricto en el conteo. Si haces dos veces el siete, o pasas del ocho al seis, te aseguro que no pasa nada. Y si a medio camino de esta técnica los dos os sentís embargados por un intenso impulso de abandonar este patrón por otro de penetración desenfrenada..., adelante. Siempre podéis volver a intentarlo otro día.

Más sexo en la vida real: Sharona

Sharona tenía dificultad para llegar al orgasmo, hasta que su esposo Javi probó el Nueve y nueve. Esta novedad les enganchó a los dos. Realizado despacio, este ejercicio ayudó a Sharona a aumentar su deseo; esto a su vez hizo que se contrajeran sus músculos pubococcígeos y que se concentrara en su zona pélvica; todo ello incrementó su placer y aceleró el orgasmo. También motivó a Javi a concentrarse lo suficiente para retrasar su propio orgasmo. Sharona y Javi siguieron un ritmo más uniforme hacia el orgasmo, lo cual ayudó a que ella pudiera conseguir el suyo.

Según la medicina china, este ejercicio mueve la energía (chi) en la zona pélvica y la lleva hacia la misma, favorece la disolución del estancamiento. Sharona también tomó un remedio de hierbas (Xiao Yao Wan o Trotamundos relajado) especial para hacer circular el chi y facilitar las transiciones hormonales, incluidas la excitación y el orgasmo). Pero, según Sharona, fue el Nueve y nueve lo que le hacía tener ganas de repetir.

Ahora, oficialmente, ya no te quedan excusas de falta de variedad en tu vida sexual. No *siempre* tienes que estar haciendo algo nuevo, pero tampoco hay razón para hacer *siempre* lo de siempre. A medida que vayas probando repetidamente diferentes métodos, deberías notar que el sexo no sólo tiene más atractivo para ti, deberías notar mayor *deseo* de sexo.

14

La experiencia del clímax

Llega cuando tú quieras

No creo que los taoístas completaran un ciclo que no fuera de su agrado, y, como es natural, también veían el sexo como un ciclo, del cual el orgasmo, como liberación de la tensión sexual, supondría el final.

Es evidente que el orgasmo es fantástico. Pero también tiene otros efectos menos obvios: alivia el estrés y la tensión, reduce el dolor, mejora el sueño, induce a la relajación, bombea sangre y chi a través de la zona pélvica y libera un montón de hormonas que unen a las personas, fomenta sentimientos de seguridad y confianza y da ganas de abrazar. Razones suficientes para no perdértelo o ir con prisas. *Es* algo que vale la pena mejorar. Tener orgasmos —orgasmos realmente buenos— es la principal motivación que tiene el deseo sexual de cualquier persona. Puedes estimular tu libido mejorando tu experiencia del orgasmo. Puedes hacerlo teniendo orgasmos, si no los tenías, o bien teniéndolos con más facilidad, confianza o frecuencia o prolongando o intensificando los que ya tienes.

Cuando los taoístas hablan del orgasmo, normalmente se centran en dar instrucciones a los hombres. Y, cuando lo hacen, suelen concentrarse en el aspecto de *no* tener orgasmos, o al menos eso es lo que puede parecer. (En realidad, separan el orgasmo de la eyaculación y recomiendan tener el primero sin la última). No obstante, están muy a favor del orgasmo femenino, aunque no le den tanta publicidad, por lo que estoy de acuerdo en que esos sabios eran realmente sabios. Vamos a remitirnos de nuevo a su cuaderno de estrategias, pero este capítulo contiene más información para los hombres que para las mujeres, porque la información para los hombres es más complicada. Todos nos beneficiamos del orgasmo, pero no todos llegamos al mismo de la misma manera.

El orgasmo femenino

Un orgasmo puede ser suave o intenso, divertido o serio, sosegado o imperioso. Los orgasmos pueden ser tan variados como las mujeres y sus estados de ánimo. Puede ser un acto en solitario o conjunto. El orgasmo puede producirse antes, durante o después —o en vez de— del coito. Y cualquiera de ellos puede ser igualmente satisfactorio. Pero sin orgasmo, o sin un orgasmo *totalmente* satisfactorio, el sexo puede resultar frustrante, hacer que te encierres en ti misma o ser insatisfactorio de cualquier otra forma y provocar decaimiento, ira, tristeza, inquietud o alienación. Una relación sexual que *a veces* incluye sexo sin orgasmo para uno de los dos está bien; el problema viene cuando se desea el orgasmo pero éste no llega. Un orgasmo completo, uno que sea satisfactorio por completo, da placer a todo el cuerpo y es claramente energizante.

Tu chi va donde va tu mente. El truco está en tener la intención de llegar al orgasmo y concentrarte en las sensaciones que te conducirán a él.

Los taoístas identificaron nueve niveles en el orgasmo femenino. Aquí está lo más increíble: ¡el que a nosotras nos resulta más familiar o el que buscamos apenas se corresponde con el nivel cuatro! Así que, para las más aventureras, hay cinco niveles más a explorar, que te llevarán a la multiorgasmia y a cumbres espirituales. Te recomiendo que te plantees tener orgasmos con frecuencia (me refiero habitualmente, así como del *nivel cuatro*) antes de dedicar energía a descubrir los niveles del cinco al nueve. Cuando ya tengas eso por la mano, puedes decidir si te conformas con lo que tienes (como nos sucederá a muchas) o si quieres continuar con tu búsqueda.

Los sexólogos taoístas también aconsejaban que la mujer tuviera un orgasmo antes del coito, con la convicción de que durante el mismo tendrían más y mejores orgasmos. Incluso sin esa posibilidad, se prefería el orgasmo previo al coito porque, al no tener que preocuparse del orgasmo, la mujer podría sumirse mejor en la experiencia espiritual del coito y estar más conectada con su pareja durante el mismo. No obstante, mi consejo es que no te preocupes demasiado si es antes, durante o después, salvo porque sea otra forma de incorporar variedad a tu vida sexual.

En cuanto a cómo tener esos orgasmos: la medicina china fomenta la idea de que tu chi va donde va tu mente; que yo comparto plenamente. En otras palabras: concéntrate en donde quieras que vaya tu energía. Éste es un concepto muy poderoso para llegar al orgasmo. Una mente predispuesta al orgasmo ha ganado media batalla. El truco está en tener la intención de llegar al orgasmo y concentrarte en las sensaciones que te conducirán a él, sin que eso se convierta en una fijación u obsesión que te haga excluir todas las demás cosas maravillosas que probablemente se estén produciendo mientras haces el amor. Tu mente puede ser un sendero para tu energía, e invertir tu energía en obtener un orgasmo es una excelente forma de conseguir uno magnífico. Cuando tu mente *no* te ayuda a tener un orgasmo es porque te está enviando mensajes negativos («No voy a llegar nunca» o «No sabe lo que está haciendo» o «Esto va a tardar una eternidad, él se va a cansar») o porque está ocupada en alguna otra cosa como planificar lo que vas a hacer al día siguiente o entregarte a un pensamiento recurrente sobre lo que *deberías* haber hecho, o lo que sea. Si descubres algún pensamiento de este tipo mientras tienes relaciones sexuales, debes hacer lo que harías durante la meditación: dejarlos ir. No los juzgues —eso solo te llevará a involucrarte más en ellos—, simplemente déjalos ir y devuelve tu mente adonde quieres que esté: contribuyendo a tu orgasmo. Concentrarte en la respiración o en las sensaciones de tu cuerpo puede ayudarte. Es un buen momento para hacer el Circuito. El Circuito solo (no durante el sexo) también es una buena idea, te dará práctica para el tipo de concentración mental y física que necesitas para conseguir el orgasmo. Lo mismo sucede con la meditación en general.

⚠ PRUEBA ESTO ESTA NOCHE: Hasta el límite y retención

Se trata de un sencillo ejercicio que te ayudará a llegar al orgasmo. Si normalmente tienes orgasmos, este ejercicio es bueno para reforzarlos y llevarte a cimas más altas.

Es preferible que lo practiques primero a solas, antes de hacerlo con tu pareja.

Lo único que has de hacer es llegar al borde del orgasmo, utilizando el método que prefieras, y luego retener. Descansa unos momentos hasta que notes que ya estás lista para más, vuelve a llegar al borde... y vuelve a detenerte. Quédate a punto de llegar unas tres veces antes de dejarte ir.

Algunos consejos para hacer marcha atrás:

- Haz una pausa. Detente un minuto.
- Cambia el tipo de estimulación. Pasa a hacer otra cosa que te guste pero que no te lleve al orgasmo.
- Respira profundamente. Cuando tienes el orgasmo, automáticamente las respiraciones son cortas y superficiales. Si tu respiración es corta y superficial, es probable que aceleres el orgasmo en vez de retrasarlo. Si empiezas a respirar corto y superficial automáticamente, es que estás llegando y es el buen momento para echar el freno. Ahora. Respirar lenta y profundamente durante unos minutos creará un espacio entre ese límite y tú.
- Haz el Circuito para alejar la energía de tu pelvis.
- Relaja los músculos pélvicos, una especie de antiContracción. La mejor forma de hacerlo es hacer una Contracción y luego aflojar y observar lo que sientes en esa relajación.

De hecho, en la misma medida que relajar esos músculos retrasa el orgasmo, tensarlos lo prolonga y lo intensifica. De modo que, cuando estés a punto, haz la Contracción y el efecto de llegar hasta el límite y retener todavía será más intenso. También deberías probar girar un poco la pelvis para arquear ligeramente la columna.

♂ PARA LOS HOMBRES: por qué te interesa que ella se corra

No te equivoques: tú deseas que tu pareja llegue al orgasmo. Tener orgasmos totalmente satisfactorios con frecuencia reforzará su libido, y tú te beneficiarás casi tanto como ella.

Pero hay algo más que también te beneficia: cuando una mujer llega al orgasmo, libera una gran cantidad de energía yin... y va dirigida justo a ti. Cuanto más fuerte es su orgasmo, más energía recibes. Ésta es una de las principales formas en que actúa el sexo para equilibrar el yin y el yang, tanto en ti como en tu pareja y en la relación. Una razón más para añadir a la lista de por qué debes ocuparte del orgasmo de tu pareja casi tanto como del tuyo.

Los ejercicios específicos para mejorar el orgasmo vienen a continuación, pero empezaré con unos cuantos consejos y trucos básicos que puedes usar para facilitarlo:

- **No te quites los calcetines**. Tienes un 30 por ciento más de posibilidades de llegar al orgasmo si tienes los pies calientes. Científicos holandeses de la Universidad de Groninga han realizado un estudio que demuestra, pero la medicina china lo ha sabido siempre, que los pies fríos significan mala circulación y que la mala circulación dificulta llegar al orgasmo. Si las pantuflas-calcetines no son tu ideal de lencería erótica, hay una opción más romántica: empezad por un masaje en los pies.

- **Prueba el Zestra Arousal Oil**, es un producto natural hecho de hierbas y vitaminas para ayudar a mantener el calor y llevar sangre a los genitales. Muchas de mis pacientes han obtenido muy buenos resultados.

- **Empieza con un ejercicio de calentamiento**. Cuando estés a punto para la penetración, prueba el Reloj: túmbate boca arriba y dile a tu pareja que te penetre lo más a fondo que pueda; luego, quedaos quietos. Gira tu pelvis en el sentido de las agujas del reloj varias veces, todo el tiempo que te plazca; luego cambia el sentido de la rotación. Y así sucesivamente. Es una gran forma de ir calentando motores poco a poco, haciendo hincapié en ensalzar la sensibilidad de los genitales.

- **Haz el Nueve y nueve** (véase página 249) cuando ya te hayas calentado. Es una buena forma de que tu mente se concentre en tus sensaciones genitales. También contribuye a que aprendas a dejarte llevar y a disfrutar.

- **Haz la Contracción**. Tensar los músculos aumenta la circulación en esa zona e intensifica la excitación. Si tu pareja está en esa zona, te lo agradecerá.

- **Concéntrate**. Para tener un orgasmo, es necesario que estés presente en tu propio cuerpo y concentrándote en las sensaciones que estás experimentando y la conexión que estás creando. Si te das cuenta de que interfieren pensamientos ajenos a lo que estás haciendo, ya has dado el primer paso para resolver el problema: darte cuenta de que te estás distrayendo. A continuación, imagina que encierras todo pensamiento intruso en una burbuja y dejas que se vaya flotando. El Circuito siempre es recomendable. Se trata de sentir tu respiración y tu cuerpo.

- **Sincronizad vuestras respiraciones**. Sincronizar vuestras inspiraciones y espiraciones hará que los dos sigáis el mismo ritmo y os ayudará a mantener el mismo nivel de excitación. Si uno va por delante, sincronizar vuestras respiraciones volverá a uniros.

 PARA LOS HOMBRES: Hasta el límite y retención

Este ejercicio es básicamente igual para los hombres que para las mujeres: acercarse al orgasmo, retener y volver a la carga; pero la cuestión es que se invierte todo el proceso: para los hombres, la idea no es fomentar el orgasmo, sino posponerlo un poco. Para todos la recompensa es la misma: orgasmos más intensos.

El truco está en sintonizar con las sensaciones de tu cuerpo, para que estés seguro de que has llegado al momento en que la eyaculación es inminente. ¿Qué notamos cuando la eyaculación es inevitable? ¿Qué notamos cuando estamos justo *antes* de?

Vale la pena practicarlo primero en solitario. Pero también puedes hacerlo con tu pareja, durante el coito (o no), cuando ya tengas un poco más de experiencia.

Lo único que has de hacer es llegar al borde de la eyaculación, a través del método que desees cuando tengas ganas, y luego retener. Cuando estés aprendiendo, prueba a detenerte un poco antes de llegar al borde, y luego detente cada vez más cerca del mismo. La mayor parte de los consejos para las mujeres para enfriarse también sirven para los hombres (véase más arriba), pero podemos añadir algunos de estos trucos (véase a continuación). Una gran diferencia:

- En los hombres, hacer las contracciones de la Contracción impide el orgasmo.

Y una acción adicional clave:

- Presionar el Punto (véase página 261) hará que retrocedas desde el límite.

En cuanto a los trucos:

- Haz una pausa cuando sientas que la necesitas. Dentro o fuera, o a mitad de camino, no importa. Si pierdes la erección, no te preocupes: si la has tenido de buen principio, puedes estar seguro de que volverá cuando vuelvas a estimularte.
- *No* es necesario que sencillamente te detengas. Puedes cambiar el tipo de estímulo a otro que no te lleve tan rápido a la eyaculación. Muévete más despacio o más superficial. Cambia de ángulo o haz movimientos circulares en vez de penetrar hacia dentro y hacia fuera.
- Observa tu respiración. Recuerda respirar lento y profundo para ir más despacio, y que, si respiras corto y superficial, estarás yendo contracorriente para detener la eyaculación

ahora, y más adelante realmente tendrás que esforzarte en hacer respiraciones lentas y profundas durante unos minutos.

- Cuando relajes los músculos de tu pelvis, los que rodean al pene son tu principal objetivo.

Puedes usar cualquiera de estos trucos por separado o juntos.

Cuando notes que estás a medio camino del orgasmo, puedes volver a la labor... hasta que tengas que volver a retener. Retén dos o tres veces antes de eyacular. (Y no más que eso, porque de lo contrario podrías perder algo de sensibilidad).

 ## PARA LOS HOMBRES: La Contracción, el Circuito, los Tres cierres y el Punto

El orgasmo masculino es la esencia de la filosofía sexual taoísta. Concretamente, el objetivo es tener el orgasmo sin eyacular. Estas *retenciones* son tan famosas como la sexología taoísta. De modo que voy a explicar más detenidamente esta idea, aunque, como ya he dicho, no me entusiasma.

Al menos, no nos entusiasma a muchos. No discuto los efectos positivos que se atribuyen a la supresión de la eyaculación para conservar el chi. Pero, para dominar realmente esta técnica, se requiere una dedicación seria a la búsqueda espiritual y filosófica que, a mi entender, está por encima de lo que la mayoría de nosotros haremos en la vida real. Y hacerlo a *medias* no sólo no nos va a servir de nada, sino que puede perjudicarnos, empezando por crear estancamiento hasta correr el riesgo de padecer *bolas azules*. Probablemente, ya sea bastante frustrante retrasar el sexo, y no me gustaría que pusieras en la misma cesta todas las cosas útiles que pueden ofrecernos los textos taoístas.

No obstante, las técnicas para prevenir la eyaculación tienen muchos beneficios. Esas técnicas pueden ayudarte a controlar mejor la eyaculación, evitar la eyaculación precoz o prolongar el coito todo lo que desees. Refuerzan tus erecciones. Ayudan a aumentar la confianza entre la pareja, incrementan el placer para ambos y convierten el orgasmo en una experiencia corporal completa. Por todas estas razones y otras más, practicar estas técnicas mejorará tu deseo y tu vida sexual.

Ya conoces las tres técnicas más poderosas que se utilizan en la retención: la Contracción (véase página 143), el Circuito (véase página 80) y los Tres cierres (véase página 130). La cuarta es el Punto (véase la página 263). Básicamente, los fanáticos de la retención hacen la Contracción y los Tres cierres justo antes de eyacular, y luego el Circuito, para sacar la energía de la pelvis, elevarla y reciclarla (en lugar de dejarla ir con el semen). Al menos, eso es lo que hacen tras años de práctica en serio. Se cree que esto refuerza, energiza, cura el cuerpo, y que el practicante alcanza un estado espiritual elevado. Y, por si fuera poco, pueden prolongar el orgasmo —¡hasta cinco minutos cada uno!— y convertirse en multiorgásmicos. Con este tipo de retención, un hombre experimenta el orgasmo pero no eyacula, conserva su erección, así que puede ir a por más.

Con el Punto, una presión exacta puede detener la eyaculación sin parar el orgasmo, pero la erección desaparecerá después del mismo, lo que significa que se descarta la posibilidad de la multiorgasmia. Ésta es la razón por la que los taoístas consideran esta práctica para principiantes: los practicantes avanzados de la retención aprenden a invertir la eyaculación con las contracciones que realizan en la Contracción, manteniendo de este modo la erección.

Para la mayoría de los hombres, que viven aquí en el mundo real, no aconsejamos estas técnicas para evitar la eyaculación. Las enseñamos para que sirvan para controlar o retrasar la eyaculación —para que suceda cuando tú (y tu pareja) lo deseéis— y para alargar e intensificar el orgasmo. Te aconsejo que pruebes con la Contracción, el Circuito y el Punto cuando notes que te vienen ganas de eyacular, para que descubras qué es lo que te va mejor y con qué disfrutáis más tu pareja y tú u os resulta más útil. Probablemente, ésta sea una de las ocasiones en que prefieras practicar solo antes de intentarlo con tu pareja.

El Punto, tal como yo lo llamo, es un punto de acupuntura situado entre el ano y el escroto (el perineo); notarás que se encuentra en una pequeña cavidad. Presiónalo con fuerza *justo* antes de eyacular si quieres impedir (al menos temporalmente) la eyaculación sin dejar de experimentar (o prepararte para) un orgasmo intenso. Puedes empezar usando tres dedos, para tener más posibilidades de encontrarlo, hasta que te familiarices con el mismo y con la zona. Respira lenta y profundamente cuando ejerces presión sobre él.

Actúa inhibiendo las contracciones que mueven el semen por la uretra para la eyaculación, reduciendo la velocidad a la que se vacía la próstata, por lo que prolonga el orgasmo y lo intensifica. O como dirían los taoístas: interrumpe el flujo de energía hacia el pene, envía el chi hacia arriba y ayuda a equilibrar el yin y el yang.

Es mejor aprender a utilizar el Punto en solitario, pero, cuando estés preparado, adelante y presiónalo durante el coito. Luego, enséñale a tu pareja dónde se encuentra y cómo presionarlo. También podéis pactar una señal para *cuando* quieras que ella lo apriete. Algunos hombres encuentran que es mejor que lo presione su pareja que ellos mismos.

Para cuando tengas algo más de práctica: puedes usar las contracciones de la Contracción mientras presionas el punto. Tu próstata te lo agradecerá, y creo que te resultará una multitarea bastante placentera (y eficaz).

La habilidad de llegar al orgasmo cuando desees es el componente final de una vida sexual satisfactoria y una base sólida para una libido activa. Las mujeres pueden considerar esta habilidad desde una perspectiva diferente a la de los hombres, pero el efecto sobre nuestra experiencia del sexo y nuestro deseo de sexo es el mismo: con tendencia al alza.

PARA LOS HOMBRES: Steven encuentra el Punto

Steven vino a verme cuando llegó al límite de su frustración (y de la de su esposa) a causa de su eyaculación precoz. La entrevista reveló que se trataba de un caso típico de estancamiento de chi, exceso de trabajo y estrés, y que se refugiaba en la bebida para aliviar toda esa carga. Cuando le dije que sus copas nocturnas no hacían más que empeorar la eyaculación precoz, no puso inconveniente en dejar de tomarlas y en probar la acupuntura y las hierbas para tratar su estrés y estancamiento. También le aconsejé algunos ejercicios de los antiguos textos taoístas (los que nosotros llamamos la Contracción, el Circuito y el Punto). Steve protestó porque había oído algo respecto a la sexología taoísta y no estaba dispuesto en modo alguno a renunciar a la eyaculación. Pero le expliqué que las técnicas taoístas para la *retención* se podían utilizar para retener *temporalmente* la eyaculación (en vez de para retener indefinidamente el semen), que es en gran medida la definición de la terapia para la eyaculación precoz.

Steven empezó haciendo la Contracción a diario durante una semana, reforzando sus músculos pubococcígeos hasta el punto en que pudiera controlar la eyaculación. A la semana siguiente, añadió diariamente el Circuito (versión en solitario); le expliqué que podía aplicarlo para reabsorber la energía después de la eyaculación, para ahorrarla para cuando pudiera necesitarla. Por último, descubrió y practicó ejercer presión sobre el Punto. Mientras estuvo aprendiendo y practicando estas técnicas por su cuenta, le aconsejé que se concentrara en sus propias sensaciones cuando hacía el amor con Kath, para que pudiera identificar ese punto justo *antes* de eyacular.

A partir de ahí, pasó a hacer el Circuito durante el sexo, y luego la Contracción con el Circuito, y, por último, el Punto; primero se lo apretaba él mismo, y luego fue Kath quien lo hacía.

A medida que iba sintonizando con las señales de su propio

cuerpo y que sus músculos pubococcígeos se iban fortaleciendo, más podía controlar el momento de la eyaculación. En cuatro semanas, ya se sentía seguro para aguantar más cuando hacían el amor. Y esto a pesar de su reticencia contra todo aquello que tuviera que ver con su *energía*. «Me parecía que el Circuito era una visualización extraña, pero cuando lo probé podía sentir cómo subía la energía hasta mi cabeza», me dijo. La técnica le pareció tan potente que ya no necesitaba seguir apretando el Punto cuando quería aguantar más; le bastaba con *pensar* en llevar la energía hacia arriba desde su perineo hasta la cabeza.

15

Sexo en Seis Semanas

Seis semanas para volver a desear el sexo

El plan de Sexo en Seis Semanas está diseñado para que te sientas cómoda con un conjunto de prácticas y ejercicios básicos y para que puedas incorporarlos a tu vida. Al final de las seis semanas, deberías dominar las técnicas que necesitas para recargar tu libido y tu vida sexual, y sentir la seguridad de que serás capaz de recurrir a ellas cuando las necesites. No importa tu edad ni el tiempo que lleves de ayuno sexual.

En general, hacia finales de las seis semanas, deberías notar tu energía sexual, tu deseo, estar lista, dispuesta y capacitada para utilizarlo. Esto se debe a que estas técnicas agudizan tus habilidades, amplían tu repertorio, mejoran tu satisfacción sexual y crean más intimidad. Con ellas, puedes estar segura de que, cuando tengas sexo, será bueno y querrás tener sexo.

La mejor preparación para el éxito con el programa de Sexo en Seis Semanas es tener tu casa en orden antes de empezar a practicar con tu pareja. Si has seguido los consejos del capítulo 5, a medida que ibas leyendo este libro, deberías estar preparada para iniciarlo. Si lo prefieres, puedes hacerlo todo a la vez, al final del programa estándar de Sexo en Seis Semanas, hay una *combinación* que te enseña cómo. Es evidente que te llevará más tiempo y energía cada semana, pero, si estás preparada para ir a un ritmo más rápido, para pasar a un reto más avanzado, ése es el camino que has de seguir. También hay un programa más reducido de *inicio-rápido*, si crees que sólo necesitas un empujoncito para que las cosas vuelvan a funcionar o si prefieres lanzarte a la piscina por el lado profundo, pegarte un buen remojón y pulir los detalles más adelante.

Obtendrás los mejores resultados y los más completos si haces todo el programa en seis semanas. Pero, como es natural, a veces la vida se interpone y puedes necesitar más tiempo porque has estado enferma, has viajado, porque no quieres tener sexo durante tu menstruación o porque te has apartado del camino por cualquier otra razón. No pasa nada, simplemente retoma tu práctica donde la dejaste lo antes posible. Tal vez necesites más tiempo para realizar todo lo que tienes que hacer en una semana; en tal caso, es mejor seguir avanzando tomándote el tiempo que necesites para hacerlo todo en vez de saltarte algo. Por último, puede que algunas veces sientas que necesitas más tiempo para dominar algunas de las tareas semanales; en ese caso, debes seguir intentándolo hasta que te sientas satisfecha y estés lista para dar el siguiente paso.

Tanto si empiezas y consigues terminar en seis semanas, como si has de revisar el plazo de tiempo y adaptarlo a tus circunstancias, debes hacer *algo* cada día. Aunque tengas la gripe, o tengas que pasarte la noche en vela trabajando, todavía puedes hacer las cosas más sencillas, como Respira. De hecho, probablemente, ¡seguro que necesitas respirar en ese tipo de circunstancias! Si tu pareja está de viaje porque ha tenido que ir a un congreso, puedes hacer el Circuito por tu cuenta, aunque os *toque* hacer uno juntos. Aunque, literalmente, no tengas ni un momento para ti, puedes practicar Piensa en ello, o hacer partes de la Contracción que puedas realizar en público y que sólo tú sepas que lo estás haciendo.

Hay varias partes de este programa que puedes incorporar a tu vida cotidiana cada vez que dispongas de un momento libre —Respira cada vez que estés estresada, Piensa en ello cuando estés en un atasco de tráfico, besa a tu pareja cuando os cruzáis por la escalera, etc. De hecho, ir salpicando tu vida de forma impredecible con estas prácticas es muy positivo. Pero has de dedicar un tiempo cada día a realizar las tareas del programa para garantizarte de que haces todo lo que has de hacer. Si programas cinco minutos al día —quizás a primera hora de la mañana o antes de acostarte—, podrás hacer muchas de las tareas. En la mayoría de los casos, cinco minutos dos veces al día deberían bastar para hacerlas todas. Algunos días, como es lógico, necesitarás más, porque es evidente que ¡no quiero ni oír que alguien ha hecho un masaje completo a su pareja en cinco minutos! Si terminas tu tarea antes de los cinco minutos que habías programado y no tienes otra tarea en concreto que hacer, haz algo de todos modos. Quizás un ejercicio de respiración nuevo, o prueba con Explora pero sólo en una pequeña área de tu cuerpo (sin olvidar la versión completa en otro momento). Sencillamente, sincroniza tu respiración durante un rato u ofrécele a tu pareja un pequeño masaje, ¿quizás en las manos o en el cuello?

Una observación más: puedes/debes seguir teniendo sexo con tu pareja mientras sigues este programa. No es necesario abstenerse aun cuando el programa de la semana no incluya sexo. Si no tienes sexo con la suficiente frecuencia por esta razón, no te preocupes, sigue el plan y pronto lo tendrás.

Tres para prepararte

Un poco de preparación es muy eficaz cuando se trata de sacarle el máximo partido al programa Sexo en Seis Semanas. Para la mayoría de los sexoejercicios, hay unos cuantos elementos comunes para lograr una experiencia satisfactoria. Has de preparar tu cuerpo, tu mente y tu entorno. Los detalles sobre cómo hacerlo dependerán de ti y de tu pareja. Ten presente estas tres cosas:

1. Ponte cómoda

2. Relájate

3. Concéntrate

Se trata de crear el mejor entorno para crear conexión. Sea como fuere, el objetivo final es que los dos estéis centrados, que estéis en el momento presente y que tengáis la intención de compartir la experiencia juntos. Las dos personas han de estar totalmente implicadas y dispuestas tanto a dar como a recibir. Mantener la atención en el ahora, favorecer el espíritu de la conexión, concentraros en vosotros mismos *y* en el otro, eso es lo que se pretende preparándose. Tanto si prepararse implica asearte, como afeitarte las piernas, dejar una pequeña nota de amor o plantearte que le vas a pedir a tu pareja probar una cosa nueva...

El objetivo final es que los dos estéis centrados, que estéis en el momento presente y que tengáis la intención de compartir la experiencia juntos.

La senda hacia este estado se compone de diferentes aspectos para cada persona, desde poner música suave hasta organizar que los niños pasen la noche fuera. Quizá dejar a un lado la colada y darte un baño de agua caliente, quizás escoger algo de lencería y hacer una siesta para tener más energía para el encuentro nocturno. Quizá tomar vino para cenar o quizá no tomar más de un vaso.

Tenéis que eliminar las distracciones para que nadie se disperse por un «Aquí hace demasiado frío», «¿Cómo tengo el aliento?» o «¡Dios! Mira todo ese papeleo». Haz todo lo que haga falta para concentrarte en lo que quieres hacer. Prepararos para el éxito: planificad tiempo para esto, y no lo hagáis cuando podéis prever que uno o los dos estaréis bajos de energía. Si no tenéis sexo porque cuando caéis en la cama estáis totalmente exhaustos..., entonces quizá sea el momento de pensar en tener, de vez en cuando, una cita a la hora de comer o probar a adelantar la hora de levantaros para alguna acción matutina. Si tenéis hijos, haced lo necesario para aseguraros de que no os van a interrumpir. Las hermanas que se quedan con los niños son una buena opción. También lo es poner cerraduras en las puertas, ser estrictos en que los niños se acuesten temprano y comprar entradas para el cine en el caso de los mayores.

Cuidar de tu cuerpo puede incluir tener cojines de más y ropa de cama a mano, para controlar la temperatura, la comodidad física y los instrumentos necesarios. ¡Indiscutiblemente, incluye una buena higiene personal! También puede conllevar comer ligero para no preocuparos del malestar de sentiros llenos o de los incómodos ruidos estomacales. Las citas para cenar probablemente sean uno de los peores errores que cometen las personas cuando pretenden iniciar un romance. ¡La mayoría funcionamos mucho mejor si tenemos sexo como aperitivo en vez de como postre!

También tendrás que prepararte mentalmente. Una meta para mejorar tu vida sexual a largo plazo es mejorar tu salud mental y emocional. Has de adoptar una buena actitud mental antes de iniciar cualquiera de estas tareas. Si tienes que reconocer algunas emociones, o disolver alguna tensión, hazlo antes de empezar. Prueba con un ejercicio de respiración, una relajación, simplemente, con unas cuantas respiraciones lentas y profundas. Quizá te puede venir bien hacer un poco de ejercicio físico o darte una ducha rápida. O bien hablar de ello con tu pareja u otro confidente antes de encontrarte con tu pareja. O anota tus preocupaciones en un diario. Sea lo que sea, te ayudará a alejarte de lo que te esté preocupando en este momento. Luego combina esto con algunas cosas para poder conectar con tus emociones positivas y energía sexual. Haz un cumplido a tu pareja o ten algún detalle con ella (no esperes a que sea el momento que te parece más apropiado para hacerlo, ¡pero otro extra cuando estás de humor, o quieres estarlo, siempre es una buena idea!). Anímate si te gusta hacerlo (o crees que a tu pareja le va a gustar).

Como tantas de las cosas que hemos visto en estos capítulos, la diferencia entre el éxito (sexo con conexión) y el fracaso (sexo sin conexión o nada de sexo) está muy relacionado con tu actitud e intención. Poner música para reavivar recuerdos, favorecer la relajación, hacer sonreír a tu pareja o cualquier otra cosa que te ponga de buen humor es una gran idea. Si lo que pretendes es poner algo para escuchar hasta que esto se acabe, ya no es tan buena idea. Puedes pasar tiempo *calentando* tu cuerpo despojándolo de todo pelo que no se encuentre en la parte superior de tu cabeza, y, si eso te hace sentir más sexi y a gusto con tu cuerpo, si utilizas este proceso para prepararte para lo que viene después, vas por buen camino para el buen sexo. Si lo haces para responder a una exigencia de tu pareja (real o que te parece haber percibido), motivada por un sentimiento de que el sexo es *sucio* y que de esta forma puede ser más limpio, o para estar a la altura de una estrella de Hollywood, vas por mal camino. Los taoístas dirían que tu chi va donde va tu mente (incluido tu chi sexual). Envía a tu mente donde quieras que vaya tu energía.

Recuerda también que marcar el calendario, encender velas, ponerte perfume y enviar a los niños a casa de la abuela puede ser una forma excelente de preparar un buen revolcón con tu pareja. Pero esos mismos pasos pueden crear una magnífica oportunidad para practicar la meditación, para tener esa larga charla que teníais pendiente, para daros masaje mutuamente sin que el menú incluya nada más en esta ocasión. Todas estas cosas serán positivas para que estéis más conectados, para vuestra relación y para vuestra vida sexual.

El programa de Sexo en Seis Semanas

SEMANA 1
Besar (página 214)
Sincronizad vuestras respiraciones (página 184)

- Empezad con Besos diarios y Besos inesperados (¡también a diario!), y, cuando estéis preparados, incorporad cualquier otro ejercicio de besar o *consejos y trucos* que os seduzcan a ambos.
- Practicad Sincronizad vuestras respiraciones al menos una vez en el transcurso de la semana.

SEMANA 2
El Circuito, una variante para dos (página 138)
La Contracción, una variante para dos (página 145)
Meditación para la mañana y la noche (página 189)

- Seguid besándoos (diariamente) y Sincronizad vuestras respiraciones (al menos una vez).
- Enséñale a tu pareja el Circuito y la Contracción, si todavía no

los ha aprendido por su cuenta. Luego, practícalas simultáneamente al menos una vez, o combínalas, al mismo tiempo que tu pareja. O prueba la variante de la Contracción en la que tu pareja te hace masaje mientras tú haces las contracciones; luego, intercambiad los papeles. Si realmente quieres obtener resultados: combina el Circuito con Sincronizad vuestras respiraciones (variante 3 del Circuito, página 138).

- Haz también la Meditación para la mañana y la noche al menos una vez. Ésta combina perfectamente con Sincronizad vuestras respiraciones, si deseas hacerla. ¡Harás dos tareas al mismo tiempo y obtendrás más beneficios por el mismo precio!

SEMANA 3

Explora (versión con pareja) (página 154)
Masaje en pareja (página 155)

- Sigue besando (a diario), y haz un Circuito y una Contracción completa con pareja (al menos una vez).
- Haced juntos el ejercicio de Explora al menos una vez intercambiándoos el turno. (Comparte lo que has aprendido al hacer tu propio Explora).
- Haced el Masaje en pareja al menos una vez, turnándoos para que los dos podáis dar y recibir. Si os hacen falta dos semanas para completar Explora y Masaje en pareja, recordad que seguir al dedillo este programa en ningún caso debe generar más estrés. Pero, si os lo podéis arreglar, planificad un tiempo, ¡tendréis un fin de semana genial!

SEMANA 4

Juegos preliminares (página 220)
Nueve y nueve (página 249)

- Sigue besando (a diario).
- Tu proyecto para esta semana es tener sexo con tu pareja al menos una vez, y para ello son imprescindibles unos buenos

preliminares. Utilizad lo que habéis aprendido en Explora y Masaje en pareja o usad cualquiera de los consejos, técnicas o ejercicios del capítulo 11 que os gusten a los dos. Sincronizad vuestras respiraciones es un hermoso preludio para los preliminares. Cuando ya paséis al coito, haced Nueve y nueve o bien reservadlo para otra ocasión en esta misma semana. De nuevo, recordad la regla de sin estrés añadido: si es necesario, ampliad esta fase hasta dos semanas y tened sexo al menos dos veces, una de ellas concentrándoos en los juegos preliminares y otra incorporando el Nueve y nueve.

SEMANA 5

La Contracción y/o el Circuito durante el sexo (páginas 139, 146, 186)
Prueba algo nuevo

• Seguid besándoos (a diario).
• La tarea de esta semana será practicar la Contracción y el Circuito durante el sexo al menos una vez. Probad también algo nuevo durante el sexo. Sí, esta semana sexo dos veces. O bien, podéis añadirle algo además de probar la Contracción y el Circuito durante el sexo si pensáis que no vais a tener tiempo para más de una vez. Recordad, no os estreséis por seguir este plan. También podéis ampliar esta fase hasta dos semanas. La innovación no tiene por qué ser *nada del otro mundo* o algo que no hayáis hecho *nunca*, bastará con algo que no hagáis con frecuencia. Quizá sea practicar durante el sexo alguna de las posturas de las Diez Principales, sexo oral o Hasta el límite y retención o (si para vosotros es algo poco habitual) un *polvo rápido*.

SEMANA 6

Ejercicio para intercambiar chi
Ejercicio para tonificar el yin para dos
Ejercicio para tonificar el yang para dos

- Seguid besándoos (a diario).
- Y volved a tener sexo, al menos dos veces. Cuando lo hagáis, debe incluir una actividad que hayáis elegido específicamente para reforzar las dos que más os cuesten. Y todo el mundo necesita un poco de refuerzo, incluso en las relaciones más sólidas. El equilibrio entre el yin y el yang siempre es un objetivo flexible y nunca ha hecho daño a nadie intentar pulirlo. ¡No hacerlo sí! Revisad el equilibrio entre el yin y el yang en vuestra relación, y el estado de vuestro intercambio de chi, y elegid un sexoejercicio, dos o tres, para compensar vuestros puntos débiles. Como de costumbre, si necesitáis más de una semana, adelante.

El apéndice 2 contiene muchos ejercicios con sus beneficios, pero aquí tienes las principales opciones para las parejas durante el sexo:

Para intercambiar chi
Polvos rápidos (página 225)
Cunnilingus (hacer) (página 237)
Felación (hacer) (página 232)
Las Diez Principales (página 241)
Sigue balanceándote (página 249)

Para tonificar el yin
Cunnilingus (recibir) (página 234)
Dragón (para mujeres) (página 241)
Mono (para mujeres) (página 242)
Cigarra (para mujeres) (página 242)
Fénix (para mujeres) (página 243)
Pez (para mujeres) (página 244)
Patos mandarines unidos (para mujeres) (página 244)
Sigue balanceándote (página 249)
Totalmente abierta (página 249)

Para tonificar el yang

Polvos rápidos (página 225)

Felación (recibir) (página 232)

Dragón (para mujeres) (página 241)

Tigre (para mujeres) (página 242)

Tortuga (para mujeres) (página 243)

Conejo (para mujeres) (página 243)

Pez (para mujeres) (página 244)

Grulla (para mujeres) (página 244)

El señor de los muslos (página 249)

Guía de inicio rápido

La forma más rápida de empezar a recargar la libido es con las cinco prácticas siguientes seleccionadas. Hechas a diario (bueno, quizá no a diario en el caso de los preliminares), te ayudarán a volver a conectarte con tu energía sexua, a que la sientas dentro de ti y a que sientas el deseo de compartirla con tu compañero. Mejorarás tus resultados y tu técnica con el programa completo de las Seis Semanas, pero no es necesario a que esperes hasta estar preparada para comprometerte a hacerlo todo antes de probar unas cuantas estrategias clave:

El Circuito (página 80)   *Besar (capítulo 11)*

La Contracción (página 106)   *Preliminares (capítulo 11)*

Piensa en ello (página 49)

Programa de combinación de sexo en seis semanas

Si estás preparada para este compromiso acelerado e intensivo, este programa te ayuda a ir más deprisa con las técnicas en solitario y las tareas en pareja.

Cada semana —de hecho, cada día— has de hacer Piensa en ello (página 49) y Respira (página 39), así como Besos diarios y Besos inesperados (página 219). Luego, solapa los otros ejercicios como sigue (algunos ejercicios han pasado a formar parte de un nuevo orden a fin de poder combinar los planes personales y los de la pareja):

SEMANA 1

2 x semana:　　　Sincronizad vuestras respiraciones (página 184)

SEMANA 2

4 x semana:　　　el Circuito o la Contracción o el Circuito y la Contracción (páginas 80, 106 o 119).

1 x semana:　　　Explora (versión en solitario) (página 152)
　　　　　　　　Sincronizad vuestras respiraciones (página 184)
　　　　　　　　Meditación para la mañana y la noche (página 189)

SEMANA 3

3 o 4 x semana:　El Circuito, para parejas (página 138)
　　　　　　　　O la Contracción, para parejas (página 145)
　　　　　　　　O una combinación (página 186)

1 o 2 x semana:　Elige tu ejercicio en solitario (arriba)

1 x semana:　　　Explora (en pareja) (página 154)
　　　　　　　　Masaje en pareja (página 155)

SEMANA 4

3 x semana:　　　El Circuito (sola o en pareja) (páginas 80, 138)
　　　　　　　　La Contracción (sola o en pareja) (páginas 106 o 145)

Vientre de Buda (**página 142**)

Abre tus sentidos (**página 72**)

1 x semana: Juegos preliminares (**página 220**)

Nueve y nueve (**página 249**)

SEMANA 5

1 o 2 x semana: Relajación progresiva (**página 129**)

El Circuito (sola o en pareja) (**páginas 80 o 138**)

La Contracción (sola o en pareja) (**páginas 106 o 145**)

1 x semana: La Contracción y/o el Circuito durante el sexo

(**páginas 139, 145 o 186**)

Prueba algo nuevo

SEMANA 6

1 x semana: Mastúrbate con la Contracción, el Circuito y/o,

Hasta el límite y retención (**páginas 165, 170 o 256**)

Elegid vuestro propio ejercicio en pareja

♂ PARA LOS HOMBRES: el yin el yang y las Diez Principales

Las Diez Principales sirven todas para movilizar el chi en cualquier persona. Suelen afectar de forma diferente a hombres y mujeres en lo que respecta al yin y al yang. Para los hombres, aquí tenéis una forma de elegir la que creáis que más os convenga:

Para tonificar el yin:	Para tonificar el yang:
Tortuga	Dragón
Conejo	Tigre
Pez	Mono
Grulla	Cigarra
	Fénix
	Patos mandarines unidos

CUARTA PARTE

PROBLEMAS

16

La salud y la salud sexual

Impedimentos físicos para una libido sana
y cómo superarlos

En este capítulo, tratamos dos tipos de problemas físicos que pueden interferir en la vida sexual y la libido. En primer lugar, están los problemas propiamente sexuales; en jerga médica, disfunciones sexuales. En la segunda parte del capítulo, presentamos los temas más sutiles, es decir, problemas de salud que pueden provocar trastornos sexuales sin que seamos conscientes de ellos. Probablemente, sabrás si padeces alergias o alguna enfermedad cardíaca, por ejemplo, pero tal vez no sepas que esas patologías pueden ser la causa de tu dificultad para excitarte o para tener un orgasmo.

No es necesario leer todos los apartados de este capítulo. Te recomiendo que busques lo que pueda afectarte y te centres en esas secciones. No obstante, todo el mundo debería leer la lista de medicamentos problemáticos (véase página 303), por si estás tomando alguno de ellos.

Superar la disfunción

Una libido baja suele ser el resultado de una disfunción sexual básica: la incapacidad de disfrutar del sexo, generalmente a causa de factores físicos o psicológicos que inhiben la respuesta sexual. Afortunadamente, la mayor parte de las que se deben a esta categoría (sexo doloroso, falta de excitación o de orgasmo) se pueden tratar en casa. En algunos casos, también deberías consultar con un médico de medicina alopática y/o con un profesional de la medicina china. No obstante, a pesar de todo todavía podrás aplicar el *hazlo tú misma*, y te ayudará a recuperarte más rápidamente. Lo que importa es la intención de poner remedio a cualquier problema subyacente, no sólo a los síntomas. ¡Atájalo desde la raíz!

Sin embargo, quizá necesites también un plan B, si se trata de algo que no puedes eliminar, y ese plan es: aprender a vivir con ello. Prácticamente en todos los casos eso va a suponer confiar en una relación de amor y de confianza, y tener buena comunicación con tu pareja sobre lo que te gusta y lo que no, qué es lo que funciona para ti y qué es lo que no funciona. No incluye *no* tener sexo. Siempre hay una manera. Y muchas veces, cuando encuentras esa manera, también descubres que el sexo ayuda a corregir el problema original.

A continuación, exponemos algunos de los problemas más frecuentes.

DISPAREUNIA O DOLOR DURANTE EL COITO

En las mujeres es bastante común tener dolor durante el coito debido a la endometriosis o fibromas, infecciones, estructura anatómica, sequedad vaginal o factores psicológicos. En medicina china, se considera que la dispareunia se debe al estancamiento de chi (y a la mala circulación sanguínea) en la zona pélvica, aunque también se puede relacionar con una deficiencia de yin.

- **Tratar la causa subyacente** (mencionadas arriba).
- **Reducir la sequedad vaginal**. Seguir los consejos del capítulo 3 para tonificar el yin será útil —aconsejamos especialmente el uso de lubricantes—, así como el consejo que damos en el mismo capítulo y en éste (Los medicamentos y sus efectos secundarios, página 303) sobre medicamentos que pueden provocar sequedad vaginal.
- **Sigue el consejo para movilizar el chi** (página 57) si tu dolor se debe a cualquier otra causa que no sea la sequedad vaginal.

- **Plantéate la posibilidad de seguir un tratamiento de medicina china**. La acupuntura es muy eficaz para aliviar el dolor en general, incluido cualquier tipo de dolor pélvico, y puede corregir muchas de las causas subyacentes de la dispareunia. También se puede preparar una fórmula de hierbas para tu caso en particular.

- **Prolongar los preliminares** ayuda a estimular tu lubricación natural, y puede que tu dolor disminuya o incluso desaparezca al retrasar la penetración hasta que estés totalmente excitada.

- **Cambia de posición**. Estar encima, donde tienes más control, suele ser una buena solución.

- **Prueba la terapia de desensibilización**: son ejercicios de relajación vaginal que pueden reducir el dolor. Un terapeuta especializado en disfunción sexual puede recomendarte ejercicios para el suelo pélvico u otras técnicas específicas para reducir el dolor durante el coito. Ésta es una buena opción cuando el dolor es de origen desconocido y tu médico ha descartado cualquier otro problema físico.

VAGINISMO

El vaginismo es un espasmo recurrente de la vagina externa, una contracción involuntaria del músculo cercano a la entrada, que dificulta o incluso imposibilita la relación sexual. En la medicina occidental, se considera que algunos casos son fisiológicos y otros psicológicos. La medicina china, en cambio, considera todos los casos como un signo de estancamiento de chi en la zona vaginal o como una deficiencia de yin que provoca inflamación en la zona vaginal y/o en todo el cuerpo.

- **Recurre a un profesional**: terapia emocional, terapia sexual y/o tratamiento médico. La mejor elección dependerá de cuál sea la causa del vaginismo. El tratamiento médico para esta condición es necesario después de una intervención ginecológica, por ejemplo. Si el vaginismo se debe a un trauma psicológico anterior, será más conveniente alguna terapia psicológica.

- **Usa un dilatador vaginal** para que te ayude a aflojar gradualmente y sin dolor la contracción, si tu médico te lo recomienda. También puedes probar algo parecido por tu cuenta, utilizando tus dedos (o los de tu pareja) y lubricante, después de los preliminares.

ANORGASMIA

La anorgasmia es el término médico empleado para la mujer que suele tener dificultad en llegar al orgasmo después de una gran estimulación sexual, hasta el punto que le provoca un trauma personal. Es decir, si no tienes orgasmo o te cuesta mucho llegar a tenerlos, *pero no te importa, no* tienes anorgasmia. La incapacidad para llegar al orgasmo afecta al menos a una de cada cinco mujeres en el mundo. El origen puede ser psicológico, neurológico, vascular u hormonal. También se puede deber a medicamentos, drogas recreativas o el alcohol. Puede pasarle a una mujer que llega al orgasmo durante la masturbación pero no puede llegar con su pareja.

- **Sigue los consejos para el estancamiento de chi** del capítulo 2. Desde la perspectiva de la medicina china, los problemas con el orgasmo se producen cuando no hay una buena circulación de sangre y chi.

- **Incluye los consejos para mejorar tu capacidad para llegar al orgasmo** del capítulo 8.

 PARA LOS HOMBRES: disfunción sexual masculina

La experiencia masculina de la disfunción sexual es claramente masculina, como cabía esperar, dada la diferencia anatómica entre hombres y mujeres.

DISPAREUNIA

Si sientes dolor durante el acto sexual, probablemente se deba a una infección (como una ITU o infección del tracto urinario), inflamación (como en el caso de la prostatitis), problemas musculares (como disfunción del suelo pélvico) o a la anatomía (como en la enfermedad de Peyronie o induración del prepucio); o a una deficiencia de yin o estancamiento de chi. También hay una variación sobre este tema, lo que se conoce como el «síndrome del dolor posteyaculatorio», provocado por el estancamiento o, en términos occidentales, por un espasmo del suelo pélvico.

- **Identifica y trata cualquier condición subyacente**, como una infección.
- **Consulta a tu médico sobre posibles cambios en la medicación** si sospechas que algo de lo que tomas podría estar afectándote. (Véase página 303).
- **Encuentra una postura que sea adecuada para ti**.
- **Retrasa la penetración hasta que tu pareja esté totalmente excitada**.
- **Revisa los consejos para la deficiencia de yin** (página 87)...
- **... y los consejos para el estancamiento de chi** (página 54).
- **Plantéate seguir un tratamiento de medicina china**.

EYACULACIÓN RETARDADA (O INHIBIDA)

La eyaculación retardada (o inhibida), o ER, es una *condición* que la tienes sólo si ello supone un problema para ti (o para tu pareja): no poder eyacular con estímulo sexual con una pareja, ya sea durante el coito o manualmente. También es un problema si tardas más en eyacular de lo que desearía tu pareja. (Los taoístas ponen el énfasis en llegar al orgasmo *sin* eyacular, por lo que quiero aclarar que la eyaculación retardada *no es lo mismo*. Salvo que evitar la eyaculación sea lo más importante para ti y estés realmente comprometido con las prácticas espirituales que te ayuden a conseguirlo, tardar demasiado en eyacular —o no poder hacerlo— es un problema que se ha de resolver, no una meta).

- **Consulta a tu médico sobre posibles cambios en tus medicaciones**. De hecho, el factor más común que vemos en la ER suelen ser los efectos secundarios de la medicación. Generalmente, los responsables de esto son los ISRS (inhibidores selectivos de la recaptación de la serotonina) o antidepresivos tricíclicos (véase página 304), aunque las medicaciones para la epilepsia también pueden provocar este efecto.

- **Vive el presente**. Concéntrate en dar y recibir placer, sin preocuparte por si vas a eyacular o cuándo vas a hacerlo.

- **Plantéate abstenerte del coito durante algún tiempo**, trabaja gradualmente sobre la eyaculación a través de otros tipos de estímulos antes de volver al coito.

- **Haz cada día ejercicios del suelo pélvico**, como la Contracción, para favorecer la eyaculación a través de aportar más sangre a la zona (página 146). Pero en este caso *no* hagas la Contracción durante el sexo.

- **Haz la Torsión** (página 290). Irónicamente, lo mismo que puede ayudar en la eyaculación precoz puede ser útil aquí, y por la misma razón: mantén tu concentración. Para los hombres a los que les cuesta llegar al orgasmo, la distracción también forma parte del problema. Puesto que esta postura es un poco rara, te ayudará a concentrarte y evitar que tu mente se disperse.

- **Reflexiona sobre tu actitud** hacia la sexualidad para descubrir si estás albergando ideas sobre el sexo que incluyan la vergüenza y el pecado; podrían estar interfiriendo en tu vida sexual. Puedes hacer esto solo, escribir en un diario personal, hablar con un amigo de tu confianza o acudir a un terapeuta para hablar del tema.

- **Fomenta tu relación** con tu pareja y la intimidad emocional entre ambos, y tal vez elimines los obstáculos para una vida sexual satisfactoria. Concéntrate en lo que te atrae de tu pareja (sexualmente o no), en vuestro historial de sexo satisfactorio y en los puntos fuertes de vuestra relación. A veces, nos perdemos porque sólo vemos lo que está mal y no somos capaces de ver lo que nos gusta.

- **Sigue los consejos para la deficiencia de yang** (página 109).
- **Sigue los consejos para el estancamiento de chi** (página 54).

DISFUNCIÓN ERÉCTIL (DE)

La disfunción eréctil (DE) es la dificultad para lograr o mantener una erección. Afecta de diez a quince millones de estadounidenses, y al menos tres cuartas partes de esos hombres tienen menos de sesenta y cinco años. Según la medicina china, para conseguir y mantener una erección, hace falta energía yang; por tanto, éste es un problema que suele afectar a las personas con deficiencia de yang. Para mantener una erección, hace falta un buen riego sanguíneo, por lo que la DE suele producirse en personas con estancamiento de chi.

En la medicina occidental, se dice que la mayor parte de los casos se deben a un problema fisiológico, que suele ir asociado a una enfermedad cardíaca, a la ateroesclerosis (vasos sanguíneos reducidos por las placas de ateroma), hipertensión, diabetes, obesidad, fatiga, Parkinson, esclerosis múltiple, testosterona baja, enfermedad de Peyronie o desarrollo de tejido cicatricial dentro del pene. Los tratamientos para el cáncer de próstata o hiperplasia de próstata también pueden ser la causa, como pueden serlo cualquier operación quirúrgica o herida que afecte a la zona pélvica o a la médula espinal. Algunos medicamentos con receta pueden provocarla, así como el tabaco, el alcohol o alguna otra sustancia a las que se tenga adicción (véase páginas 303, 286 y 292).

La DE que se produce habitualmente, o de forma inesperada, es probable que tenga alguna causa física. Sea como fuere, lo primero que has de hacer es consultar con tu médico para buscar la causa fisiológica.

- **¡No te cortes!** Los hombres que tienen DE suelen evitar el sexo para ahorrarse situaciones incómodas, pero los estudios demuestran que eso sólo empeora las cosas. Cuanto más sexo tengas, más oxigenarás tu pene y tendrás erecciones más fuertes. Tal vez debas replantearte cómo *practicar* sexo, al menos durante un tiempo, para concentrarte en la conexión y en dar y recibir placer de formas que no exijan una erección.

- **Duerme bien**. Planifica el sexo para un momento en que no estés cansado. El cansancio empeora la DE.
- **Evita el alcohol**, sobre todo antes del sexo.
- **Limita tu consumo de** grasas animales, azúcar y comida basura.
- **Adelgaza** si tienes sobrepeso.
- **Toma algún suplemento de ácido graso esencial** para fortalecer el sistema nervioso, la próstata y la circulación sanguínea.
- **Equilibra tu yin y tu yang**. Véase los consejos de los capítulos 3 y 4.
- **Mueve tu chi**. Véase los consejos del capítulo 2.
- **Practica la Contracción y otras técnicas de *retención*** (véase capítulo 14) para llevar chi y yang a los genitales.
- **Tómate tu tiempo para *calentarte* con estimulación no genital**.
- **Procura expresar tus emociones** si tienes estancamiento de chi.
- **Elimina la pornografía de tu repertorio habitual**. El uso habitual de la pornografía puede interferir en tu capacidad para conectar con tu pareja. También hace que la energía salga hacia fuera, pero sin que recibas nada a cambio.
- **Consulta con tu médico sobre hacer algunos cambios en tu medicación**. Algunos hombres padecen DE porque toman estatinas para bajar el colesterol. Lo que ya no es tan conocido es que los medicamentos para la epilepsia tienen el mismo efecto secundario.
- **Deja de fumar**. El tabaco perjudica la circulación, que a su vez perjudica la erección.

- **Practica uno de los tres ejercicios siguientes cada día**:

1. Bajo el agua. Empieza a masturbarte —solo— en una bañera con agua caliente, siempre procurando no eyacular. Cuando el pene está totalmente erecto, sostenlo con firmeza, apriétalo y tira de tus testículos. Repite el ejercicio tantas veces como desees mientras el agua siga caliente; repite esto regularmente. La manipulación de los testículos estimula la secreción de hormonas (así como de esperma, por si te interesa), lo que estimula la fuerza y la duración de las erecciones. La presión del agua nos favorece. También puedes probarlo en la ducha si no tienes tiempo para darte un baño.

2. De lado a lado. De pie, sentado o estirado en una postura que permita que los testículos cuelguen libremente. Frótate las palmas de las manos para calentarlas. Luego, envuelve el escroto con una de ellas, mientras te frotas el bajo vientre con la otra. Frótate de lado a lado al menos un centenar de veces. Mientras lo haces, inspira profundo y retén la respiración. Contrae el ano, el perineo y los músculos de los glúteos. Relaja cuando lo necesites. Frótate las manos y vuelve a generar más calor; cambia para utilizar la otra mano para hacerte las friegas. Esto aumenta la circulación y estimula las hormonas, y, desde la perspectiva de la medicina china, refuerza el yang y mueve el chi en la pelvis. Puedes hacerlo solo o con tu pareja.

3. Masaje a dos manos. Esto es una variante del ejercicio anterior: frótate las palmas hasta que se calienten, luego haz presión con una mano firmemente contra el muslo, en la zona de la ingle, y presiona con la otra mano contra el bajo vientre del mismo lado, con fuerza. Procura mover ambas manos a un mismo tiempo, frótate de un muslo al otro y de un lado a otro del abdomen, todo esto sin tocar o hacer presión sobre los genitales. Emplea la fuerza suficiente para que se mueva el pene. Hazlo un total de doce veces. Esto incrementa la energía en los genitales, estimula la próstata indirectamente y mejora la circulación.

- **Prueba la acupuntura**. Puede equilibrar tus hormonas, favorecer la circulación, reducir la inflamación en la próstata y en la pelvis, reducir el estrés y atenuar los efectos secundarios de la medicación.
- **La Viagra sólo como último recurso**. Lo mejor es que pruebes otros métodos para resolver el problema desde su raíz. Puedes usar los fármacos para tratar el síntoma si esto no funciona, pero es probable que no sea necesario.

Si tienes DE y deficiencia de yang (véase página 103): puedes añadir algunos o todos estos consejos a los de la deficiencia de yang (capítulo 4):

- **Toma la fórmula china Jin Gui Shen Qi Wan** (Rehmania Ocho), para tonificar el yang, que se puede comprar sin receta.
- **Toma suplementos de L-carnitina** (siguiendo las instrucciones del fabricante); las investigaciones han demostrado su eficacia para tratar la DE.
- **Prueba el zinc y la vitamina C**, ambos ayudan a estimular los niveles de testosterona.

Si tienes DE y tu chi está estancado (véase página 46): procura añadir alguno o todos estos consejos a los del estancamiento de chi (capítulo 2):

- **Toma la fórmula china Xiao Yao Wan** (Trotamundos relajado), ayuda a restablecer la circulación del chi, se compra sin receta.
- **Toma suplementos de L-arginina** para dilatar los vasos sanguíneos y mejorar la circulación sanguínea, también en el pene.
- **Prueba los suplementos de ginkgo biloba**, especialmente si tu DE se debe a un efecto secundario de los antidepresivos. El ginkgo mejora la circulación sanguínea en el pene.

- **Toma vitamina E** para mejorar la circulación sanguínea (pero *no* si estás tomando algún otro anticoagulante).

EYACULACIÓN PRECOZ (EP)

La eyaculación precoz (EP) es cuando el hombre eyacula antes de lo que él, o su pareja, desearían, como antes de empezar el coito, o poco después de haberlo iniciado. La medicina china atribuye la mayoría de los casos de EP a la deficiencia de yin, aunque a veces se debe al estancamiento de chi. La eyaculación es muy yang, pero necesitas yin para retener la energía yang en tu cuerpo. Si no tienes suficiente, no podrás contener el yang, y la eyaculación precoz es una de las formas habituales de perderlo. En el estancamiento de chi, la eyaculación precoz se produce cuando se acumula tanta energía que cuesta contenerla, y cualquier forma de liberarla es válida.

Lo más normal es que la EP sea un hábito que hemos de desaprender, no una patología médica. Una de las formas en que se suele desarrollar este hábito es a raíz de nuestras primeras experiencias sexuales, que tenían que ser rápidas y furtivas; la eyaculación precoz es la forma de afrontar tales circunstancias. Quizá te cueste un poco adquirir este nuevo hábito, sobre todo porque vivimos en una cultura que, en términos generales, está totalmente a favor de *acelerar*. Ir más despacio —en todo— puede ser una nueva destreza que debamos adquirir. Ten paciencia contigo mismo.

- **Toma kelp**. Como alimento o suplemento, el kelp es una fuente natural de iodina, selenio, hierro, calcio, vitamina A, niacina, fósforo y proteína; todos estos componentes ayudan a evitar la EP. Además de todo eso, también nutren el yin. ¿Qué más puedes pedir de un alga?
- **Rompe el hábito/aprende uno nuevo**. Si te estás enfrentando a un mal hábito, es bastante evidente que lo que has de hacer es reeducarte para tardar más tiempo en eyacular. Los ejercicios de este libro te ayudarán.

- **Sigue los consejos para la deficiencia de yin** (página 91). Es especialmente importante no trabajar en exceso ni por las noches, dormir lo suficiente y encontrar tiempo para descansar y relajarte.

- **No te estrujes el pene.** Puede que hayas oído o leído que para la eyaculación precoz va bien apretarse el pene; el hombre ha de hacer marcha atrás cuando nota que está a punto de llegar a la eyaculación, entonces ha de apretarse el glande (o se lo aprieta su pareja) en la zona que limita con el tronco del pene durante unos segundos antes de retomar lo que habíais dejado. No obstante, a mi entender lo único que vas a conseguir parándote para realizar una minimaniobra de Heimlich sobre el pene es interrumpir la intimidad y la conexión energética que aporta el sexo a la pareja, así que no te lo recomiendo. Tienes opciones mucho mejores que ésta. Por ejemplo:

- **Deja de concentrarte durante unos momentos en el coito.** Relaja la presión del sexo pasando a la estimulación oral y manual para darle placer a tu pareja. Para muchas mujeres, ésta es una vía más directa al orgasmo, y puede que también descubras que, al tener más variedad en tu repertorio, adquieres otra perspectiva sobre si realmente aguantas lo suficiente.

- **Haz la torsión.** La mujer está tumbada sobre un costado, luego gira sus caderas y la pelvis quedando hacia arriba. El hombre la penetra por encima. Hacer el Nueve y nueve (véase página 249) también puede ser muy útil. Es justamente esa ligera incomodidad de la postura lo que la hace útil, porque ayuda a que el hombre siga concentrado, efecto que se intensifica con el Nueve y nueve. Pero si esta posición concreta no te complace —o si resulta que no se trata de una pareja heterosexual—, elegir alguna otra cosa un poco complicada puede conseguir el mismo efecto. El Nueve y nueve por sí solo, o en alguna otra postura más rebuscada, puede ser la solución.

- **Encuentra el Punto**. Véase la página 261 para una descripción completa, pero aquí tienes el resumen: cuando empiezas a notar las ganas de eyacular, detente —pero no hagas marcha atrás— y presiona firmemente con tus dedos índice y corazón el punto que se encuentra en el espacio entre el escroto y el ano. Cuenta lentamente hasta cuatro. Respira profundo mientras aprietas.

- **Práctica los Tres cierres**. Este ejercicio de respiración genera chi y lo hace circular, y su práctica regular puede ayudar a prevenir la EP. Véase páginas 130 y 132.

- **Quédate quieto**. Una de las formas de acostumbrarte a estar dentro de tu pareja sin eyacular es limitarte a quedarte ahí, sin hacer ningún movimiento. La Meditación para la mañana y la noche (página 189) es una excelente forma de practicar esto a la vez que aumenta la intimidad y la conexión. Éste también es un buen momento para practicar Sincronizad vuestras respiraciones con tu pareja (véase página 184). Considera la Meditación para la mañana y la noche *no* como un preludio para el coito, sino como una práctica en sí misma. Reserva el coito tal como sueles practicarlo para otra ocasión.

- **Plantéate la acupuntura**. Ha ayudado mucho a muchos de mis pacientes con EP. Tonifica el yin y también ayuda a restaurar la circulación del chi.

- **Prueba las hierbas medicinales chinas.** La fórmula Liu Wei Di Huang Wan (Rehmannia Seis) tonifica el yin. Puedes combinarla con Wu Wei Zi (Schisandra), una hierba que es apropiada tanto para la deficiencia de yin como para el estancamiento de chi y trata específicamente la EP. La fórmula Zuo Gui Yin (Cyathula y Rehmannia) es otra buena opción; también nutre el yin.

Salud general y la libido

Tratar cualquier disfunción sexual específica es un factor esencial para reactivar tu vida sexual y reforzar tu libido. Pero también has de tener en cuenta otros problemas de salud que pueden tener un efecto más indirecto sobre tu deseo sexual. De hecho, aunque estés dispuesta a empezar a poner en práctica algunas de las soluciones ya mencionadas, tienes que seguir revisando el resto de este capítulo por si encuentras algún otro factor que se pueda sumar a tu situación. Lo cierto es que, si tienes problemas de salud, tu libido también puede sufrir las consecuencias. Aunque lo más probable es que no sea así.

EL ALCOHOL Y EL CONSUMO DE DROGAS

Una copa puede hacer que seas más amorosa, pero demasiado alcohol puede arruinar tu deseo sexual. El alcohol es un depresivo y hace que tu metabolismo sea más lento, y eso incluye tu libido. Aunque es sabido que interfiere en las erecciones, el alcohol también puede causar estragos en el deseo de la mujer. Lo mismo sucede con las drogas recreativas, incluida la nicotina (tabaco). El alcohol y las drogas al principio te dan energía, pero al final acaban restando más que sumando. Te quedas con una deficiencia de energía, y es más que probable que para la próxima vez necesites más de lo que sea para conseguir alcanzar la misma excitación inicial.

- **No abuses**. Una copa no es probable que cause ningún trastorno en tu vida sexual; el problema es cuando bebes más de la cuenta, tanto si es sólo una noche como regularmente. Añade el sexo a la larga lista de razones por las que no debes abusar del alcohol ni las drogas, y busca un tratamiento si realmente tienes un problema.

- **Reduce tu consumo antes del sexo**. Aunque en general no tengas un problema con el alcohol o las drogas, te conviene consumir poco cuando creas que vas a tener sexo.

ANSIEDAD

En la medicina occidental, la ansiedad está sólo en tu cabeza y el menú que se recomienda para solucionarla se basa principalmente en medicaciones para corregir el desequilibrio químico en el cerebro, terapia psicológica y/o control del estrés.

En la medicina china, la ansiedad no se considera un problema localizado sólo en el cerebro o en la mente, sino en el *pecho*. La medicina occidental ve muchos de los síntomas en esta zona: palpitaciones, respiración superficial, tensión muscular cerca del corazón, pero la medicina china considera que el tórax es el principal centro de la ansiedad. También reconoce varios tipos de ansiedad.

Toda ansiedad relacionada con el estancamiento de chi, situaciones estresantes, emociones reprimidas o pérdidas, subconscientemente provocarán que se tensen los músculos de nuestro tórax, restringiendo la circulación de chi en esa zona así como en otros órganos. Cuando el estancamiento se acumula, genera una sensación de opresión o tensión en el pecho. Puede provocar una sensación de agitación que se conoce como «calor en el corazón». (En la medicina occidental, esto es un ataque de pánico o de ansiedad). Las personas con estancamiento de chi pueden preocuparse por su ansiedad, y también es probable que estén irritables o tengan altibajos emocionales, pierdan el apetito, padezcan tensión hipocondríaca o dolor, tensión muscular, fatiga o alternen estreñimiento y heces sueltas. También pueden tener la libido baja y/o dificultad para alcanzar el orgasmo.

La ansiedad por deficiencia de yang, por el contrario, genera pensamiento obsesivo y preocupación. En las personas con este tipo de ansiedad, suele ser crónica y recurrente, y la experimentan como preocupación, miedo o temor. Es posible que tengan problemas para responder sexualmente.

En las personas con deficiencia de yin, la ansiedad se manifiesta como intranquilidad, sobresaltos o inquietud. Son personas que no pueden tranquilizarse. Cuando están ansiosas, suelen tener una sensación subjetiva de calor, especialmente en el plexo solar, en las palmas de las manos y en las plantas de los pies, sudoración nocturna y una sensación general de tener más calor durante la noche o piel y boca seca. Su estado de agitación puede dificultar que se concentren en el sexo, lo que puede ocasionar problemas en su vida sexual.

El tratamiento para la ansiedad puede crear sus propios problemas sexuales. Los ansiolíticos, como el Valium y el Xanax, pueden bajar la libido y dificultar la excitación.

• **Llora o ríe**. No importa lo que prefieras, el primer paso para eliminar la ansiedad en el pecho es mover el chi. Siempre les digo a mis pacientes que intenten llorar o reír —cualquiera de los dos puede funcionar—, o incluso gemir sin contemplaciones.

- **Respira**. Los ejercicios respiratorios como los del capítulo 6, o, para los yoguis, pranayama, son otra gran forma de liberar el pecho y permitir la circulación del chi.

- **Haz ejercicio**. Hacer ejercicio libera la ansiedad y moviliza el chi, que a su vez alivia la ansiedad. El boxeo, o cualquier otro deporte de la parte superior del cuerpo, como las flexiones de brazos, son particularmente indicados para hacer circular el chi en el pecho, y por tanto apropiados para aliviar la ansiedad.

- **Haz que te den un masaje** para movilizar tu chi, sobre todo en el pecho. Un masaje corporal completo ayuda a que circule el chi y puede hacer desaparecer la angustiosa sensación de tener un nudo en el pecho.

- **Practica yoga**, que se basa en movilizar la energía, aunque a ésta no se le dé el nombre de «chi».

- **Consulta con tu médico para posibles cambios en tu medicación** (véase página 303). Puedes facilitar los cambios en tu ingesta de medicación problemática con técnicas no farmacéuticas para aliviar el estrés y manejar la ansiedad, como la meditación, el biofeedback, yoga, acupuntura, hierbas medicinales y complementos nutricionales.

- **Toma algún suplemento de ácidos grasos omega-3**.

- **Prueba la acupuntura** para movilizar el chi estancado y aliviar los espasmos musculares y tensión asociada a la ansiedad. La acupuntura también es relajante e induce a una sensación de bienestar (¡lo contrario de la ansiedad!) que dura incluso después de haber finalizado el tratamiento. También puede ayudar a contrarrestar cualquier efecto de los ansiolíticos (incluida la falta de libido). A menudo, mis pacientes pueden reducir la medicación que toman, lo cual puede tener muchos beneficios, entre ellos eliminar los efectos secundarios.

- **Toma Suan Zao Ren (*Zizyphus* o azufaifo)** para aliviar la ansiedad.

- **O toma Tian Wang Bu Xin Dan (Té del emperador)** para la ansiedad por deficiencia de yin.

- **O toma lúpulo (*Humulus*)**, una hierba medicinal que ayuda a relajar los músculos, calmar la mente y mejorar la calidad del sueño.

- **O prueba escutelaria y/o raíz de valeriana** para ayudar a prevenir los ataques de pánico.

 PARA LOS HOMBRES: miedo escénico sexual

El miedo o ansiedad es prácticamente idéntico, tanto si tienes cromosomas XX como XY, pero hay un aspecto que es mucho más común en la vida sexual masculina: el miedo escénico sexual. Las mujeres tienen la opción de fingir de un modo que para nosotros es imposible. No estoy recomendando a nadie que finja, pero la verdad es que nosotros estamos *ahí* afuera, siempre, y eso puede suponer mucha presión.

También puedes tener un miedo escénico que nada tenga que ver con el sexo; antes de hacer una presentación en el trabajo, por ejemplo, o cuando tienes que afrontar una charla importante con tu hijo. También es probable que los factores estresantes de todos los aspectos de tu vida puedan contribuir a tu miedo escénico sexual. Trabajar bajo presión, que se puede traducir en cambios de estado de ánimo, irritabilidad o encerrarse en casa, que puede conducir a un desgaste de tu relación... Esto es un caso típico de miedo escénico.

Puedes aliviar el miedo escénico con los mismos consejos que para la ansiedad en general (véase página 292) (y, si es un factor, con los consejos para la DE, véase página 285). El Circuito puede ser especialmente útil. La Contracción puede ser valiosa porque nos ayuda a concentrar la energía y a dirigirla, evitando que se disperse, se desequilibre y provoque ansiedad. También es un buen medio para estar presente en tu cuerpo, que es una buena forma de sentir tu propia energía sexual y aprender a confiar en ella.

Además de esas cosas, probablemente te será útil hacer algo con tu pareja *que no sea sexo*. Algo en lo que no te sientas presionado a actuar, pero donde los dos podáis sentir que estáis conectados. Uno de mis pacientes, por ejemplo, empezó a cocinar junto con su mujer. ¡Esto sumó puntos a su favor por elegir una actividad nutritiva y sensual! Otra buena opción: enséñale a tu pareja algún ejercicio de respiración o de meditación y practicadlo juntos.

CÁNCER Y SUS TRATAMIENTOS

La experiencia de padecer cáncer puede ser tan compleja psicológica como físicamente y ser la causa o el resultado de nuevas complicaciones en tu vida sexual. Los cánceres ginecológicos son especialmente difíciles para la sexualidad. Los efectos secundarios para muchos tratamientos contra el cáncer (dolor, náuseas, fatiga grave) no le hacen ningún favor a tu deseo. Puedes sufrir cambios en tu sensibilidad (por la radiación), tener que afrontar una menopausia prematura (por la quimioterapia, particularmente en el caso del cáncer de mama) o afrontar temas de imagen corporal relativos a la desfiguración o cicatrices (de la cirugía) y /o la pérdida del cabello (por la quimio).

- **Consulta con tu médico sobre posibles cambios en tu medicación** y los posibles efectos secundarios sobre tu sexualidad, como sequedad vaginal y pérdida de la libido. Puedes tener problemas de libido debido a los tratamientos o a muchas otras causas que pueden estar en tu botiquín de casa, como antihistamínicos o antidepresivos (véase página 303).

- **Habla con tu pareja**. Compartir tus preocupaciones puede aliviarte lo suficiente como para incluso desear tener sexo en medio de tales circunstancias.

- **Elije cuidadosamente tu postura**. Si tienes un acortamiento vaginal a raíz de un cáncer del cuello uterino o una histerectomía, utiliza posturas que sólo permitan una penetración superficial (véase capítulo 13 sobre las posturas).

- **Prueba la acupuntura**, especialmente si tienes depresión (véase a continuación) o sofocos: un estudio reciente ha demostrado que es mejor que la medicación para controlar los sofocos debidos al tratamiento para el cáncer de mama.

DEPRESIÓN

La medicina occidental ofrece terapia y fármacos para tratar la depresión, que se considera un desequilibrio de la química cerebral. La medicina china, por el contrario, considera la depresión el resultado del estancamiento emocional del chi, que quiere decir que las emociones no se mueven, que no entran y salen del cuerpo como deberían.

Tanto en Oriente como en Occidente, uno de los efectos secundarios comúnmente reconocidos de la depresión es la pérdida de la libido. Según la visión china, esto se debe a que el estancamiento que provoca la depresión también afecta a la circulación del chi y de la sangre hacia los genitales y la zona pélvica. Por supuesto, toda emoción negativa que esté estancada no te va a ayudar a funcionar correctamente. La depresión también se puede originar o agudizar debido a problemas graves en una relación, el tipo de problemas que pueden afectar no sólo a tu estado de ánimo sino también a tu vida sexual.

Según la visión occidental, la depresión y la falta de interés sexual están tan relacionadas que *la inhibición del deseo sexual* se considera uno de los síntomas de la depresión. Por si fuera poco, muchos de los medicamentos que se toman para tratar la depresión pueden apagar la libido, o, como suelen decir los largos prospectos que incluyen con los mismos, pueden provocar *reducción del rendimiento sexual*.

El sexo es casi un remedio infalible para levantarte el ánimo, aunque estés deprimida, por lo que debería formar parte de cualquier tratamiento para la depresión. Ni siquiera necesitas una pareja para conseguir la mayoría de sus beneficios: al menos un estudio ha descubierto la relación entre la masturbación y la mejora de la depresión. Inclúyela entre las muchas razones para el «simplemente hazlo», y, si todavía no estás donde te gustaría estar, los consejos que vienen a continuación pueden ayudarte a conseguirlo.

- **Habla con tu médico respecto a cualquier cambio en tu medicación** (véase página 304). Puedes favorecer los cambios en la medicación utilizando métodos no farmacéuticos para la depresión, como hacer ejercicio regularmente, acupuntura, fitoterapia china, vitaminas B, aunque no dejes totalmente de lado los fármacos con receta.

- **Planifica el acto sexual para antes de tomarte la medicación** si te tomas una dosis al día. Entonces es cuando los efectos secundarios serán más débiles.

- **Prueba la acupuntura** para reducir los síntomas de la depresión; puede tener un efecto lo suficientemente notable como para que en el historial médico de algunas personas que se tratan con la misma haya desaparecido la depresión. Las investigaciones demuestran que la acupuntura por sí sola puede ser tan eficaz como otros tipos de tratamientos, incluida la terapia y los fármacos, y también es útil en combinación con otros tratamientos. Muchas veces, la acupuntura puede contrarrestar los efectos secundarios de los fármacos.

- **Toma He Huan Pi Cortex Albizzia Julibrissin (corteza de árbol de mimosa)**. A esto lo denominamos el «Prozac vegetal». Es bueno para la depresión, pero también para la irritabilidad y el insomnio que pueden acompañarla. De hecho, puedes tomarla junto con el Prozac y otros fármacos, pero mejor que recurras a la ayuda de un profesional antes de hacerlo.

- **O prueba el hipérico**. No lo tomes si tomas antidepresivos o anticoagulantes. También está contraindicado con la quimioterapia o radiación; las personas que estén siguiendo un tratamiento para el cáncer no deben tomarlo. Puede aumentar la sensibilidad al sol, haciendo que el uso de protección solar sea imprescindible.

- **O toma SAMe (adenosilmetionina)**. No lo tomes si tomas antidepresivos de farmacia o tienes un trastorno bipolar.

DIABETES

Cuando la dieta y la medicación están bajo control, la mayoría de los diabéticos (del tipo 1 o tipo 2) no sufren ningún efecto en su vida sexual. Pero, cuando el control no es perfecto, muchas personas sufren coito doloroso o dificultad para excitarse. Las personas diabéticas suelen tener el colesterol alto, y eso puede reducir el flujo de sangre hacia los órganos sexuales, lo que a su vez puede interferir en la excitación y la respuesta sexual.

En la antigua China, la diabetes se conocía como el trastorno del desgaste y de la sed debido a la sequedad general que provoca. Muchas mujeres que tiene diabetes tienen problemas de sequedad vaginal o de falta de lubricación. Las mujeres pueden tener infecciones vaginales crónicas y/o ITU (infecciones del tracto uterino) debido a los altos niveles de glucosa en su mucosa vaginal, que puede hacer que el sexo sea bastante desagradable.

- **Evita las infecciones por levaduras** tomando un suplemento probiótico y yogur con bífidus activos en tu dieta diaria. También puedes tomar un suplemento de ajo.

- **Evita las ITU** orinando antes y después del sexo.

- **Utiliza un vibrador con tu pareja** para una mayor estimulación si has desarrollado neuropatía (lesión en los nervios) y te cuesta llegar al orgasmo.

- **Prueba la postura del misionero, con rotación**. Los textos antiguos sugieren una variante de la postura del misionero para las personas que tienen diabetes. La presentan como un tratamiento, pero yo no confiaría sólo en ella. No obstante, si te gusta, ¿por qué no probarlo? Aquí tienes cómo hacerlo: en la postura del dragón (misionero), la mujer enlaza sus piernas detrás de los muslos del hombre y gira su pelvis unas veces en el sentido de las agujas del reloj y otras en sentido contrario a las mismas; el hombre se limita a una penetración superficial.

ENFERMEDADES CARDIOVASCULARES

Entre las preocupaciones (justificadas) sobre el colesterol alto, la hipertensión, la obturación de las arterias y el creciente riesgo de padecer un accidente cerebrovascular y un infarto cardíaco, el daño colateral del sexo suele quedar en el olvido.

Las mujeres necesitan un buen aporte de sangre hacia sus genitales y una buena circulación en los mismos para excitarse sexualmente y llegar al orgasmo. Muchas mujeres con hipertensión tienen problemas de lubricación. Por si fuera poco, los medicamentos para la hipertensión pueden reducir la libido (véase página 305).

Para las mujeres con problemas cardíacos que temen que para ellas el sexo no sea del todo seguro, puede ser muy difícil llegar al orgasmo, aunque se atrevan a darse un revolcón. Para la medicina china, la salud del corazón y los subsiguientes problemas sexuales se deben al desequilibrio en la circulación de la sangre y *del chi*. Los sabios dirían que este tipo de miedo produce estancamiento y la incapacidad de relajarse.

La enfermedad cardíaca dificulta la vida sexual de cualquier persona de una forma más: con el miedo. La excitación sexual tiene muchos de los signos de un infarto cardíaco: respiración rápida, sudoración, etc. Este tipo de miedo puede suponer una pésima razón para evitar el sexo. El sexo, entre otras muchas cosas, es una forma de hacer ejercicio y una forma de eliminar el estrés; por consiguiente, es muy bueno para el corazón. El riesgo real de padecer un infarto cardíaco durante el acto sexual es muy pequeño. Consulta a tu médico, por supuesto, pero, en general, no hay razón para *no* tener sexo aunque tengas un problema cardíaco.

- **Sigue una dieta que sea saludable para el corazón**, haz ejercicio aeróbico regularmente, toma mucho ajo en tu comida diaria y muchos suplementos de ácidos grasos omega-3. Lo que sea bueno para tu corazón también lo será para tu vida sexual.

- **Consulta con tu médico sobre posibles cambios en tu medicación** (véase página 305). Los cambios en tu estilo de vida (adelgazar, comida sana y hacer ejercicio) pueden bastar para bajar la presión o ayudarte a reducir la dosis de la medicación de modo que no interfiera en tu vida sexual. La acupuntura y las hierbas chinas se han venido usando desde hace cientos de años para tratar la hipertensión; esa combinación puede ser otra buena opción para ti.

• **Dedica mucho tiempo a los preliminares**, permite que tu ritmo cardíaco aumente gradualmente.

• **Espera a tener relaciones sexuales hasta que hayan transcurrido tres horas de la última comida**; digerir una comida puede fatigar al corazón, y no tiene sentido forzar las cosas cuando esa combinación puede ser funesta.

• **Evita recibir sexo anal**, está demostrado que ensanchar los nervios alrededor del ano puede provocar un indeseable descenso de los latidos cardíacos.

• **Explora otras alternativas para el coito**. A veces, cuando una persona se recupera de un infarto de miocardio, tiene que abstenerse del sexo durante un tiempo; consulta con tu médico si éste es tu caso. Si es así, puede ser un buen momento para explorar otras formas de contacto íntimo que quizá casi hubieras olvidado: besarse, masaje, quizá la masturbación mutua.

• **Practica el Circuito** (véase página 80), que es especialmente beneficioso para las personas con problemas cardiovasculares.

HIPOTIROIDISMO

Tener valores bajos de la hormona tiroides es una condición bastante habitual. La pereza es un síntoma típico y con eso basta para apagar el deseo sexual. También lo es el aumento de peso, y los temas adicionales relacionados con la salud y la imagen corporal que conlleva. Tendrás otros trastornos bioquímicos: en las mujeres, una tiroides lenta puede conducir a un valor alto de otra hormona, la prolactina, que también puede provocar la pérdida de la libido.

• **Haz un tratamiento** para subir los valores de la hormona tiroides si están bajos en tu análisis. Tal vez tu médico te recete hormonas químicas como el Synthroid. Hay versiones más naturales (aunque siempre con receta), como Armour Thyroid o Nature-Thyroid, que a algunas mujeres les van mejor porque se asemejan más a la estructura química de la hormona tiroides que fabrica nuestro cuerpo. Quizá quieras comentárselo a un endocrinólogo para afinar mejor el tratamiento.

- **Ten paciencia**. Tanto si tomas medicamentos con recetas como hierbas, necesitarás unas cuantas semanas para que vuelva tu libido.

- **Prueba la medicina china**. En los casos de hipotiroidismo leve, puede bastar con las hierbas chinas para volver a la normalidad. Puedes probar Jin Gui Shen Qi Wan (Rehmannia Ocho).

INSOMNIO

Si tienes problemas para conciliar el sueño, o para no despertarte, es muy probable que eso afecte a tu estado de ánimo y a tus niveles de energía, por lo que también interferirá en tu libido. Además, las investigaciones clínicas demuestran que la circulación de la sangre en los genitales (y por consiguiente la libido) se ve afectada por la fase REM del sueño.

Si padeces insomnio habitualmente, consulta con tu médico. Pero, por favor, no te mediques para el sueño salvo que realmente hayas intentado en serio dormir bien utilizando otros medios. En el mejor de los casos, los medicamentos son caros y sólo sirven a corto plazo. A la mayoría de las personas les basta con una buena *higiene del sueño*.

- **Reserva la cama sólo para dormir (y para el sexo)**. Esto significa no ver la televisión, no navegar por Internet, etc. (Aunque me complace decir que sí está bien leer). Es un típico consejo para conciliar el sueño. ¡Pero también es excelente para tu vida sexual!

- **Reserva un tiempo en la cama para el sexo**. Es una buena forma de relajarse y prepararse para el sueño. Y, cuando te hayas recuperado gracias a un buen sueño, sentirás más ganas de tener sexo en el futuro.

LOS MEDICAMENTOS Y SUS EFECTOS SECUNDARIOS SOBRE EL SEXO
Muchos fármacos de receta, así como los que se venden sin ésta, tienen un importante efecto secundario que con frecuencia no tenemos en cuenta: matan la libido. Así que, si estás tomando algún medicamento y tu deseo sexual ha desaparecido, habla con tu médico al respecto. Pregúntale sobre la alternativa de usar otros medicamentos, alternativas *a la* medicación, cambiar las dosis u otras formas de contrarrestar los efectos secundarios. Nunca dejes un medicamento sin consultarlo antes con tu médico. Pero igualmente es un gran error seguir tomando medicación que te está causando un perjuicio sin comentárselo a tu médico.

En muchos casos, los tratamientos no farmacológicos pueden corregir un trastorno, y, aunque eso no sea suficiente para que dejes los medicamentos, puede servirte para que tomes una dosis inferior que sea eficaz y que no tenga efectos secundarios. La acupuntura y la fitoterapia china muchas veces se pueden usar para tratar trastornos en vez de usar medicamentos o para mejorar el efecto de los mismos con dosis inferiores (sin efectos secundarios) o para tratar los efectos secundarios de los fármacos. Habla con un profesional de la medicina china para saber cuáles son concretamente tus opciones, y al igual que harías con cualquier profesional de la salud, no dejes de explicarle tus problemas de libido.

A continuación exponemos una lista de las causas más frecuentes:

- **Ansiolíticos**. Los sedantes como el Valium y el Xanax pueden ocasionar la pérdida de la libido y dificultar la excitación.

- **Antidepresivos**. Los antidepresivos pueden deprimir tu deseo sexual. Los **ISRS** pueden tener efectos secundarios provocando la disminución de la libido y la imposibilidad de llegar al orgasmo. Los **tricíclicos** pueden disminuir el deseo y provocar cansancio.

Entre los ISRS se incluyen:
Citalopram (Celexa)
Escitalopram (Lexapro)
Fluoxetina (Prozac, Prozac Semanal)

Paroxetina (Paxil, Paxil CR)

Sertralina (Zoloft)

Entre los tricíclicos se incluyen:

Amitriptilina

Amoxapina

Desipramina (Norpramin)

Doxepina

Imipramina (Tofranil, Tofranil-PM)

Maprotilina

Nortriptilina (Pamelor)

Protriptilina (Vivactil)

Trimipramina (Surmontil)

Tu médico debería poder aconsejarte otras opciones. Entre ellas:

La Duloxetina (Cymbalta) puede tener menos efectos secundarios sobre la sexualidad que otros ISRS.

El Bupropión (Wellbutrin) generalmente tiene menos riesgo de provocar efectos secundarios sobre la sexualidad.

A veces, puede ayudar añadir una medicación adicional; tomar buspirona (Buspar), por ejemplo. Los ansiolíticos también pueden atenuar los efectos secundarios provocados por un antidepresivo.

• **Antihistamínicos**. Los que se venden sin receta, como Allegra, Zyrtec, Sudafed, Benadryl y Claritin, pueden reducir la libido si te producen sequedad vaginal y cansancio. Quizá te vaya mejor un spray nasal con receta como Flonase, que actúa de forma local y no circula por todo el cuerpo. También puedes probar métodos alternativos para aliviar las alergias, como hierbas, homeopatía, acupuntura y lavado nasal con la lota para el jala neti.*

---

* La lota es un recipiente parecido a una tetera que está especialmente diseñado para la práctica del jala neti yóguico (lavado nasal). (*N. de la T.*)

- **Anticonceptivos orales**. No ha de extrañarnos que los anticonceptivos orales, que cambian las hormonas sexuales de las mujeres, muchas veces bajen la libido y reduzcan la lubricación y la satisfacción sexual. Dejar a las personas sin sexo es sin duda alguna una de las formas de evitar la concepción, pero no creo que sea eso lo que ningún profesional tiene en mente cuando hace una receta para «la píldora». Las investigaciones más recientes parecen indicar que no sólo las mujeres que toman anticonceptivos orales tienen mucho menos deseo sexual que las que no los toman, sino que, probablemente, también tendrán que combatir ese efecto tras su interrupción. De modo que si el control hormonal de la natalidad está fastidiando tu vida sexual en vez de propiciarla, habla con tu médico para ver si te puede recetar una píldora con dosis más bajas u otros métodos anticonceptivos. (El control no hormonal de la natalidad también puede originar problemas de libido, así que elige cuidadosamente y aplícalo con creatividad. Por ejemplo, el diafragma corta la espontaneidad, y a veces las mujeres prefieren evitar el sexo que tener que dedicarse a ponerse el diafragma. Una buena idea es enseñarle a tu pareja a ponértelo y hacer que eso se convierta en parte de los juegos preliminares).

- **Medicación para la hipertensión**. Tómate una pastilla para bajar la presión, cabe la posibilidad de que termines con un efecto secundario de falta de libido y poca excitación sexual debido a la reducción del riego sanguíneo. Afortunadamente, hay varias categorías de medicamentos que se utilizan para controlar la hipertensión, y algunos pueden afectar menos la función sexual que otros, así que puede que tengas alguna otra alternativa.

- **Tratamiento para el cáncer**. En las mujeres, los tratamientos para el cáncer de vejiga, mama, cuello uterino, colon, ovarios, útero, recto o vagina pueden provocar la pérdida de la libido, sequedad vaginal y dificultad para llegar al orgasmo. La radiación y la cirugía pueden ser la causa (véase página 296), pero las medicaciones, especialmente las que tienen efectos hormonales (¡que son muchas!), suelen causar problemas. Afortunadamente, los efectos secundarios relacionados con la quimioterapia y la radiación suelen ser temporales, cesan cuando termina el tratamiento. Pero, si es la cirugía la que provoca un problema, puede tener un efecto permanente.

Cuando te enfrentas al cáncer y a tratamientos para el cáncer y también tienes problemas con tu vida sexual, vale la pena tener en cuenta si estás tomando alguna otra medicación (que no esté directamente relacionada con el cáncer) que pueda estar afectando tu libido. (Los antidepresivos suelen ser la causa más habitual, por lo que veo en mis pacientes).

- **Medicación para la epilepsia**. Los fármacos para la epilepsia son tan sedantes (especialmente, los barbitúricos) que muchos de ellos tienen efectos sobre la sexualidad. Muchos de estos fármacos se asocian a importantes cambios hormonales que afectan en la conducta y la función sexual. Las personas que toman medicación para la epilepsia pueden tener la libido baja, problemas para excitarse y/o dificultad para llegar al orgasmo.

- **Medicación para la esclerosis múltiple**. Algunos medicamentos para la EM interfieren en la excitación sexual.

PARA LOS HOMBRES: sobre los medicamentos y sobre los hombres

Toma nota: el remedio es peor que la enfermedad. Bueno, quizá no peor, pero sí a veces menos atractivo. Los hombres hemos de leer detenidamente la sección sobre medicaciones y sus efectos secundarios sobre la sexualidad, pero hay algunas cosas que sólo nos preocupan a los hombres:

Antidepresivos, especialmente los de las categorías de ISRS y tricíclicos, que pueden disminuir el deseo sexual y retrasar la eyaculación.

Los tratamientos para el cáncer de próstata, vejiga, recto y colon pueden producir dolor en el acto sexual, DE y/o reducir el deseo sexual. Los medicamentos hormonales que se suelen indicar para el cáncer de próstata, concretamente, pueden afectar tanto en el deseo como en el rendimiento sexual. Aquí puede ser útil una medicación para la función sexual, como la Viagra; por tanto, habla con tu médico.

La medicación para la epilepsia puede reducir la libido, provocar DE y/o retrasar la eyaculación.

La medicación para el colesterol —estatinas— en los hombres puede reducir la libido y la función sexual junto con el nivel de colesterol. Algunos hombres padecen DE cuando toman esta medicación.

MIGRAÑA

Un orgasmo puede provocar una migraña, gracias al torrente de neurotransmisores y/o el estallido de energía yang. El miedo a la migraña puede ser un gran disuasorio.

- **Elige una postura sexual** que evite que arquees el cuello o la espalda: es una forma sencilla de evitar la posibilidad de que se te inicie una migraña durante el sexo.

TRASTORNOS NEUROLÓGICOS

Hay un sinfín de factores que pueden afectar a tu sistema neurológico, y, aunque todos presenten dificultades más obvias e inmediatas, hay un efecto común que no se suele tener en cuenta: los efectos en tu vida sexual.

La esclerosis múltiple puede presentarse con una respuesta sexual impredecible: a veces estás bien y a veces tienes problemas para excitarte o para llegar al orgasmo. La debilidad y los espasmos musculares no favorecen el sexo, y los problemas nerviosos pueden mezclarse con tu placer cuando *tienes* sexo, puesto que reducen la sensibilidad en los genitales. Algunos de los medicamentos que se toman para tratar la EM pueden obstaculizar tu excitación sexual.

Los trastornos que producen ataques, incluidos los de epilepsia, pueden causar problemas de excitación y de lubricación. La mayoría de mis pacientes con epilepsia tienen miedo a padecer un ataque cuando practican sexo, lo que a su vez reduce notablemente su deseo sexual. Además, muchos medicamentos para la epilepsia pueden reducir la libido, provocar problemas de excitación y/o dificultad para llegar al orgasmo.

Las lesiones medulares suelen ser devastadoras, y, en parte, la causa es que pueden hacerte sentir como si tu deseo sexual no fuera a regresar jamás. La pérdida de la sensación puede provocar problemas de excitación, y la pérdida de la movilidad hace que volver a tener sexo como antes sea más difícil o incluso imposible.

Los accidentes cerebrovasculares. Si has padecido uno, tal vez tengas debilidad muscular o pérdida de la sensibilidad, y, quizá lo más incapacitador de todo, falta de confianza, por lo que tu vida sexual se verá afectada.

Las soluciones para la falta de sexo cuando tengas problemas neurológicos pueden variar en cada persona. Pero hay diversas estrategias comunes para la mayoría de los casos:

- **Habla con tu pareja de tus miedos (y los suyos).** Planificar lo que vais a hacer para reducir las posibilidades de que aparezcan problemas en el acto sexual, así como lo que tenéis que hacer si surgen problemas, es un medio para liberaros de vuestro miedo.

- **Consulta con tu médico posibles cambios en la medicación.**

- **Crea oportunidades para obtener más estímulo** si se ha reducido tu sensibilidad en los genitales. Por ejemplo, elige una postura en la que al mismo tiempo puedas recurrir a las manos o incorpora un vibrador a tu vida sexual.

- **Haz el coito tumbada de costado y dándole la espalda a tu compañero** (véase patos mandarines unidos, página 244). Es una buena postura para recibir más estimulación, pero también cansa menos el cuerpo y es especialmente útil para los espasmos musculares.

- **Plantéate seguir un tratamiento de acupuntura,** puede ayudarte a recuperar sensibilidad nerviosa.

- **Plantéate seguir un tratamiento de medicina china.** Algunas de mis pacientes han podido reducir satisfactoriamente sus medicaciones tratándose regularmente con acupuntura y tomando fórmulas personalizadas de hierbas medicinales chinas. Esto requiere una buena comunicación entre el acupuntor, el médico y el paciente.

POSTPARTO

Las primeras semanas y meses después de haber tenido un hijo pueden pasar factura en tu deseo sexual. Estarás chafada por el cansancio. Sufrirás cambios en tu cuerpo que pueden suponer que no podrás involucrarte como siempre lo habías hecho, y tu imagen corporal puede que también sufra algunos cambios no deseados. Todo ello, sumado al estrés de cuidar del bebé, puede contribuir a que tu libido baje.

Amamantar puede reducir el deseo porque sube la prolactina, que baja la libido, y por si esto fuera poco también baja el estrógeno, lo que causa problemas de lubricación. Y eso incluso antes de que interfieras con tus pensamientos negativos sobre tus pechos y tu sexualidad, como hacen muchas mujeres, y sobre lo complicado que puede llegar a ser, debido a la crianza.

Algunos sencillos cambios pueden ayudarte a ver algunas mejoras antes de que encuentres a tu nuevo *yo normal*:

- **Ama a tu cuerpo**. El embarazo cambia tu cuerpo de muchas formas que no siempre vuelven a ser como antes del nacimiento de tu hijo, y es bastante habitual que las mujeres adopten una imagen negativa de sí mismas. Busca los signos de esta actitud y opta por aceptar tu *nuevo yo normal*. Al fin y al cabo, has tenido una experiencia extraordinaria de lo poderoso que es tu cuerpo y de las cosas increíbles que puede llegar a hacer. Dale alguna muestra de cariño.

- **Mantente hidratada** mientras estás amamantando. Empieza por lo más evidente: bebe mucha agua.

- **Toma muchos ácidos grasos omega-3** (a través de la dieta o mediante suplementos o ambas cosas) para que te ayuden a mantenerte hidratada.

- **Come mucha proteína**.

PARA LOS HOMBRES: la salud masculina

Los problemas médicos y de salud que influyen en la libido —y sus soluciones— son muy similares a los de las mujeres, salvo las excepciones obvias, como el embarazo. No obstante, hay algunos aspectos o mecanismos propios de los hombres:

TRATAMIENTOS PARA EL CÁNCER

Cualquier cáncer que afecte a los órganos sexuales puede ser especialmente complicado para la sexualidad. Y los propios tratamientos para la próstata, la vejiga, el recto y el cáncer de colon pueden bajar la testosterona, provocar dolor en el acto sexual, DE y/o reducir el deseo sexual.

Las hierbas medicinales y la acupuntura pueden ayudar a mitigar los efectos secundarios del tratamiento. La acupuntura es especialmente útil para tratar los efectos psicológicos y muchas de las ansiedades que generan el diagnóstico y el tratamiento para el cáncer. La acupuntura puede ayudar a prevenir o aliviar el estancamiento que puede surgir a raíz de —o que puede conducir a— una libido baja y la DE.

DIABETES

Los hombres con diabetes tienen *tres veces más* probabilidades de sufrir problemas sexuales (concretamente DE) que los hombres que no padecen esta enfermedad, debido a la forma en que la diabetes puede afectar a los nervios, los vasos sanguíneos y el tejido muscular. Además, el colesterol alto, bastante habitual en los diabéticos, puede dificultar la circulación de la sangre hacia el pene, provocando problemas de erección. (Y la medicación para el colesterol tiene sus propios efectos secundarios, véase más abajo, y la página 103).

ENFERMEDADES CARDIOVASCULARES

La salud del corazón es esencial para una vida sexual sana, porque para ello necesitamos un buen aporte de sangre hacia el pene y una buena circulación dentro del mismo, para conseguir la erección y mantenerla. Si todavía no has tenido problemas pero tienes alguna arteria que se está obturando, créeme: los tendrás. Haz algo. Tu vida (sexual) está en juego.

Los efectos secundarios de algunos medicamentos para el corazón (véase página 103) pueden motivarte lo suficiente para intentar controlar el colesterol a través de la dieta y el ejercicio. Aunque no consigas reducir tu colesterol a un nivel seguro, es probable que puedas reducir la dosis de la medicación, lo que puede eliminar los efectos secundarios. Si quieres fuentes naturales para complementar tus intentos, las investigaciones respaldan el uso de estos suplementos para bajar el colesterol: zaragatona en polvo, pectina de manzana, extracto de levadura de arroz rojo china y extracto de alcachofera (*Cynara scolymus*). Para mejorar la proporción de HDL y LDL, puedes probar el picolinato de cromo.

HIPOTIROIDISMO

Un valor bajo de la hormona tiroides inhibe la síntesis de testosterona, y una testosterona baja puede reducir la libido.

MIGRAÑAS

Eyacular puede provocar migraña. Aprender a eyacular con menos energía yang, como con las técnicas de la *retención* del capítulo 14, puede evitar este riesgo.

TRASTORNOS NEUROLÓGICOS

Entre los efectos secundarios de la medicación para la epilepsia se incluyen la DE y/o la eyaculación retardada.

Apéndice 1

Encontrar y utilizar hierbas medicinales chinas

En todo este libro, he recomendado hierbas y fórmulas de hierbas que se pueden comprar sin receta, para que puedas usarlas por tu cuenta. Si has ido a la consulta de un profesional de medicina china, te habrá recetado alguna fórmula personalizada que se adapte a tu cuerpo y a su condición actual (aunque probablemente se base en las mismas fórmulas que he mencionado). Es evidente que no puedo reproducirlas con exactitud en este libro, de modo que, si tienes la oportunidad de ir a un especialista de medicina china, podrás mejorar mis recomendaciones bajo sus expertos consejos. No obstante, las fórmulas que menciono aquí son muy eficaces y su eficacia ha sido demostrada con el tiempo —sólo he incluido las que son inofensivas para que las tomes por tu cuenta—, para que puedas obtener excelentes resultados aunque no vayas a un especialista.

Debes asegurarte de que obtienes hierbas medicinales de alta calidad de un distribuidor de confianza, para estar segura de que te dan lo que estás pidiendo; ni más, ni menos. Puedes comprarlas en algún barrio chino, si vives cerca de alguno, pero comprarlas por Internet tal vez sea lo más conveniente. Sea como fuere, lo más importante es comprar una marca de confianza. Las marcas que recomiendo a mis pacientes:

- **Golden Flower Chinese Herbs** y **Plum Flower** para las pastillas.

- **Kan Herbs** para las tinturas (hierbas concentradas en un extracto con alcohol).

- **KPC Herbs*** para los gránulos.

Me gustan las hierbas presentadas en granulos, puesto que son eficaces y prácticas: basta con añadir agua caliente y bebértelas como una infusión. Las hierbas también pueden venderse sueltas, pero has de preparar la infusión todos los días, que supone mucha molestia para la mayoría de las personas, y en cualquier caso es necesaria la guía de un profesional para usarlas.

También tendrás que ir a un médico si quieres tomar hierbas y estás tomando cualquier otra medicación, incluida otra fórmula de hierbas. Puedes tomar hierbas cuando estás tomando otros suplementos —vitaminas o aceite de pescado o cualquier otra cosa—, pero te aconsejo que no empieces a tomar más de una cosa nueva a la vez. Introduce gradualmente cada una, para que puedas observar cómo lo asimila tu cuerpo, antes de que compliques las situación con algo nuevo.

Si notas alguna reacción a cualquier fórmula de hierbas —un síntoma que no tenías antes—, deja de tomarla y consulta con un médico.

---

* Equilibrium Herbs® tiene muchas de las fórmulas en pastillas y extractos que aparecen en este libro. Son distribuidores en España de Kaiser Pharmaceutical Co. (KPC) y Giovanni Macioca, www.equilibrium.net. (*N. de la T.*)

Apéndice 2

Ejercicios para hacer circular el chi y tonificar el yin y el yang

Para tonificar y equilibrar la energía en general, aprende los ejercicios polifacéticos que fomentan la circulación del chi y tonifican el yin y el yang.

Circuito (página 80)

Contracción (página 106)

Besar: Utiliza las manos (página 216)

De la cabeza a los pies (página 230)

Nueve y nueve (página 249)

Para hacer circular el chi, revisa:

Respira (página 39)

Sincronizad vuestras respiraciones (página 184)

Piensa en ello (página 49)

Meditación para la mañana y la noche (página 189)

Bol para mezclar (página 150)

Masaje en el pecho (página 147)

Explora (página 152)

Masaje en pareja (página 155)

Besar (página 214)

Besar: Establece contacto visual (página 216)

Besar: Corazón a corazón (página 217)

Punto G (página 166)

Punto A (página 167)

Engaña y relaja (página 224)

Polvo rápido (página 225)

Cunnilingus (hacer) (página 237)

Felación (hacer) (página 232)

Las Diez Principales (página 241)

Sigue balanceándote (página 249)

Para tonificar el yin, prueba:

Sonrisa interior (página 134)

Abre tus sentidos (página 72)

Meditación para la mañana y la noche (página 189)

Masaje en el pecho (página 147)

Masaje en pareja (página 155)

Besar (página 214)

Punto G (página 166)

Punto A (página 167)

Engaña y relaja (página 224)

Cunnilingus (recibir) (página 234)

Dragón (página 241)

Mono (página 242)

Cigarra (página 242)

Fénix (página 243)

Pez (página 244)

Patos mandarines unidos (página 244)

Para tonificar el yang, prueba:

Respiración abdominal (página 116)

Meditación de la energía (página 136)

Vientre de Buda (página 98)

Bol para mezclar (página 150)

Engaña y relaja (página 224)

Polvo rápido (página 225)

Felación (recibir) (página 233)

Dragón (página 241)

Tigre (página 242)

Tortuga (página 243)

Conejo (página 243)

Pez (página 244)

Grulla (página 244)

El señor de los muslos (página 249)

 PARA LOS HOMBRES: ejercicios para los hombres

Casi todos los ejercicios mencionados mueven el chi, tonifican el yin o el chi de igual modo en hombres que en mujeres. Salvo una excepción que es sólo para hombres: el Masaje de próstata (página 144), que es bueno para la deficiencia de yin o de yang.

Además, Las Diez Principales, que sirven para movilizar el chi en general, suelen afectar de modo distinto a los hombres que a las mujeres en lo que respecta al yin y al yang.

Para tonificar el yin, utiliza:	Para tonificar el yang, utiliza:
Tortuga (página 243)	Dragón (página 241)
Conejo (página 243)	Tigre (página 242)
Pez (página 244)	Mono (página 242)
Grulla (página 244)	Cigarra (página 242)
	Fénix (página 243)
	Patos mandarines unidos (página 244)

Apéndice 3

Recursos

Productos

Para vitaminas de **calidad superior**, prueba Premier Research Labs, Pure Encapsulations y/o Metagenics.

Los lubricantes a base de agua son los únicos apropiados para utilizar con los preservativos de látex (y no dañarán los juguetes de plástico o de goma). **Sylk** es el que yo recomiendo. **Astroglide** también ofrece buenas opciones. Es importante leer las etiquetas: **Sliquid** Organics Silk Lubricant, por ejemplo, tiene certificación de orgánico, no contiene glicerina, petróleo o parabenos, por lo que es una buena opción, incluso antes de que sepas que también tiene extractos de té verde, hibisco, lino y girasol.

El aceite afrodisíaco Zestra se puede conseguir en Zestra.com.

El test de la hormona de la saliva se puede realizar en Unikey Health:

http://www.unikeyhealth.com/product/Salivary_test/Parasite_Testing

Las hormonas naturales personalizadas se pueden conseguir con receta en: Women's International Pharmacy, www.womensinternational.com y The Healthy Choice Compounding Pharmacy, www.thehealthychoice.net.

Para los **juguetes,** os recomiendo: **Good Vibrations** (www.goodvibes.com)

y **My Pleasure** (www.mypleasure.com), que también tiene buenos artículos sexuales.

Libros

Para **saber más sobre medicina china**:

Ted Kaptchuck, *The Web That Has No Weaber*.

Harriet Beinfield y Efrem Korngold, *Entre el cielo y la tierra*, La Liebre de Marzo, Barcelona, 2011.

Para **saber más sobre sexología taoísta**:

Stephen Thomas Chang, *The Tao of Sexology*.

Mantak Chia y Maneewan Chia, *Reflexología sexual: activando los puntos taoístas del amor*, Neo Person, Madrid, 2003.

Para **saber más sobre sexología taoísta para las mujeres**:

Mantak Chia y Maneewan Chia, *Amor curativo a través del Tao: Cultivando la energía sexual femenina*, Editorial Mirach, Madrid, 1993.

Para **una visión más completa sobre las retenciones** y otros aspectos de la sexología taoísta para los hombres, recomiendo:

Mantak Chia y Douglas Abrams Arava, *El hombre multiorgásmico*, Editorial Neo Person, Madrid, 2013.

Buenas fuentes sobre el sexo que no son de origen chino, para las relaciones estables:

Michel Weinter-Davis, *The Sex-Starved Marriage*.

David Schnarch, *Passionate Marriage*. El autor de este libro, junto con la doctora Ruth Morehouse, ofrecen retiros y talleres. www.passionatemarriage.com.